ONZICHTBARE VROUWEN

Jacky Trevane

ONZICHTBARE VROUWEN

the house of books

Oorspronkelijke titel
Invisible Women
Uitgave
Hodder & Stoughton, Londen
Copyright © 2005 by Jacky Trevane
Copyright voor het Nederlandse taalgebied © 2007 by The House of Books,
Vianen/Antwerpen

Vertaling
Ineke van Bronswijk
Omslagontwerp
Studio Jan de Boer BNO, Amsterdam
Omslagfoto
Masterfile/Steve Prezant
Foto auteur
Mirrorpix
Opmaak binnenwerk
ZetSpiegel, Best

ISBN 978 90 334 1742 8
D/2007/8899/72
NUR 402

Voor mijn moeder

Evenals de gelukkigste naties
hebben de gelukkigste vrouwen geen geschiedenis.

George Eliot (Mary Ann Cross), 1819-1880

Inhoud

Proloog

We zijn alleen onzichtbaar zolang niemand ons kan zien.
Maar dat betekent niet dat we er niet zijn.
Soms onder je ogen.
Lijdend.
Bloedend, inwendig en uitwendig.

Maar je ziet het niet omdat je niet kijkt,
je hebt het te druk om het op te merken,
je wordt in beslag genomen door je dagelijkse beslommeringen.
Eerlijk is eerlijk,
je vindt het niet belangrijk genoeg om moeite te doen en
het dunne laagje vernis weg te schrapen
dat de verschrikkelijke werkelijkheid eronder
bedekt.

We zijn overal.
We winkelen bij Sainsbury's,
we staan op het schoolplein,
we wandelen in het park,
we koken eten.

We zijn je moeder,
je nicht,

je beste vriendin,
je patiënte,
je favoriete soapster.

Je hoeft alleen maar je ogen open te doen.

Jacky Trevane

Inleiding

Een mensenleven geleden heeft mijn eerste man mijn persoonlijkheid en mijn geest begraven onder een dikke laag dreigementen en mishandelingen. Onderwerping, iets waartoe ik
nooit geneigd was geweest, werd al snel als sluier gebruikt om
te voorkomen dat de buitenwereld naar binnen kon kijken en
de echte ik kon zien. In feite werd ik onzichtbaar.
Als echtgenote ging de onderwerping over in gelatenheid.
Zwijgend onderging ik ontelbare mishandelingen, zowel geestelijk als lichamelijk. Pas toen ook mijn dochter te lijden kreeg
onder het geweld kwam ik in opstand. Ik kon niet lijdzaam
toezien dat mijn kind pijn werd gedaan.
Als moeder was het instinct om mijn kinderen te beschermen
sterker dan elk ander gevoel, en dit werd de katalysator voor
mijn rebellie. Ik vocht om weer zichtbaar te worden, om te ontsnappen aan het leven van geweld en agressie. Om vrij te zijn.
Het lukte me om te ontkomen, met als gevolg dat er een
fatwa tegen me werd uitgesproken, een doodsbedreiging, en
die is tot op de dag van vandaag van kracht gebleven. Toch
zijn mijn twee dochters opgegroeid in een vrij land, en kunnen
ze doen en zeggen wat ze willen.
Als drie bevrijde vrouwen kunnen we nu met een gevoel van
trots terugkijken op onze strijd. Ik heb een boek geschreven
over wat we hebben meegemaakt en een website opgezet om

andere meisjes in moeilijkheden te helpen – andere meisjes die, om wat voor reden dan ook, eveneens onzichtbaar zijn geworden en een onverschillige wereld hun verhaal willen vertellen.

Na de publicatie van *Fatwa* volgde een overweldigende respons op mijn website, en dit heeft me op het idee gebracht om een tweede boek te schrijven, *Onzichtbare vrouwen*, waarin ik een aantal van de trieste, hartverscheurende en verbijsterende verhalen die me zijn verteld weergeef. Er is een verhaal bij van een moslimmeisje dat met tegenzin instemt met een gearrangeerd huwelijk; van een Engels meisje dat door haar eigen familie wordt buitengesloten en mishandeld; van een meisje wier nichtje er ten onrechte van wordt beschuldigd dat ze een vriend heeft, waarna ze het slachtoffer wordt van eerwraak – en meer. In het begin luisterde ik impulsief, en niet altijd met evenveel begrip, maar hopelijk ben ik geleidelijk bedachtzamer, welwillender en meelevender geworden, en heb ik geprobeerd dit in de loop van het boek tot uitdrukking te laten komen.

Het eerste verhaal is het mijne. Het beschrijft hoe ik stapje voor stapje een nieuw leven heb opgebouwd en heb leren omgaan met de fatwa, zodat ik uiteindelijk in staat ben geweest een nieuwe en bevredigende relatie aan te gaan. Die relatie is mijn redding geweest, heeft me mijn vertrouwen teruggegeven en me er geestelijk bovenop geholpen. Kortom, die relatie heeft me weer zichtbaar gemaakt.

1

Het herbeleven van de nachtmerrie

'Je zou een boek moeten schrijven over alles wat je hebt meegemaakt.'

Ik keek om me heen, naar de kale, gebroken witte muren, naar het nachtkastje met verlepte bloemen, een plastic fles halfvol lauwwarm water, een kartonnen spuugbakje, een houten spatel en een doos tissues. Mijn moeder hield mijn hand vast en mijn afwijzende glimlach verbleekte toen ik zag hoe ernstig ze naar me keek. 'Het zit allemaal in mijn hoofd, en ik heb het onder controle. Voor mij is dat genoeg.' Ik kneep voorzichtig in haar hand om haar geen pijn te doen. De derde keer chemotherapie was erg zwaar voor mijn moeder; ze voelde zich ellendig en was voortdurend misselijk, en ik vroeg me af of het al die bijverschijnselen waard was. 'Hoeveel weten de meisjes?' vroeg ze. 'Hoeveel weten ze werkelijk, bedoel ik? Vraagt Amira wel eens naar haar vader? Je moet er goed over nadenken, Jacky, en het hele verhaal op papier zetten. Kijk eens naar mij. Wie had verleden jaar kunnen denken dat ik nog maar een paar maanden te leven had? Stel nou dat jou iets overkomt?' Met een zucht leunde ze achterover tegen het gekreukelde witte kussen. 'Schrijf het op, lieve schat, schrijf het allemaal op.'

Eenmaal weer thuis bleef ik over haar woorden nadenken. Ook al was ze nog zo uitgeput, ze was blijven aandringen en had me met haar vermoeide ogen ernstig aangekeken. Kón ik het allemaal opschrijven? Kon ik alles nog een keer onder ogen zien? Ik legde mijn hoofd in mijn handen. Mijn moeder had me nog nooit slechte raad gegeven. Ik was het haar verschuldigd om het in elk geval te proberen.

Ik begon de volgende dag aan een chronologisch verslag van alle gebeurtenissen. Het duurde eeuwen om op gang te komen, maar na de eerste aarzelende alinea's kwam er vaart in en herbeleefde ik mijn verhaal. Rugpijn, een droge keel en kramp in mijn hand waren allemaal ondergeschikt aan het schrijven. Ik was geïnspireerd. Het aantal pagina's groeide, tegelijk met mijn vertrouwen. Ik schreef zowaar een echt boek.

Ik las mijn moeder elk hoofdstuk voor, soms niet meer dan een pagina per keer als ze niet sterk genoeg was om het aan te horen. Ze was geschokt over sommige details, maar dolblij dat ik haar advies had opgevolgd. Ze was zo trots op me. Ze probeerde zich op elke zin te concentreren, maar helaas is ze drie hoofdstukken voor het einde overleden. Mijn doorzettingsvermogen doofde uit.

Zes weken later ging ik 's avonds na mijn werk weer aan de slag, en ik stond pas op toen ik de laatste drie hoofdstukken had geschreven, gelezen en herschreven totdat ik tevreden was over het resultaat. Ik deed het voor mijn moeder, om woord te houden. En voor mijn twee dochters, om hun te laten weten waar ze vandaan komen en waarom ze zijn geboren.

En ik deed het voor de duizenden meisjes die in de vakantie de man van hun dromen leren kennen en met hun knappe adonis in het huwelijksbootje stappen.

Fatwa kwam begin 2004 op de markt. Ik was blij verrast met de reacties. De tweede druk van het boek verscheen na minder dan zes weken, en ik werd zelfs geïnterviewd op de televisie, uiteraard gesluierd.

In het boek beschrijf ik de problemen die ik heb meegemaakt nadat ik op vakantie een razend knappe Egyptenaar had ontmoet, in minder dan tien dagen met hem was getrouwd en daarna in zijn cultuur en met zijn godsdienst aan de andere kant van de wereld een leven moest opbouwen. Voor mij was dit boek een enorme prestatie. Twee jaar daarvoor, toen ik op bezoek was bij mijn moeder, was het schrijven van een boek nooit bij me opgekomen. Nu stonden er twee exemplaren op een ereplaats in de boekenkast in mijn werkkamer, en nog een in de woonkamer.

Leila was aanvankelijk geschokt en onzeker geweest over het vooruitzicht dat de rest van de wereld zou kunnen lezen wat ze in haar vroegste jeugd had meegemaakt.

'Stel nou dat mijn vrienden en vriendinnen het lezen?' vroeg ze. 'Ik heb niemand erover verteld. Het is zo gênant, mam.'

Amira vond het daarentegen fascinerend. 'Wauw, mam, wat een goed boek. Ik kan bijna niet geloven dat het over ons gaat. Ik had geen idee van wat er allemaal is gebeurd. Wat een nachtmerrie. Het moet heel moeilijk voor je zijn geweest om het op te schrijven. Ik ben hartstikke trots op je.'

Gelukkig bleef Amira enthousiast en bemoedigend. Binnen een week had ze Leila ervan overtuigd dat ons verhaal niet beschamend was, maar juist een triomf omdat het ons was gelukt om te ontsnappen, dwars door de woestijn terug naar Engeland. Leila begon haar vrienden zelfs trots te vertellen dat haar moeder een boek had geschreven.

'Het is niet alleen een goed boek,' hoorde ik haar door haar mobieltje tegen een vriendin zeggen, 'maar op deze manier helpt mijn moeder massa's andere vrouwen met een vriend uit een ander land.'

Dat zette me aan het denken. Als ze gelijk had, kon ik dan misschien meer doen?

15

2

Het idee

'Hé, Jacky, snel. Kom eens kijken.'

Mijn man lag lekker onderuitgezakt op de bank naar de Grand Prix te kijken. Plotseling schoot hij overeind en zette hij het geluid harder. Ik struikelde bijna over mijn eigen voeten in mijn haast om te zien wat er was gebeurd. Als hij ervoor overeind kwam, moest het belangrijk zijn. Op het scherm zag ik het verwaarloosde en verdwaasde gezicht van Saddam Hoessein, nadat hij in een hol onder de grond was gevonden. Hij was gevangengenomen. Een wrede, meedogenloze tiran, die zijn eigen volk de ergste verschrikkingen had aangedaan en zijn zoons had geleerd om hun machtspositie te misbruiken, net zoals hij dat zelf had gedaan.

Wat gaat er nu met hem gebeuren? vroeg ik me af.

Waarop iemand zijn mond opendeed om naar zijn tanden te kijken.

'Onvoorstelbaar,' mompelde ik. 'Als het andersom was geweest en hij een van zijn vijanden te pakken had gekregen, zou hij hem een kogel door zijn hoofd hebben gejaagd. In het beste geval. En wat doen wij? We kijken hoeveel vullingen hij in zijn kiezen heeft.'

'Zo is onze cultuur, Jacky. Vergeet niet dat jij je leven hebt gewaagd om naar deze cultuur terug te keren.'

Verbijsterd keek ik naar hem. Met zijn blik op het scherm

16

gericht vond hij op de tast feilloos zijn glas bier, en hij dronk het leeg. Hij had geen idee hoe diep die simpele vaststelling van een feit me had geraakt.

Het nieuwsbericht was afgelopen, en ik liep terug naar de keuken om te kijken of de Yorkshire pudding al klaar was. Het rook er heerlijk naar gebraden vlees, een typisch zondagse maaltijd. Ik roerde in de jus en dacht na over wat Ben had gezegd. Hij had natuurlijk volkomen gelijk. Saddam had de volledige alleenheerschappij gehad; hij maakte misbruik van zijn macht, en uit angst liet zijn volk hem begaan. Net als ik. Gevangen in een slecht huwelijk in een vreemd land was ik regelmatig in elkaar geslagen, en uit angst had ik mijn man zijn gang laten gaan. Gedwee. Eens had Saddam een hele natie in zijn macht gehad, en voor de vrouwen was het erger geweest dan voor de mannen, veel erger. Ze leefden in voortdurende angst voor slaag en kregen weinig of geen respect. Misschien dat er voor hen iets zou veranderen nu de tiran weg was. Ik hoopte het van harte.

Toen we later aan tafel zaten voor de lunch keek ik naar de gezichten om me heen, luisterde ik naar de gesprekken. Een heerlijk warm gevoel ging door me heen. Vijftien jaar daarvoor, toen ik in een staat van doffe ellende verkeerde, met een uitzichtloze toekomst in het verschiet, had ik alles op alles gezet om met mijn twee dochters weg te vluchten uit Egypte, en het was ons godzijdank gelukt. Destijds, al die jaren geleden, had ik niemand iets verteld. Elke dag had ik een beleefd masker opgezet en gedaan alsof alles in orde was. In die tijd was ik onzichtbaar, net als duizenden andere vrouwen. Verborgen achter een sluier. Mishandeld in samenlevingen over de hele wereld, maar ook in Engeland. Wat maakte het uit? Niemand protesteerde. Niemand wist het. Niemand zag het.

'Maar nu niet meer.'

'Wat zei je, mam?'

Het tafelgesprek stokte, en ik besefte dat ze me allemaal vol verwachting aankeken. Kennelijk had ik het hardop gezegd. 'O, niets. Geef me de mosterd eens aan, wil je.'
Toen kwam ik op het idee.

Later die dag liep ik naar de boekenkast, ik pakte mijn eigen boek eruit en begon erin te bladeren.
'Ben, hoe gemakkelijk is het om een website op te zetten?'
'O nee, ze heeft weer eens een idee.' Dramatisch rolde hij met zijn ogen, hij duwde de kat van zijn knieën en ging rechtop zitten. 'Wat is het dit keer? *Speed dating*? Safari's?' Lachend sloeg hij zijn armen stijf om me heen. 'Kom op, voor de draad ermee.'
'Ik heb nagedacht.'
'En?'
'Over mezelf. Hoe wanhopig ik was, hoe erg ik werd onderdrukt, hoe uitzichtloos alles leek.'
'Jacky, alsjeblieft. Dat heb je allemaal overwonnen. Je bent nu hier bij mij. De meisjes zijn beschermd en het gaat goed met ze.' Hij streek het haar uit mijn gezicht en kuste me. 'Ik wist wel dat alles weer boven zou komen door het schrijven van je boek. Je moet proberen je te richten op het leven dat we sindsdien hebben opgebouwd en naar de toekomst kijken. Oké?'
'Daar gaat het nou juist om. Ja, ik heb mijn verleden overwonnen. Ik was er erger aan toe dan ik ooit voor mogelijk heb gehouden, en toch ben ik er bovenop gekomen. Het leven was een hel, een straf die ik moest uitzitten. En nu sta ik hier met jou.'
Hij grijnsde. Hij wist precies wat ik bedoelde.
'Ik loop rond met een glimlach op mijn gezicht. Ik waardeer alles wat we hebben. Elke dag is bijzonder, en ik zal nooit iets als vanzelfsprekend beschouwen.' Ik maakte me los uit zijn armen en draaide een rondje. 'Moet je nu eens naar me kijken.

Ik hou van het leven. Ik ben gelukkig, ik ben verliefd en ik heb alles wat een mens zich maar kan wensen. Wie had dat ooit kunnen denken?'

Ik pakte zijn hand beet, trok hem mee naar de slaapkamer en duwde hem neer op het bed. 'Wacht hier. Ik wil je iets laten zien.'

Uit de onderste la van mijn bureau haalde ik een map, en ik spreidde de inhoud uit over het bed.

'Kijk. Brieven. Van meisjes en vrouwen van over de hele wereld die mijn boek hebben gelezen.'

Ben pakte er een paar op en las ze vluchtig. Hij was stomverbaasd. 'Wat geweldig, Jacky. Niemand heeft kritiek op je, al die brieven zijn oprecht complimenteus. En dan de verhalen.' Hij ging achterover liggen en las geboeid verder.

'Zie je wel? Ze zijn overal. Vrouwen die het moeilijk hebben. Vrouwen die zich zonder vragen te stellen neerleggen bij hun lot. Vrouwen die hun identiteit kwijt zijn en onzichtbaar zijn geworden. Ik heb bedacht dat ik misschien kan helpen.'

'En dat is je grote idee?' vroeg Ben, nog steeds niet overtuigd, al zag ik dat hij begon te twijfelen.

'Ja.' Ik sprong op het bed en liet me niet van de wijs brengen door zijn toon. 'Als ik een website heb, kunnen meisjes contact met me opnemen en hun hart uitstorten, of misschien in contact komen met meisjes die dezelfde soort problemen hebben. Vind je het geen fantastisch idee, Ben?' Opgetogen greep ik hem bij de arm.

'Wat heb je nou aan advies van een volslagen vreemde? Hoe kom je erbij dat jij iets zou kunnen doen om hun leven makkelijker te maken? Nee Jacky, sorry, ik denk dat je met je hoofd in de wolken zit.'

'Typisch de reactie van een man. Je praat het me echt niet uit mijn hoofd. Voor mij is dit een manier om iets voor andere vrouwen te doen. Het enige wat ze nodig hebben, is een sprankje hoop. Weten dat er iemand is die naar je luistert is al genoeg. Voor mij zou het genoeg zijn geweest. Als ik een paar van die arme meiden kan steunen, dan wil ik dat doen.'

'Eigenlijk verbaast het me niet.' Ben deed de brieven keurig terug in de map. 'Goed dan, laten we maar een website voor je bouwen. Ik merk wel dat het geen zin heeft om met je in discussie te gaan.'

3

Mijn verhaal

Het is geen toestand, onzichtbaarheid. Het is niet iets waar je het ene moment in verkeert en het volgende niet meer. Het is eerder een symptoom of een proces. Een symptoom van voortdurende onderdrukking en agressie, als je niet voor jezelf opkomt maar begint toe te geven, als je jezelf in een hoek laat drijven en je onderwerpt. Als je eenmaal in de hoek bent gedreven en je geen enkele uitweg meer hebt, begin je geleidelijk te verschrompelen, totdat je geestelijk gebroken bent en niet langer jezelf. Je wordt onzichtbaar.

Het wrange ervan is dat het zo gemakkelijk is. Rebellie is moeilijker, het geeft stress, het is soms doodeng. De factor angst is doorslaggevend: als je je onderwerpt, slaat hij je misschien niet zo hard / laat hij het huisraad misschien heel / gaat hij misschien niet door het lint. Het is beter om je mond te houden, geen krimp te geven, jezelf klein te maken en onderdanig te zijn. Strijk hem vooral niet tegen de haren in.

Zoetjesaan is het gedaan met je zelfvertrouwen, meningen, persoonlijkheid, glimlachjes. Zenuwen als een snaar zo gespannen, afgekloven nagels, je loopt voortdurend op eieren. Kijk eens in de spiegel. Wie zie je dan? Een vreemde? Hoi. Het is de nieuwe jij. Je bent nu een van ons. Onzichtbare vrouwen.

Voor mij was het een langzaam proces. Het duurde alles bij elkaar een jaar of vijf. Mijn tweede dochter was nog een baby.

Tegen die tijd was ik ontelbare keren bont en blauw geslagen, had ik een gedwongen miskraam gehad, was ik verkracht door de broer van mijn man en opnieuw geslagen omdat ik me erover had beklaagd. Mijn Britse paspoort – mijn identiteit – was me tijdens een gewelddadige ruzie afgepakt, waardoor ik opnieuw met gebroken ribben in het afgrijselijke ziekenhuis voor de armen belandde. Ik verkeerde in een staat van machteloosheid, was tot niets gereduceerd. Een onzichtbare vrouw. Ik was verdoofd, afgestompt, ontmenselijkt.

'Alles gebeurt met een reden,' hoor je wel eens zeggen, en nu pas, zestien jaar later, begin ik in te zien hoe waar dat is.

Ik heb er bewust voor gekozen om met een knappe, romantische Egyptenaar te trouwen, wetend dat ik daardoor de vrouw van een moslim zou worden en in een vreemde cultuur zou moeten leven. Zonder ook maar iets te weten van hun tradities, hun taal en hun cultuur trad ik halsoverkop in het huwelijk, verleid door zijn prachtige bruine ogen en zijn hartstochtelijke verzekering dat we uiteindelijk alleen elkaar nodig hadden.

Roekeloos. Ondoordacht. Egoïstisch. Onvoorstelbaar onvolwassen. Naïef. Goedgelovig. Allemaal toepasselijke bijvoeglijke naamwoorden om mijn beslissing te beschrijven, allemaal even waar. Ik was intelligent, ik kon me goed uitdrukken en ik was volledig in staat om mijn beslissing vanuit een objectief standpunt te bekijken en te beredeneren. Toch ging elke vorm van gezond verstand overboord toen het aankwam op de belangrijkste beslissing die ik tot op dat moment ooit had genomen. Blindelings stortte ik me in een onbekende en onzekere toekomst.

Mijn hoop en mijn mooie plannen waren van korte duur. Hij had geen enkel begrip voor de problemen die ik had, en boorde mijn pogingen om een goede echtgenote te zijn de grond in. Als alles van een leien dakje ging, zei hij niets, maar als ik ook maar iets vergat of verkeerd deed, fonkelden zijn donkere ogen van woede en werd hij agressief, sloeg of beet hij me. Op een haast perverse manier leek hij ervan te genieten om zijn tanden in mijn zachte huid te drukken en mijn wanhopige kreten te horen. Nooit heeft hij me de kans gegeven om iets uit te leggen. Zijn gedrag ontaardde in een patroon: eerst slaan, dan kalmeren en uiteindelijk verontschuldigingen. Aan zijn ogen kon ik zijn stemming beoordelen. Ze waren niet langer zwoel en verleidelijk, alleen nog maar angstaanjagend en woedend.

Wat had ik verwacht? Een uitdaging, zeker. Gretig leerde ik Arabisch, en ik las zo veel mogelijk over de islam. Het had een prachtige en verrijkende ervaring kunnen zijn. Ik was bereid om me de cultuur van dit vreemde land eigen te maken, en me in alle opzichten te gedragen zoals van een goede moslimvrouw werd verwacht. Ik heb de Koran letterlijk van voor tot achter gelezen, waardoor ik begrip en respect kreeg voor deze gecompliceerde religie. Ik wist dat mannen met macht de islam als wapen gebruikten, en uiteindelijk als de rechtvaardiging voor hun handelen. Ze interpreteerden, of liever manipuleerden, de leer op zo'n manier dat alles wat ze deden erdoor werd ondersteund.

Ik kan hiervan ontelbare voorbeelden noemen: Saddam Hoessein, Osama Bin Laden, de taliban, de zelfmoordenaars, de barbaren die nog steeds kleine meisjes verminken en hen 'in naam van de islam' besnijden. Het gebeurt nog steeds, tot op de dag van vandaag, in de eenentwintigste eeuw. Het gebeurt zelfs in Engeland.

Toch begrijp en respecteer ik de islam beter dan de mensen die me ermee in aanraking hebben gebracht, op zich een pijnlijke paradox. Mijn man gebruikte de islam voor zijn eigen doeleinden; hij sloeg me en verontschuldigde zijn woede en agressiviteit door mij ervan te beschuldigen dat ik geen respect had voor de wetten van de islam. Hij hield zich aan de leer zolang het in zijn kraam te pas kwam, en toonde zich tegenover de buitenwereld een goede en gelovige moslim. Dat zie ik nu heel duidelijk. Zijn zus was een mooi voorbeeld van de ware moslim – haar geloof en overtuiging kwamen op de eerste plaats, en ze leefde binnen die beperkingen.

Mijn man daarentegen – ex-man, beter gezegd – manipuleerde zijn geloof om te rechtvaardigen dat hij me naar zijn pijpen liet dansen, dat hij geen respect voor me had en dat hij me, in een later stadium, kon mishandelen. Ik was niet in staat om terug te vechten. Ik was een christelijke, Europese vrouw, getrouwd met een moslim, en ik woonde binnen de begrenzing van een arme moslimfamilie in hún land. Rechten? Welke rechten? Op dat gebied was ik niet meer dan uitschot.

Als gevolg daarvan verloor ik mijn zelfvertrouwen, mijn hoop en mijn geloof, en uiteindelijk verdween ook de liefde voor mijn knappe, bruinogige man. Ik raakte mijn gevoel van eigenwaarde kwijt, liet verwijten en beschuldigingen gelaten over me heen komen, en als ik in elkaar was geslagen voelde ik me zelfs schuldig, nam ik me voor om nog harder mijn best te doen en zo te voorkomen dat hij weer boos op me zou worden. Dan zou alles goed komen. Ik werd steeds kleiner, durfde zelfs niet meer te denken dat ik wel eens gelijk zou kunnen hebben.

In het begin leek alles net een prachtige droom. Ik was met mijn vriend Dave op vakantie in Egypte, en op de allereerste dag raakten we elkaar kwijt in een bomvolle bus in Cairo. Ik verzwikte mijn enkel doordat ik uit de bus viel, nadat Dave per ongeluk een halte te vroeg was uitgestapt. De busrit was de laatste keer dat we elkaar zagen totdat we tien dagen later allebei op het vliegveld waren voor de terugreis. Toen was het veel te laat om onze toch al niet goede relatie op te lappen. Ik stak mijn linkerhand uit om de glimmende gouden trouwring aan mijn ringvinger te laten zien: ik was getrouwd met iemand anders.

Omar was attent, liefhebbend en onvoorstelbaar knap, en zoals de meeste knappe mannen straalde hij charisma en zelfverzekerdheid uit. Hij woonde bij zijn ouders op de begane grond van een flat in een buitenwijk. Niemand van hen sprak Engels, behalve zijn jongere zus Salma, die niet alleen alles vertaalde maar me bovendien zo veel mogelijk op mijn gemak stelde. Helaas waren de wittebroodsweken snel voorbij, en het kostte me de grootste moeite om me aan te passen aan een manier van leven die ik in geen enkel opzicht ooit gewend was geweest.

Hoe hard ik mijn best ook deed, ik bleef dingen verkeerd doen, en Omar toonde me zijn donkere kant toen hij me met harde klappen of gemene beten begon te straffen. Verzet was zinloos. Hij was sterker, en ik was doodsbang voor zijn slechte humeur en onverwachte agressieve uitbarstingen. We kregen een dochter, Leila, en het lukte me om een baan te bemachtigen op een Engelse school, zodat er wat geld binnenkwam.

Dat was het andere probleem: geld. We hadden niets. Hij had me verhalen verteld over een Mercedes en een aannemersbedrijf plus een appartementencomplex, en dat geloofde ik allemaal. Hij had de indruk gewekt dat het leven in hun mooie, romantische land een levenslange vakantie zou zijn.

De werkelijkheid kwam hard aan. Geen Mercedes. Zelfs helemaal geen auto. Zijn vader had een witte Peugeot-stationcar die Omar soms mocht lenen. In feite had Omar over alles gelogen. Zelf bezat hij niets, en hij verdiende geen stuiver. Hij studeerde en was voor alles wat hij nodig had afhankelijk van zijn ouders. Zijn vader had wel een soort bedrijfje. Het 'aannemersbedrijf' was een schuur in een afgelegen dorp waar kasten en een enkele stoel voor de lagere klasse werden gemaakt. Het appartementencomplex was een onafgemaakt gebouw van zes verdiepingen met twaalf flats in een armoedige wijk van de stad, Embaba, waar kinderen op blote voeten en met vliegen die over hun gezicht en ogen kropen in het stof rondrenden, en hun in het zwart gehulde moeders water haalden bij een pomp in de straat. Op de begane grond van het gebouw was nog een werkplaats, een stoffige, smerige ruimte die hij zijn 'bedrijf' noemde. Er stond hout tegen de muren en er was wat primitief gereedschap. Er was geen elektriciteit.

Ik was al binnen een paar maanden in verwachting, en ik was in de wolken dat ik naar Engeland mocht voor de bevalling nadat mijn vader het geld voor mijn ticket had gestuurd. Thuis genoot ik van alle comfort: een warm bad, wandelingen in het park, witte bonen in tomatensaus, stofzuigen, strijken, eten aan een tafel, met mes en vork. In Egypte had niemand een bad, alleen een douche. In de flat waar we waren gaan wonen, hadden we niet eens stromend water, laat staan warm water. Er waren geen parken, tenzij je rijk genoeg was om lid te worden van een club zoals de Gezira, waar vrouwen elkaar mochten ontmoeten om samen te lunchen en hun kinderen op het gras konden ravotten. Zonder geld om lid te worden van zo'n elitaire club had de lagere klasse maar weinig genoegens. Alleen de dierentuin was populair, daar kwamen mensen op vrijdag in drommen naartoe om er te picknicken en te genieten wat er te genieten viel. Het enige bonengerecht dat we ons konden permitteren heette *fool,* en dat kochten we elke ochtend bij een stalletje op straat: donkerbruine, smakeloze bonen. We moesten er zout bij doen om ze eetbaar te maken. Je kon in Cairo natuurlijk wel witte bonen in tomatensaus krijgen, maar alleen in supermarkten, en die waren veel te duur voor ons. Ik heb achteneenhalf jaar in Egypte gewoond, en in al die tijd heb ik niet één keer in een supermarkt kunnen winkelen. We aten dus fool, er zat niets anders op.

Wat stofzuigen en strijken betreft, dergelijke gemakken bestonden niet in het huishouden van de ouders van mijn man. Om te beginnen konden alleen rijke mensen zich tapijt veroorloven, *moquette* noemden ze het. We hadden dunne kleden die elke dag na de siësta werden uitgeklopt en buiten gehangen, om ze weer binnen te halen als het tijd was voor het avondeten.

Alle maaltijden werden zittend op de vloer met lepels genuttigd, en het kleed werd na afloop uitgeschud, zonder er rekening mee te houden dat nietsvermoedende voorbijgangers kruimels en ander gemorst eten over zich heen kregen. Op deze manier was een stofzuiger niet nodig. Het strijkwerk werd naar een strijkman gebracht, een *macwaggi*. Hij gebruikte een antiek strijkijzer dat boven hete kolen werd verhit. De overhemden waren altijd onberispelijk, en toch verdiende hij niet meer dan een schijntje.

Vanaf het eerste begin was mijn huwelijk een vaak ontmoedigende worsteling. Ik had de woedeaanvallen van mijn schoonvader meegemaakt, en een heel andere kant van Omar gezien. Toch was ik er nog niet aan toe om bij hem weg te gaan. Ik hield nog steeds hartstochtelijk veel van hem. Ik weigerde de pijnlijke waarheid onder ogen te zien, vergoelijkte zijn agressie en die van zijn ouders en gaf mezelf telkens weer de schuld.

Toen ik na Leila's geboorte terugkwam, wekte ik telkens opnieuw Omars uitzinnige woede, totdat geslagen worden een doodnormale zaak werd en ik me erbij neerlegde. Ik leefde in angst en vertelde niemand wat ik meemaakte, deed alsof we het ideale echtpaar waren. Ik kreeg een tweede dochter, Amira.

Pas toen Engelse vrienden van mijn ouders, Val en Dave Hargreaves, op bezoek kwamen kreeg ik een sprankje hoop. Ik was opgesloten in onze flat nadat Omar me in mijn gezicht had geslagen. Die dag voelde ik me zo ellendig dat ik dood wilde. Toen Val op de deur klopte en door het kijkgaatje mijn verwondingen zag, besloot ik haar om hulp te vragen.

Dat was het keerpunt. Om geen argwaan te wekken sprak ik met ze af op de school waar ik werkte. We bekokstoofden een

27

gecompliceerd vluchtplan, en ik ben vier maanden bezig geweest met de voorbereidingen.

Houd manlief tot laat wakker, sta vroeg op, kleed de kinderen aan voor een gewone schooldag. Zeg tegen de buschauffeur dat hij niet op je hoeft te rekenen omdat je naar een bruiloft moet, ga in de auto van een vriendin naar het busstation. Trek Leila onderweg andere kleren aan en geef schoolkleren aan vriendin voor haar dochter. Koop retourtjes naar Israël om geen achterdocht te wekken. Bus naar Israël, steek de Egyptische grens over. Hotel niet ver van het vliegveld. De tickets die Dave Hargreaves heeft gekocht liggen daar voor me klaar. Bel ouders collect om te laten weten dat alles volgens plan verloopt. Vliegtuig van Israël naar Londen. Thuis.

4

Achtervolgd

Wat klinkt het simpel allemaal. Maar dat was het niet. In de brandende zon doorkruisten we de verzengend hete woestijn van Egypte naar Israël, en we werden eindeloos ondervraagd en geïntimideerd door de Mossad, de Israëlische geheime dienst. Ik had zo weinig geld dat we twee dagen moesten doen met een fles water en een zak zoutjes. Onderweg beefde ik van angst. Het was traumatisch en zenuwslopend, maar uiteindelijk bereikten we Engeland, waar mijn ouders met open armen op ons stonden te wachten. Het was de eerste keer dat ze Amira zagen. 'Godzijdank,' stamelde mijn moeder snikkend, en ze begroef haar betraande gezicht in Amira's dikke bruine krullen. Leila stortte zich in de armen van haar opa, zodat ik in mijn eentje bleef toekijken, terwijl ik me intussen afvroeg wanneer ik wakker zou worden. Het kon niet waar zijn dat het ons was gelukt. Dit was een mooie droom. Dit kon niet echt gebeuren. Er overkwamen ons gewoon geen fijne dingen. Een happy end was voor sprookjes. Vaag drong het tot me door dat Amira mijn moeder door de aankomsthal meetroonde naar een winkel. Ik voelde dat er aan mijn mouw werd getrokken.

'Geef opa een zoen, mam.'

In een automatisch gebaar legde ik mijn vinger tegen mijn lippen om haar te waarschuwen dat ze beter geen Engels kon praten. Het duurde niet langer dan een fractie van een seconde, want toen werd ik onstuimig omhelsd door mijn vader. Hij huilde tegen mijn hals en zijn tranen drupten op mijn bloes. Ik klampte me aan hem vast, in stilte huilend, inwendig trillend, en snoof zijn vertrouwde geur op. Toen wist ik het. Het was ons écht gelukt. Mijn vader rook naar zeep en Persil, het waspoeder dat mijn moeder altijd gebruikte, en er kwamen herinneringen boven aan thuis en mijn jeugd, aan gezelligheid en vriendelijkheid.

'Mama, mama, *hodi,* mama.'

Snel veegde ik mijn tranen weg, en toen ik me omdraaide zag ik de kleine Amira naar me toe rennen, met mijn moeder op sleeptouw, een bos bloemen in haar hand, zo groot dat ze bijna achter het boeket verdween.

'Hodi, mama. *Shoofi wearda.'*

'Maak je geen zorgen, Jacky, ik heb ze gekocht, dat wilde Amira graag. Wat zegt ze?'

Glimlachend bukte ik me om de bloemen aan te pakken. 'Ze zei: "Alsjeblieft, mama. Kijk naar de bloemen,"' legde ik mijn moeder uit, en nog steeds gehurkt bedankte ik mijn dochtertje. *'Shokran, habibti. Hellwa awy. Hellwa giddan.'*

'Spreekt ze dan helemaal geen Engels?' vroeg mijn vader aan Leila.

Leila gaf zelf in gebrekkig Engels antwoord. 'Amira praat beetje. Ze is nog klein. Papa wil alleen Arabisch.'

De enige gelegenheid om Engels te praten was op school of als we alleen thuis waren, en zelfs dan met mate. Als Leila zich versprak en per ongeluk iets in het Engels zei als haar vader thuis was, werd hij woedend en sloeg hij me omdat ik ongehoorzaam was geweest. Leila beschermde me altijd heel fel, en in bijzijn van haar vader gedroeg ze zich rustig en eerbiedig. Ze had geleerd om geen dingen te doen die hem kwaad maakten. Zelfs zij begon al een onzichtbare vrouw te worden, en ze was pas zes.

Nu liep ze naar Amira toe en vertelde ze haar kalm dat we

30

voortaan alleen nog maar Engels zouden spreken, uit respect voor opa en oma, die geen Arabisch verstonden.

Terwijl ik het vertaalde voor mijn ouders, liepen er weer tranen over mijn wangen. Wat was mijn kleine meisje wijs, en wat was het knap van haar dat ze de situatie onvoorwaardelijk aanvaardde. 'Ik leer het je wel. Wees maar niet bang,' zei ze nog steeds in het Arabisch. Wijzend op de bloemen zei ze: 'Bloemen. Bloemen. Nu jij. Bloe-men.'

'Boemen.'

Leila lachte blij, en ze zwaaide haar zusje in het rond totdat ze allebei giechelend omvielen.

Ik keek van mijn kinderen naar mijn ouders. 'Volgens mij komt het allemaal goed.'

Het was de laatste keer in haar leven dat Leila Arabisch sprak. Amira had geen uitleg nodig. Ze zei ons na en maakte zich de taal al snel eigen. Doordat ze om zich heen geen Arabisch hoorde, kon ze die taal vergeten. Zo was het ook met Leila gegaan, alleen dan omgekeerd. Ze had vloeiend Arabisch leren spreken, en ze vergat haar Engels toen de familie besloot dat ze daar toch niets aan had. Ze mocht alleen nog maar hun taal spreken, anders zwaaide er wat.

Het was dus dubbel moeilijk voor Leila om niet langer te communiceren in de enige taal die ze echt meester was. Als ik Arabisch sprak om haar iets uit te leggen, negeerde ze me compleet en deed ze alsof ze niets had gehoord. Het was een complexe, verstandelijke beslissing die ze helemaal zelf had genomen en waar ze zich altijd aan heeft gehouden.

In de auto naar het huis van mijn ouders legde ik de kinderen uit dat we voorlopig bij opa en oma gingen wonen, totdat ik een huis voor ons drietjes had gevonden. Ze moesten goed begrijpen dat we niet voor een vakantie waren gekomen, dus sprak ik Arabisch. Ik was nog maar net begonnen toen Leila me nijdig in de rede viel.

'Nee, mama. Engels. Hou op. Praat Engels.' Ze staarde me strak en veelbetekenend aan.

'Je hebt gelijk, schatje. In het Engels.'

Dus dat deed ik. Ik legde uit dat we nooit meer terug zouden gaan naar Egypte, zelfs niet voor een vakantie, en dat we papa nooit meer zouden zien. Ik streek het haar uit Leila's gezicht. Het was een ingrijpende mededeling en ze zou waarschijnlijk van streek raken, maar ik wilde van het begin af aan duidelijk maken dat ons gezinnetje nu alleen nog maar uit ons drietjes bestond, dit keer met mij aan het hoofd.

Ze sloeg haar armen om me heen, kuste me en schoof mijn mouw omhoog, tot boven een grote blauwe plek. Ze boog haar hoofd en drukte er een kusje op voordat ze me weer aankeek. 'Niet meer, mama?'

'Nooit meer, *habibti.*' Ik besefte mijn vergissing toen ze haar wenkbrauwen fronste. 'Nooit meer, schatje.'

'Engels, mama.'

'Eng-hels,' herhaalde Amira ernstig, want ze voelde zich duidelijk buitengesloten.

Er volgde een week met veel spanningen. Omar had er een paar dagen voor nodig om te beseffen dat het ons was gelukt om het land uit te komen, zelfs al had hij mijn paspoort verstopt – of waarschijnlijk verbrand. Het zou in eerste instantie niet tot hem zijn doorgedrongen, met name omdat Amira in feite zijn verzekering hiertegen was. Leila was in Engeland geboren, en ik had haar Britse geboortebewijs. Amira, die in Egypte was geboren, had een Egyptisch geboortebewijs, maar dat had ik nooit gezien, laat staan dat ik wist waar het was. Ik kon het land niet uit, tenzij ik haar achterliet. Dat nam hij althans aan.

Nadat hij mijn vriendinnen en collega's verschillende keren

tevergeefs met vragen had bestookt, raakte hij buiten zinnen van woede en frustratie. De meesten van mijn vriendinnen op school wisten niets van mijn plannen, dus konden ze naar waarheid antwoord geven op zijn vragen. De twee meisjes die het wél wisten, lieten geen woord los. Jill schreef me later dat Omar zijn zelfbeheersing had verloren en zich van zijn slechte kant had laten zien omdat ze hem niet vertelde wat hij wilde weten.

'Het was vreselijk, Jacky,' schreef ze. 'Eerst was hij de charmante, beleefde Omar die we altijd hebben gekend. Maar toen hij de tweede dag terugkwam, belaagde hij ons met beschuldigingen en dreigementen. Mijn man nam hem mee naar de voorkamer en vroeg of ik thee wilde zetten. Hij probeerde hem tot bedaren te brengen, maar ik kon Omar horen schreeuwen en tieren. Toen ik de kamer binnenkwam met thee kreeg ik de schrik van mijn leven. Omar had zichzelf totaal niet meer in de hand. Het was doodeng. Je had zijn ogen moeten zien. Zwart van woede. Methad pakte de thee van me aan en gebaarde dat ik weg moest gaan. Dat hoefde hij geen twee keer te zeggen. Omar raakte de thee niet eens aan en stormde weg. In het voorbijgaan gaf hij een vuistslag tegen de deur, zo hard dat het hout versplinterde. Niet te geloven, toch?'

'O ja,' fluisterde ik bij mezelf. 'Dat is mijn Omar.'

Twee dagen later had Omar nog steeds geen antwoord op zijn vragen en kon hij nergens meer zoeken, en toen begon het hem te dagen dat ik niet in een opwelling naar het huis van een vriendin was gevlucht. Dit zou hem het ideale excuus hebben gegeven om me helemaal in elkaar te slaan en me nog meer beperkingen op te leggen. Hij zou ervan hebben genoten om zijn macht te laten gelden en me te straffen voor dergelijk wangedrag.

De telefoontjes begonnen op de derde dag na onze ontsnapping.

De telefoon in Cairo was hoogst onbetrouwbaar. Ik had vanuit Cairo zelden naar Engeland gebeld, en altijd via een telefonist. Zelfs dan had je een krakende lijn met achtergrondgeluiden, of je hoorde andere mensen dwars door je eigen gesprek heen. Je kon zelden langer dan een paar minuten bellen zonder dat de verbinding werd verbroken. Het gevolg was dat Omar dag en nacht belde om te achterhalen waar we waren. We besloten dat alleen mijn vader op zou nemen. Na meerdere telefoontjes in het holst van de nacht, die mijn vader zonder iets te zeggen afbrak, drong het tot ons door dat Omar het niet zou opgeven.

'Ik vrees dat we hem moeten vertellen waar je bent.' Mijn vader zat overeind in bed, en hij keek van mijn moeder naar mij.

'Moet dat echt? Wat gaat hij doen als hij weet dat we hier zijn? Hij kent dit adres en jullie telefoonnummer.' Ik begon te trillen. Zelfs via een slechte telefoonlijn uit een ver land kon Omar me laten beven van angst.

Mijn vader glimlachte. 'Wat kán hij doen? Waarschijnlijk zou hij het liefst naar Engeland vliegen om je mee terug te nemen. Maar dat lukt hem niet. In de eerste plaats zou jij weigeren mee te gaan. In de tweede plaats ben je een Brits staatsburger en kan hij je niet dwingen. Het is echt beter om met hem te praten.'

'Wat...'

'Niet jij,' voegde mijn vader er haastig aan toe toen hij zag hoe ontzet ik keek.

'Vertel hem alsjeblieft niet te veel,' drong mijn moeder gespannen aan. 'Bedenk wat je tegen hem gaat zeggen, schrijf het op en laat het daarbij.'

En dat deden we. Terwijl Leila en Amira lekker lagen te slapen, zaten wij met zijn drieën met bekers chocolademelk bij de telefoon in de gang op het volgende telefoontje te wachten. En ja hoor, een halfuur later belde hij weer. Omar vroeg heel beleefd of hij mij kon spreken.

'Hallo, ik ben Jacky's vader. Jacky is veilig aangekomen en ze maakt het goed. Zij en de meisjes wonen van nu af aan in Engeland. Neem alsjeblieft geen contact meer op. Jacky wil je niet spreken. Goedenavond.'

Beslist legde mijn vader de hoorn op de haak. 'Meer hoeven we niet tegen hem te zeggen,' zei hij tegen ons. 'Dit was genoeg.'

Uiteraard had dit totaal geen kalmerend effect op Omar. Hij bleef bellen, dag en nacht, maar we legden neer zonder iets te zeggen. Het vrat aan ons allemaal. We voelden ons opgejaagd, nooit bleven we verlost van het eindeloze rinkelen van de telefoon. We kwamen tot de conclusie dat het dom zou zijn om een ander nummer aan te vragen, aangezien het belangrijk was om te weten in wat voor stemming Omar was en wat zijn plannen waren. Maar intussen werden we gek van de zorgen en de stress.

Toen begonnen de brieven. Eindeloze verhalen in gebroken Engels. Brieven waarin hij ons smeekte om terug te komen, met allemaal verontschuldigingen en beloftes voor een prachtige toekomst zonder geweld, zonder opvliegendheid. Hoeveel hij van ons hield en hoe erg hij ons miste. Dat hij geen dag langer zonder ons kon. Dat hij nooit van iemand anders zou kunnen houden. Zo ging het maar door, telkens drie of vier kantjes, volgeschreven in zijn kriebelige handschrift.

Na de eerste tien las ik ze niet eens meer. Omar was niet gek. Hij wist precies waar ik gevoelig voor was. Nu er tussen ons zo'n grote afstand was, koos hij voor de tactiek om me met brieven en telefoontjes te overstelpen, totdat hij uiteindelijk zijn doel zou bereiken en ik me liet vermurwen. Hij wist dat hij me op deze manier aan het lijntje hield, en dat ik me op een gegeven moment gewonnen zou geven. We zouden bij hem terugkomen. En dán zou hij het me betaald zetten.

Het lukte hem niet. Mijn moeder ontfermde zich over de brieven, mijn vader nam de telefoon op.

Na minder dan drie weken veranderde de toon van de brieven. Omdat een reactie van ons uitbleef, ontstak hij in woede en kwam hij met een stroom van dreigementen. Hij tolereerde mijn 'ongehoorzaamheid' niet langer en dreigde me te dwingen om terug te komen. Hij zou iemand sturen om de meisjes te ontvoeren, en dan zou ik uit eigen beweging terugkomen om bij hen te kunnen zijn. Hij had 'contacten' in Engeland die hem zouden helpen.

Arabische families zijn doorgaans groot, en familieleden onderhouden contact met elkaar en zijn loyaal. Een arme jongen uit een afgelegen dorp kan heel goed een rijke oom hebben die in Europa woont en bereid is hem te helpen, zelfs al is het een verre oom. Niet noodzakelijkerwijs financieel, maar bijvoorbeeld door hem een slaapplaats te bieden, plus adviezen en contacten die hem kunnen helpen bij het vinden van werk. Als het slachtoffer van flagrant verraad door een ongelovige die zijn kinderen had 'gestolen', zouden er een hele hoop mensen bereid zijn om een 'goede moslim' zoals Omar te helpen.

'O, mijn god, hij haalt de meisjes bij me weg.' Ik was gek van angst, want ik was me er terdege van bewust waartoe een woedende Omar in staat was. Als hij ergens zijn zinnen op had gezet, ging hij door roeien en ruiten.

'Ik lust hem rauw,' zei mijn vader met een grimmig glimlachje. 'Je kunt beter een advocaat nemen, Jacky.'

Dat deed ik de volgende dag, en die zorgde ervoor dat de kinderen onder voogdij van de rechtbank werden geplaatst. Ik had Omars brieven meegenomen en wilde een echtscheidingsprocedure in gang zetten, maar daarbij stuitte ik op een probleem. Ik kon me de slechte momenten gewoon niet herinneren. Niet specifiek, de details waren wazig. Ik deed mijn best om iets te vertellen, maar uiteindelijk barstte ik in tranen uit. Als ik op grond van zijn slechte gedrag van hem wilde scheiden, moest ik minstens met voorbeelden komen.

Weer thuis maakte ik samen met mijn moeder het eten klaar, en we bespraken het.

'Hoe kan ik mezelf dwingen om het verleden op te rakelen, mam? Waarschijnlijk is het een vorm van zelfbescherming. In Egypte deed ik altijd alsof de slechte momenten een droom waren, of dat ze iemand anders overkwamen. Ik kan me niet elke keer dat hij me heeft geslagen herinneren.'

'Ik weet het nog allemaal, mam.' Leila, die stilletjes in de deuropening stond, had alles gehoord.

Ik draaide me naar haar om. Mijn kleine meisje van zes had me de kracht en de moed gegeven om uit Egypte weg te vluchten. Ik herinnerde me de eerste keer dat ik vol afschuw had toegekeken toen mijn man haar hard op haar benen sloeg nadat ze iets onbelangrijks verkeerd had gedaan, en haar een verbaasde kreet hoorde slaken. Het duidelijkst herinnerde ik me de dag dat ze in haar ledikantje stond, ongeveer anderhalf jaar oud, en haar vader haar aan haar oor optilde. Ze gilde het uit, maar toen zag ze door haar tranen heen dat ik eraan kwam om haar te helpen. Met haar armpjes in de lucht bewoog ze haar wijsvinger heen en weer, en zei: *'La'a*, mama, *la'a* (Nee, mama, nee). Ze wist wat er zou gebeuren als ik tussenbeide kwam: dan werd ik in mijn buik en mijn gezicht geslagen. Voor haar was het erger als papa mama sloeg dan als papa háár sloeg. Zelfs toen beschermde ze me al, terwijl ik haar juist tegen hém probeerde te beschermen. Nu, in Engeland, bleef Leila me beschermen.

De volgende dag zat ze in het kantoor van de advocaat, haar handen gevouwen op het bureau, en vroeg ze hem wat hij wilde weten. Ze voerde het hele gesprek in bijna foutloos Engels.

Het was beangstigend om te beseffen dat niets van de dingen die er in onze stoffige, nooit afgebouwde flat tussen haar beide ouders waren gebeurd aan haar aandacht was ontsnapt. Opeens drong het tot me door dat een kind van zes veel meer weet dan volwassenen zich ooit realiseren, en ook dat ze veel dieper worden geraakt door ruzies of geweld dan wij denken. Niet alle Egyptische mannen zijn hetzelfde. Maar mijn wrede echtgenoot zorgde in ons gezin voor een sfeer van angst en onzekerheid. Ik kon er niets tegen toen, want ik leefde in een cultuur die dergelijk gedrag als het recht van de man en het gezinshoofd beschouwt.

Na een gesprek van een uur was de zaak rond. Leila was kalm en beheerst. Ik was emotioneel een wrak. Met haar verhalen had ze me gedwongen om mijn verleden en alles wat ik had verdrongen onder ogen te zien.

'Kom, mama, nu is het goed.' Ze gaf me een hand en ging staan, klaar om weg te gaan.

'Hartelijk bedankt.' Ik gaf de advocaat een hand.

'Uw dochter is erg slim. U hoort van me. Tot ziens.'

5

Opgejaagd

In de weken daarna probeerden we de meisjes aan hun nieuwe leven te laten wennen. Leila werd ingeschreven op de plaatselijke basisschool. De andere kinderen vonden haar gebrekkige Engels fascinerend. In plaats van haar buiten te sluiten, wilden ze juist vriendjes met haar worden en haar betrekken bij de spelletjes. Een maand later was nergens meer aan te merken dat Leila geen Engelse achtergrond had. Al na zo'n korte tijd was ze gelukkiger en rustiger doordat ze bevrijd was van de angsten uit het verleden en van de zware verantwoordelijkheid om mij te beschermen.

Toen de zus van mijn moeder op bezoek kwam, tante Joyce, en Leila vroeg hoe het op school ging, babbelde ze geanimeerd over de dingen die ze meemaakte.

'Het is hier héél anders dan in Egypte. Hier kunnen we praten.'

'Wat bedoel je? Jullie mochten daar toch zeker wel met elkaar praten?' vroeg tante Joyce belangstellend.

Leila schudde haar hoofd. 'Hier wordt niemand boos op ons als we met elkaar praten. We mogen vragen stellen als we iets niet weten, en dan legt de juf het uit. Ik vind de grote klas het leukst.'

'De grote klas?'

'Ja,' antwoordde Leila. 'Elke dag lopen we in een lange rij

naar de grote klas. We moeten op de grond gaan zitten, en dan komt Mrs. Sanderson. Ze vertelt een verhaal, en dan moeten we onze handen tegen elkaar leggen en onze ogen dichtdoen. Als ze "Ahem" heeft gezegd, mogen we onze ogen weer opendoen.'

Tante Joyce lachte. 'Dat heet samenkomst, lieverd.'

Leila knikte. 'Dat is waar. Ik was het even vergeten.'

'Je doet je ogen dicht voor het gebed. En het is "Amen", niet "Ahem". Dat zeg je aan het eind.' Ze glimlachte. 'Gluur je wel eens?'

'Natuurlijk niet,' antwoordde ze verontwaardigd.

Amira was pittig, onafhankelijk en sterk. Leila was haar grote heldin, ze deed haar in alles na en liep overal achter haar aan. Het ergerde Leila, want ze vond zichzelf veel te groot om op te trekken met een kind van twee. Bovendien had ze nu een hele klas vol vriendinnetjes. Dit had tot gevolg dat Leila gevoelloos en vaak wreed was tegen haar kleine zusje; ze duwde haar weg, schold haar uit en sloeg haar zelfs. Ze was opgegroeid met geweld en moest nu leren dat dit niet de norm was.

Rivaliteit tussen twee zussen. Een nieuwe ervaring voor me, want ik was enig kind geweest. In Egypte hadden ze alleen elkaar gehad; hun schoolvriendinnetjes mochten nooit komen spelen. Schoolvriendinnen waren voor op school, en thuis was voor elkaar. Nu was het anders, en Amira werd buitengesloten.

Een peuterspeelzaal bleek de ideale oplossing te zijn. De ouders draaiden mee, zodat ik andere moeders leerde kennen en vriendinnetjes van Amira kon uitnodigen om bij ons te komen spelen. Daarna werd zij weer bij hen uitgenodigd. Doordat Amira niet langer van 's ochtends vroeg tot 's avonds laat achter Leila aan liep, vond Leila haar niet meer zo lastig, en het probleem dat ik als onoverkomelijk had gezien, verdween geleidelijk aan.

Intussen had ik de advocaat gevraagd om onze achternaam te veranderen, zodat het voor Omar moeilijker zou zijn om ons op te sporen. Dat gebeurde door middel van een koninklijk besluit, aangezien anders de beide ouders toestemming moesten geven. Ik liet Leila onze nieuwe naam kiezen, gewoon op goed geluk uit het telefoonboek. Bailey. Leila begreep het en was trots op onze nieuwe naam.

Later bleek het compleet zinloos te zijn geweest. Toen Omar uiteindelijk via een Engels advocatenkantoor in Cairo de papieren voor de scheiding kreeg overhandigd, stond mijn nieuwe naam erop: Jacky Bailey. De formulieren en een stomme griffier hadden mijn dekmantel verknald.

Omar genoot er duidelijk van om me een hatelijke brief te schrijven, waarin hij me liet weten dat ik me nergens voor hem zou kunnen verbergen. Hij had de papieren verscheurd en zei dat hij nooit van me zou scheiden. Nooit en te nimmer.

Het feit dat hij de brief had aangepakt, betekende echter dat hij de papieren had ontvangen. Dat hij het er niet mee eens was, was irrelevant. Hoewel hij nu wist dat ik me voor hem probeerde te verbergen door mijn naam te veranderen, kon hij de scheiding op geen enkele manier tegenhouden. Zes weken later waren we officieel gescheiden. Tegen die tijd had ik opnieuw onze achternaam veranderd, dit keer in Thompson.

Omar bleef woedend en wraakzuchtig. Wel belde hij minder vaak, waardoor de druk iets afnam. Ik zwichtte niet voor zijn smeekbeden. Ik wilde hem nooit meer spreken, hoe hij ook smeekte, huilde of dreigde. Nóóit meer.

Wel bleven er brieven komen, drie per week, die vaak tegelijkertijd aankwamen. Ze getuigden van zijn grillige stemmingswisselingen. Het ene moment beloofde hij me gouden bergen, schreef hij dat hij voor de meisjes twee pony's had gekocht. Het volgende zwoer hij dat hij de meisjes zou ontvoeren en dat ik ze nooit meer terug zou zien. Mijn moeder las me de brieven niet voor, gaf me alleen de hoofdpunten. Zo wist ik in wat voor gemoedstoestand hij was en wat we van hem konden verwachten.

Toen hij eenmaal wist dat de echtscheiding rond was, liet hij weten dat we volgens de Egyptische wet nog steeds getrouwd waren. Ik had hem vernederd en daar zou ik voor boeten. 'Mam, ik maak me zorgen. Dit keer is het menens, dat voel ik gewoon.'

'Onzin, lieverd. Hij probeert je alleen maar bang te maken.' Ik pakte de brief van haar aan. 'Drie regels. Meestal schrijft hij het vel helemaal vol. Hij gaat echt iets doen.'

Vier dagen later ging de telefoon. Mijn vader nam op, en een man met een buitenlands accent sprak de huiveringwekkende woorden: 'Ik bel vanuit Londen met een boodschap voor Jacky van Omar. Hij heeft paspoorten voor zijn dochters en hij komt ze halen om ze mee terug te nemen naar Egypte. U heeft hier niets over te zeggen.'

Mijn vader legde neer en plofte met een zucht in een stoel. 'Het klinkt niet goed, Jacky. We moeten je op de een of andere manier zien te beschermen. Kan hij dit doen?'

'Volgens mij niet,' antwoordde ik. 'Maar we moeten wel extra voorzichtig zijn.'

We brachten de plaatselijke politie op de hoogte en namen contact op met het ministerie van Binnenlandse Zaken. Als Omar een visum had, mocht hij Engeland in. Maar hij had niet het recht om de meisjes mee te nemen nu ze onder voogdij van de rechtbank stonden.

Zou dat hem weerhouden? vroeg ik me af. Hij zou niet helemaal naar Engeland komen om zonder hen weer weg te gaan. Hij werkte aan een plan om ze te ontvoeren, daar was ik van overtuigd.

De volgende ochtend bracht ik Leila naar school, en ik legde haar juf uit dat ze alleen door mijn moeder of mij opgehaald mocht worden en door niemand anders. Ook verzocht ik de school om mij direct te bellen als iemand naar haar informeerde. Ik waarschuwde Leila voor onbekenden, maar ze viel me in de rede.

'Ik begrijp het, mama. Wees maar niet bang, niemand neemt me mee.'

In een volgende brief kreeg ik te horen dat Omar bij een imam was geweest, en dat deze een fatwa over mij had uitgesproken. De fatwa gaf Omar toestemming om mij te doden of te laten doden omdat ik tegen hem had gezondigd. In Egypte had ik me tot de islam bekeerd om bij mijn kinderen te kunnen blijven als Omar iets mocht overkomen, en ook omdat ik heel hard mijn best deed om de fatsoenlijke en gehoorzame vrouw te zijn die hem voor ogen stond. Een fatwa kan alleen worden uitgesproken tegen een moslim, en dit had Omar tegen me gebruikt. Mijn zonden? Ik was bij mijn man weggegaan zonder zijn toestemming, ik had zonder begeleiding het land verlaten en zijn dochters bij hem weggehaald. Genoeg voor een doodvonnis. Dit was een serieus dreigement en we konden het niet naast ons neer leggen.

'Godverdomme! Hoe ver wil die klootzak gaan? Als ik hem te pakken krijg...'

'Rustig, schat. Trek het je niet zo aan.' Mijn moeder kneep veelbetekenend in mijn vaders arm.

'Trek het je niet aan? Dat kun je niet menen! Wil jij soms beweren dat een of andere omhooggevallen Egyptische pooier het recht heeft om te zeggen dat die smeerlap mijn dochter mag vermoorden? Mijn god, niet als het aan mij ligt.'

Mijn vader trilde van boosheid. Hij was een emotionele man en wond zich vaak op over kleinigheden, maar het was heel ongebruikelijk dat hij grove taal uitsloeg. Hij keurde vloeken af, in films of muziek, en daar wond hij geen doekjes om.

'Vloeken is voor stommelingen die zich niet kunnen uitdrukken of beheersen. Er is geen enkele rechtvaardiging voor.'

Die dag zetten mijn ouders hun huis te koop. Geen tranen, verwijten of spijt. De beslissing werd snel genomen. Ze moesten hun dochter beschermen, en het zou zeker helpen om te verhuizen. Ik was sprakeloos. Mijn ouders hadden dertig jaar in dat huis gewoond, en ik was er opgegroeid. Het deed me verdriet, en ik voelde me enorm schuldig. Maar ik wist dat de fatwa geen loos dreigement was – Omar zou me zonder aarzelen vermoorden als hij de kans kreeg. Er ging een rilling door me heen.

Een brief van Binnenlandse Zaken bevestigde mijn grootste angst. Omar had zogenaamd een brief van mij ontvangen, waarin ik hem uitnodigde om naar Engeland te komen. Met die vervalste brief wilde hij een visum aanvragen. Gelukkig controleerde BZ of de brief authentiek was, en ze informeerden hoe lang hij zou blijven. Ik was ze zo dankbaar voor hun voorzichtigheid. Ik belde ze meteen op, vertelde dat ik nooit een brief had geschreven en bracht ze volledig van de toestand op de hoogte. Omars plan was verijdeld. We hoefden niet bang te zijn. Althans voorlopig niet.

Wel keek ik hierna voortdurend over mijn schouder. Van nature ben ik open en sociaal, maar nu veranderde ik geleidelijk in iemand die argwanend en minder spontaan was, een beetje zoals de onzichtbare vrouw die ik in die smerige achterbuurt van Cairo was geweest. Niet dat het zin had om achter me te kijken, want ik had geen idee waar ik op moest letten. Toch bleef ik het doen, telkens weer.

6

Een vriendin in nood

Ik had geen geld en geen inkomen. Mijn ouders hadden ons alle drie als vanzelfsprekend onderhouden en gesteund. Het werd tijd dat ik iets terugdeed. De mogelijkheden waren beperkt. Bijstand? Of misschien lesgeven? Ik had in Egypte lesgegeven, maar bezat alleen een akte Engels. Als ik in Engeland les wilde geven, moest ik een aanvullend diploma halen.

'Het is goed, Jacky. Ga ervoor,' zei mijn moeder. 'Ik zorg wel voor de kinderen. Je kunt me aflossen als je in het weekend thuis bent.'

Ik staarde haar aan. Ze meende het echt. Ze was bereid haar huis en haar oude leven op te geven, én een jaar lang voor de kinderen te zorgen totdat ik mijn lesbevoegdheid had gehaald.

Mijn vader viel haar bij. 'We zijn niet de jongsten meer, maar we doen ons best. Ga jij je diploma maar halen.'

Het was mei. Er waren verspreid door het hele land vijfenzestig academies waar ik de opleiding kon doen, maar de sluitingsdatum voor aanmeldingen was in oktober van het jaar daarvoor geweest. Onversaagd ging mijn vader briefpapier kopen, plus vijfenzestig postzegels, en we verstuurden de aanmeldingen. Slechts twee academies reageerden positief, en ik werd uitgenodigd voor een gesprek. Een academie in Noord-Engeland bood me een plaats aan, die ik ter plekke accepteerde.

Het werd een veelbewogen jaar. Op doordeweekse avonden werkte ik in een café, en ik woonde boven een winkel, samen met een andere wat oudere studente die ook in het weekeinde naar huis ging om bij haar kinderen te zijn. Tijd om gezellige dingen te doen met andere studenten had ik niet. De studie was veeleisend en tijdrovend, en ik moest mijn opdrachten op tijd inleveren. Elk weekend ging ik naar huis en zorgde ik voor mijn dochters. Leila werd zeven, en Amira drie. Mijn ouders verhuisden, en ze kregen niet alleen een nieuw adres maar ook een ander telefoonnummer. Zonder het mij te vertellen, vroeg mijn vader de nieuwe bewoners van hun oude huis, Philomena en Richard, om brieven uit Egypte te bewaren, zodat hij ze van tijd tot tijd kon ophalen. Later hebben ze me verteld dat ze zo enigszins in de gaten konden houden wat er gebeurde.

Ik begon te geloven dat Omar het eindelijk had opgegeven, en kon me een beetje ontspannen. Ik haalde mijn diploma en trok weer bij mijn ouders in. Het lukte me om een baan te krijgen op een plaatselijke school, en een hypotheek voor een rijtjeshuis. De meisjes en ik begonnen aan ons nieuwe leven.

Op een dag kwam ik een oude schoolvriendin tegen. Het was leuk om haar weer te zien. Ze had net ontdekt dat haar man een verhouding had met haar beste vriendin, en dat moest ze nog verwerken.

'Hij is nu een paar maanden weg,' zei ze. 'Laten we samen uitgaan, Jacky. Ik heb het nodig.'

Ik was al in geen jaren meer 'uit' geweest. Pubs en clubs betekenden voor mij maar één ding: mannen. En daar had ik geen behoefte aan. Maar Hazel wuifde mijn bezwaren weg en haalde me over om mee te gaan omdat ze niet in haar eentje uit wilde gaan.

Pubs waren beslist veranderd sinds mijn tienerjaren. Flower power, lange rokken en patchouli hadden plaatsgemaakt voor ceintuurs die voor rokje door moesten gaan, diep uitgesneden mini-jurkjes en Bo Derek-vlechtjes. Ik voelde me veel te netjes in mijn spijkerbroek en bloes, ouderwets en, met mijn eenendertig jaren, de oudste vrouw ter wereld.

'Sommige meisjes zijn niet ouder dan dertien of veertien,' schreeuwde ik boven de muziek uit tegen Hazel. 'Vinden hun ouders het wel goed dat ze hier komen?'

Ze haalde haar schouders op. 'Jeetje, wat is het hier vol. Hoe komen we aan iets te drinken?'

Ik keek om me heen. 'Wacht hier, ik ben zo terug.'

Ik zorgde dat ik het geld voor onze consumpties gepast bij de hand had. Toen een man drie rijen voor me aan de beurt was, wurmde ik me tussen de mensen door en tikte ik hem op de schouder. 'Neem me niet kwalijk. Mag ik zo brutaal zijn om te vragen of je ook twee biertjes en een zakje chips wilt bestellen? Hier is het geld.'

Hij draaide zich om en glimlachte. 'Best, geen probleem. Waar vind ik je?'

'Daar bij het raam. Bedankt.'

Even later kwam hij onze bestelling brengen, en glimlachend verdween hij weer tussen de mensen.

'Slim plan, Jacky. De brutalen hebben de halve wereld.' Hazel knipoogde naar me en nam een slok bier.

'Ik ben best wel trots op mezelf,' antwoordde ik. 'O nee, nou komt diezelfde vent weer naar ons toe.'

'Hoi, hoe gaat het?' vroeg hij met zijn blik op Hazel gericht.

'Heel goed, dankzij jou,' zei ze grijnzend.

Die twee vinden elkaar leuk, dacht ik in stilte, dus leek het me een goed idee om ze met elkaar alleen te laten.

Ik vluchtte naar de wc, en deed er veel langer over dan nodig was. Toen ik terugkwam waren ze aan het dansen, en ze hadden duidelijk de grootste lol. Na een paar nummers kwamen ze weer bij me staan.

'Bedankt, Hazel. Tot kijk.' Hij keek naar mij. 'Leuk je te hebben ontmoet, Jacky.' En toen was hij weer weg.

'Hij lijkt me heel aardig,' merkte ik op.

'Blij dat jíj hem aardig vindt,' zei Hazel.

'Hoezo? Was het niet gezellig?'

'Niet echt.'

'Hè? Ik zag jullie dansen, en jullie kletsten erop los.'

'Als je het per se wilt weten, hij vroeg naar jou.'

'Naar mij?'

'Het is geen hogere wiskunde, Jacky. Hij vindt jóú leuk, niet mij. Hoe denk je dat hij je naam wist?'

'Ik hoop dat je hem hebt verteld dat ik geen belangstelling heb, nu niet en nooit niet.'

'Vertel hem dat zelf maar. Hij drong zo aan dat ik hem uiteindelijk het telefoonnummer van je ouders heb gegeven.'

Ik verslikte me haast in mijn bier. 'Wát heb je gedaan?'

'Kom op, hij is aardig. Wat kan het nou voor kwaad met hem te praten?'

Opeens kreeg ik het benauwd. Het was alsof ik geen adem kon halen. 'Laten we naar huis gaan.'

'Wat heb jij opeens, meisje?'

'Hoe heb je dat nou kunnen doen, Hazel? Je weet hoe ik over mannen denk. Ik vind het echt onvoorstelbaar wat je hebt gedaan.'

'Doe niet zo moeilijk, zo erg is het niet. Bovendien raakt hij het nummer waarschijnlijk kwijt.'

Mijn ouders pasten op de kinderen, dus bleven we bij hen logeren. De volgende ochtend riep mijn vader me aan de telefoon. 'Een man die naar je vraagt.'

'Poeier hem maar af,' zei ik. 'We hebben toch afgesproken dat jij de telefoontjes doet.'

'Op de een of andere manier betwijfel ik of deze man uit Egypte belt,' zei mijn vader met een ironisch glimlachje.

Ik pakte de hoorn van hem aan. 'Hallo?'

Een rustige, zelfverzekerde en heel erg Engelse stem gaf antwoord. 'Jacky? Hoi, met Ben. Hoe gaat het?'

'Ben? Ik ken geen Ben,' zei ik bot, terwijl ik heel goed wist wie het was.

'Moet je nog bijkomen van je biertje en de chips?'

'Wat wil je?'

'Ik wil je uitnodigen. Mijn ouders hebben een caravan in de Yorkshire Dales. Het is een prachtig gebied. Heb je zin om er vandaag samen naartoe te gaan?' Ik kon geen woord uitbrengen, en hij voegde eraan toe: 'Samen met de meisjes, bedoel ik natuurlijk.'

Dat was de druppel. Ik ontstak in blinde woede. Hoewel hij me niet kon zien, ging ik toch woedend staan. 'De meisjes? Hoe weet jij in godsnaam dat ik dochters heb?'

'Sorry,' hakkelde Ben geschrokken, 'heb ik iets verkeerds gezegd? Hazel vertelde...'

Verder kwam hij niet. 'O, heeft Hazel dat verteld. Luister goed, daar had Hazel het recht niet toe. Nee, ik wil niet mee naar die caravan van je, en ook niet ergens anders heen, wie je ook bent. Het heeft geen zin om nog een keer te bellen. Dag.'

Ik smeet de hoorn op de haak. De brutaliteit! Hoe durfde hij? Hoe durfde zíj, beter gezegd. Wat bezielde Hazel?

'Wie was dat, J?' Glimlachend kwam mijn vader de hal binnen. 'J' was zijn koosnaam voor mij. Grappig, het was de eerste keer dat hij me zo noemde sinds we terug waren.

'Niemand,' antwoordde ik fel.

'Heftige reactie voor een niemand,' mompelde hij toen hij wegliep. Soms kon hij echt onuitstaanbaar zijn.

7

De ommekeer

We waren anderhalf jaar terug. Er kwamen minder brieven uit Egypte. Niemand had geprobeerd de meisjes te ontvoeren. Ze waren allebei gelukkig in ons huisje. Leila was bijna acht, en Amira drieëneenhalf. Ze ging naar de kinderopvang die verbonden was aan de school waar ik lesgaf. Ze sprak alleen Engels. Met haar groene ogen en krullende kastanjebruine haar zag ze er Engels uit, en ze paste zich geweldig aan. Ik had geen idee hoe ze over ons vertrek uit Egypte dacht, of ze zich iets herinnerde of zelfs maar begreep wat er allemaal was gebeurd. Tot nu toe had ze nooit gevraagd waar haar vader was, of waarom ze er geen had.

Leila was nog steeds bang voor vreemde mannen, en ze raakte overstuur toen ze in het nieuwe schooljaar een meester bleek te hebben. Ze kreeg uitslag op haar armen en hoofd, en in haar nek. De dokter zei dat het door spanningen kwam, maar ik wist dat het alles met meester Bowman te maken had.

Ik ging met hem praten, en vertelde dat Leila erg gevoelig was voor veranderingen en moeite had met mensen die ze niet kende. Vond hij het goed, vroeg ik, dat ze een plaatsje achter in de klas kreeg? En ik vroeg of hij zich niet over haar heen wilde buigen om haar werk te bekijken, waar ze nerveus van zou worden, en meer van dat soort dingen. Hij vond het geen enkel probleem, en na een paar weken concludeerde Leila dat ze haar meester aardig vond. De uitslag was weggetrokken tegen de tijd ze een partijtje gaf voor haar achtste verjaardag.

Eindelijk hadden we rust, maar dat kon natuurlijk niet zo blijven. Omar schreef weer een brief, met het angstaanjagende dreigement dat ik nog veertig dagen te leven had.

Ik ging meteen naar de politie, en ze stelden voor om contact met hem op te nemen om hem te waarschuwen, maar dat leek me geen goed idee. Als ik ze dat liet doen, zou hij weten dat ik zijn brieven ontving en ons opnieuw met leugens en dreigementen gaan bestoken. Niet reageren was de enige manier om zijn zelfvertrouwen te ondermijnen. Ik bedankte de politie voor het aanbod, en lichtte BZ in. Ze bevestigden dat Omar de toegang tot Engeland zou worden geweigerd, maar ik wist dat hij zich daardoor niet zou laten weerhouden. Wanhopige en vastberaden mensen staken bij bosjes illegaal de Engelse grens over, ook toen al, voordat het zo'n heftig punt van discussie werd. In Egypte, en waarschijnlijk in alle landen van het Midden-Oosten, was het de gewoonste zaak van de wereld om door middel van omkoping een vals paspoort te bemachtigen. Geld spreekt in Egypte, en smeergeld hoort daar bij het leven. Omar had allerlei mogelijkheden, en wij konden niets doen. Hij bepaalde de regels.

Veertig dagen verstreken. Niets. Nog eens veertig.

'Ik hou het niet vol.'

Het was zondag, en mijn ouders waren bij ons voor de lunch. De meisjes speelden in de tuin.

'Ik sta voortdurend stijf van de zenuwen. Er was laatst een ouderavond op school, en ik heb een smoes verzonnen omdat ik niet met de vaders wilde praten. Ik kan zelfs mijn werk niet langer behoorlijk doen.'

'Wij hebben er ook last van, Jacky.' Mijn moeder was bleek en zag er slecht uit.

'Als we zo doorgaan,' zei ik, 'wint hij. Hij zit duizenden kilometers hiervandaan, en nog steeds beheerst hij ons leven. Vanaf vandaag ga ik leven alsof elke dag mijn laatste is. Ik weiger me te laten kisten.'

Ik ging weer uit, samen met Hazel, en een paar keer zag ik Ben in de pub. Hij glimlachte elke keer, en het viel me gemakkelijk om terug te lachen. Ik begon me schuldig te voelen over de manier waarop ik hem had behandeld. Toen ik hem tegenkwam tijdens een dansfeest in een grote tent, besloot ik mijn excuses aan te bieden.

Voor ik het wist waren we samen aan het dansen. Toen hij me kuste, kuste ik hem terug. Hij bracht me met de auto naar huis, maar ging niet mee naar binnen. Ik gaf hem mijn eigen telefoonnummer, en we spraken af dat ik de week daarop bij hem zou komen eten.

Ik had een tweedehands fiets voor Leila op de kop getikt, en ze was aan het oefenen. Eindeloos rende ik mee en liet ik haar los, om haar het volgende moment weer vast te grijpen. Op de dag van mijn afspraakje bracht ik de kinderen naar mijn moeder, en we sleepten de fiets mee in de bus. Mijn moeder zette koffie, ik gaf Amira kleurpotloden en een schetsboek, en Leila ging naar de tuin. Tien minuten later hoorden we een ijselijke gil.

Leila lag onder aan de helling die van het huis naar de garage liep. De fiets lag boven op haar, het achterwiel nog draaiend. Bloed sijpelde op het beton. Ze bewoog niet.

Er kwam een ambulance, en de broeders deden er een vol uur over om haar te onderzoeken, liggend op het pad met een deken over haar heen, voordat ze haar naar de ambulance droegen en naar het ziekenhuis brachten. Ze had haar rechterarm en linkerpols gebroken, en had twaalf hechtingen boven haar oog nodig, waar het gebroken glas van haar bril voor een behoorlijke jaap had gezorgd. Voorlopig moest ze in het ziekenhuis blijven. Met haar ene arm in het gips en haar andere hand en pols in een stijve manchet, was ze niet in staat zelf iets te doen.

Twee weken zat ik aan haar bed; ik voerde haar, waste haar en hield haar bezig. Ze genas goed, en ik ook. Het gaf mij een beter inzicht in wat belangrijk was. Ik dacht terug aan alle keren dat ik haar armpjes of polsen had verbonden en kompressen op haar gezicht had gelegd als ze was mishandeld door haar woedende vader. Toen hadden we allebei geweten dat we machteloos stonden, en dat het nooit op zou houden.

Hier in het ziekenhuis was Leila omringd door mensen die haar liefdevol verzorgden. Ze zou beter worden, en thuis wachtte haar een harmonieus en beschermd leven. We mochten van geluk spreken.

Arme Ben. Hij had alweer een dreun gehad. Ik had het natuurlijk niet expres gedaan, maar dat wist hij niet. Hij belde tevergeefs op, want er was niemand thuis. Amira logeerde bij mijn ouders. Geen wonder dat hij besloot het op te geven. In de tijd dat Leila in het ziekenhuis lag, had ik geen seconde aan hem gedacht. Toen ze weer thuis was, besefte ik vol afschuw wat ik had gedaan. Alweer.

Ik had zijn telefoonnummer niet, en voelde me meer dan ellendig omdat ik niets kon doen. Ben was écht erg aardig, en ik had hem afschuwelijk behandeld. Hazel had een nieuwe man leren kennen, dus had ze mij niet meer nodig om mee uit te gaan. Ik had geen excuus om uit te gaan, en ook niemand die met me mee wilde. Het was een verloren zaak, en daar moest ik me bij neerleggen.

8

Een nieuw leven

Ik kreeg een brief van een vriendin uit Egypte, een meisje uit Essex, getrouwd met Hossein, een Egyptische zakenman. Destijds was ze een goede vriendin van me geweest. 'Kom terug, Jacky,' schreef ze. 'Omar is zo verdrietig. Hij houdt van je. Hij is misschien niet volmaakt, maar je weet tenminste wat je aan hem hebt.'

Ik vroeg mijn moeder of ze de brief op wilde bergen bij de rest. Ik kon niet terugschrijven. Hij had zich met mooie praatjes binnengedrongen in haar huis, en haar hoogstwaarschijnlijk overgehaald om mij te schrijven. Ze had geen idee hoe hij me had behandeld.

Eindelijk kwam ik Ben weer tegen in de stad, een halfjaar later. Ik verontschuldigde me omstandig. Hij stond naar me te kijken en liet me ratelen totdat ik echt niet meer wist wat ik nog moest zeggen. Toen spreidde hij zonder iets te zeggen zijn armen, en ik liet me door hem omhelzen. Het voelde fantastisch.

Voor de eerste ontmoeting met de kinderen en Ben spraken we af bij McDonald's. We hielden het kort, een halfuur, en de keren daarna maakten we de ontmoetingen telkens iets langer, totdat ik hem uitnodigde om bij ons te komen eten. Leila deed geen mond open, maar ze was niet onbeleefd. Ik bereidde me voor op een gesprek.

'Wat vind je van Ben, schatje?'

'Hij is best aardig. Mag ik nu tv-kijken?'

Toen we daarna een keer gingen wandelen in het bos, gaf Leila Ben een hand, en samen namen ze de leiding. Binnen een maand vroeg hij me ten huwelijk.

'Je kunt het beter aan de meisjes vragen,' zei ik terwijl de tranen me over de wangen liepen.

'Mogen we je papa noemen?' vroeg Amira.

'Natuurlijk mag dat, domkop,' zei Leila, glimlachend naar Ben. 'Hij ís nu toch onze papa.'

Precies een jaar later trouwden we. Leila en Amira waren onze bruidsmeisjes, en ze zagen eruit als elfjes. Mijn ouders waren in de wolken. Onze huwelijksreis bestond uit vijf dagen in het Lake District, en zij pasten op de meisjes.

Er was slecht nieuws toen we terugkwamen. Philomena en Richard, het stel dat in het oude huis van mijn ouders woonde, hadden bezoek gehad van een man die naar mij op zoek was, een buitenlander. Hij had een verhaal opgehangen dat ik een of andere wedstrijd had gewonnen. Ze hadden hem weggestuurd, maar hij was nog twee keer teruggekomen. Philomena was in alle staten.

Ik had Bens achternaam aangenomen toen we trouwden en heette nu Trevane. Ik was vierendertig en had al vijf verschillende achternamen gehad! We veranderden ook de achternaam van de meisjes, opnieuw bij koninklijk besluit. We besloten op zoek te gaan naar een ander huis, verder bij mijn ouders vandaan, en legden de meisjes uit dat ze dan naar een andere school zouden gaan. Geen van beiden besefte dat we het lastiger wilden maken om gevonden te worden.

We verhuisden. Grotere tuin, een hond en een auto. Ik had alles waarvan ik ooit had gedroomd, maar ik wist dat Ben graag nog een kind wilde. We hebben er lang over gepraat, en uiteindelijk besloten het erop te wagen. Drie maanden later was ik in verwachting. De meisjes waren opgetogen, en we begonnen ons op de komst van de baby voor te bereiden.

In Egypte had ik vier miskramen gehad. Tijdens elk van mijn zwangerschappen, ook die van de meisjes, had ik me goed en gezond gevoeld. Dit keer niet. Ik was misselijk, had pijn en allerlei kwaaltjes. Uiteindelijk bleek het om een buitenbaarmoederlijke zwangerschap te gaan. Op de een of andere manier was de embryo door de celwand heen in de buik terechtgekomen, en een abortus was noodzakelijk. We waren er kapot van.

'Misschien ben ik te oud om nog kinderen te krijgen. Misschien kan mijn lichaam het niet aan na alle mishandelingen en miskramen.'

'Ik vind het niet erg als je het niet nog een keer wil proberen.'

'Nee, Ben, laten we volhouden.'

'Kijk eens naar wat we al hebben. Het is genoeg.'

Ten slotte besloten we het nog drie maanden te geven.

'Wat er ook gebeurt, we leggen ons erbij neer,' zei Ben.

In de derde maand was ik opnieuw in verwachting. Een week voor Kerstmis werd Adam geboren, een kerngezonde baby van bijna zes pond. Ons gezin was compleet.

9

Tot besluit

Toen we net terug waren in Engeland, kreeg ik een paspoort dat een jaar geldig was, en ik vroeg trouw elk jaar een nieuw aan. Op een gegeven moment veranderde de wet en moest elk kind een eigen paspoort hebben, maar zonder een geboortebewijs kon ik voor Amira geen paspoort aanvragen. De dag van haar geboorte had Omars broer Mohamed het meegenomen naar het ziekenhuis in Cairo en ermee gewapperd, met de woorden: 'Dit is onze verzekering dat je nooit weggaat.'

Nu werd dat een probleem: zonder geboortebewijs geen paspoort. Een plaatselijke politicus probeerde het document anoniem te achterhalen, maar tevergeefs. Met behulp van een advocaat vroeg ik voor Amira het Britse staatsburgerschap aan, met succes, waarna ik contact opnam met de burgerlijke stand. Ze waren enorm behulpzaam en zochten van alles voor ons uit, maar ze konden ons niet helpen. De rechtbank stond niet toe dat ik een paspoort voor haar aanvroeg op haar nieuwe naam.

'Ik denk dat je het beste kunt wachten,' zei Carol, de beambte van de burgerlijke stand. 'Als ze achttien is, staat ze niet langer onder voogdij van de rechtbank. Dan kan ze zelfstandig haar naam veranderen, zonder toestemming van haar biologische vader, en zelf een paspoort aanvragen.'

'Maar dat duurt nog jaren!' riep ik ontzet.

'Dat is beter dan er nu haast mee maken. Als je op haar echte naam een paspoort aanvraagt, kan haar vader haar opsporen.' In die tijd begon Amira voor het eerst over Egypte, en ze vroeg waarom Leila wel een paspoort had en zij niet. Ik legde uit dat Leila in Engeland geboren was, en dus een Engels geboortebewijs had. We hebben ongeveer een uur met elkaar gepraat, over wetten, nationaliteit, bureaucratie en Egypte, maar ze vroeg niet rechtstreeks naar Omar. Ik liet haar de vragen stellen, en gaf zo volledig mogelijk antwoord. Ze vroeg niet door naar haar vader, dus daar liet ik het bij.

Tot dan toe had Amira noch Leila ooit haar vader of haar leven in Egypte ter sprake gebracht. Ik begreep niet dat Amira dat deel van haar leven zonder vragen te stellen uit kon vlakken. Jaren later vertelde Leila me dat zij dat allemaal had 'opgelost'. Dat heeft ze duidelijk goed gedaan, want Amira is nu een evenwichtige, competente jonge vrouw, op wie ik enorm trots ben. Tegenwoordig kan ze openlijk over Omar praten, en ze heeft er geen behoefte aan om hem te ontmoeten of meer over hem aan de weet te komen. Ook toen heeft Leila me beschermd door Amira's problemen op te lossen zonder mij ermee lastig te vallen.

Door de jaren heen hield ik contact met Carol, en een half-jaar voor Amira's achttiende verjaardag adviseerde ze me een nieuwe aanvraag in te dienen. We stuurden de formulieren bijtijds op, en de dag voor Amira's verjaardag belde Carol om te zeggen dat alles in orde was. De volgende dag zou ze het paspoort klaar hebben, en ze zou het nog dezelfde dag naar ons opsturen.

'Ik trek vanavond een fles champagne open om het te vieren,' liet ze me weten. 'Het heeft veertien jaar geduurd, maar het is ons gelukt.'

Dit was het laatste struikelblok geweest. Dat Amira na al die jaren haar paspoort kreeg, symboliseerde het einde van onze vlucht uit Egypte – nu was ze een Brits staatsburger met een Brits paspoort en een Britse achternaam. Eindelijk waren we vrij. Alleen de fatwa bleef over, daar zouden we mee moeten leren leven. Het was me gelukt om de meisjes groot te brengen, maar niet zonder de hulp en onvoorwaardelijke steun van dierbaren. Ik had Ben aan mijn zijde, en zonder mijn ouders had ik het nooit gered. Nu was mijn moeder ziek.

Het kwam onverwachts. Ze ging naar de dokter omdat ze al een week last had van constipatie. Uit een scan bleek dat ze sterk uitgezaaide kanker had, en al haar vitale organen waren aangetast. Ze was begin zestig, een niet-roker en actief. Niet te dik, ze at gezond en dronk af en toe een glas rode wijn. De vooruitzichten waren slecht. Twee weken zonder behandeling, langer met.

Het was alsof de specialist een vreemde taal sprak. Het drong nauwelijks tot me door. Hij moest het over de verkeerde persoon hebben. Mijn moeder had het eeuwige leven, ze kon niet doodgaan. Het moest een vergissing zijn.

Mijn moeder hield vol, en vocht bijna twee jaar voor haar leven. Het was beter geweest als ze het niet had gedaan. Tegen het einde had ze afschuwelijke pijn, en ze heeft veel te lang geleden. Ze wilde mijn vader niet alleen achterlaten. Ik had mijn boek bijna af, maar ze overleed voordat ik de laatste hoofdstukken had geschreven.

Tien weken later werd mijn vader verkouden. Hij begon zwaar te hoesten, kreeg bronchitis en uiteindelijk een longontsteking. Hij werd in het ziekenhuis opgenomen. Versuft door verdriet zag ik zijn toestand verslechteren. Zijn nieren begaven het. Op de intensive care werd hij kunstmatig beademd. Twee weken later moest de stekker eruit. Slechts twaalf weken na mijn moeder verloor hij de strijd.

Ik was kapot, zo verdrietig dat ik voor geen enkele rede meer vatbaar was, en ik wees Bens pogingen om me te troosten af. Leila en Amira hadden allebei eindexamen gedaan en waren het huis uit. Ik pakte wat kleren, nam Adam mee, en ging weg bij mijn man.

We gingen in het huis van mijn ouders wonen. Ik had het gevoel dat ik ze op die manier vast kon houden. Ik weigerde met Ben te praten. Mijn oude leven was voorbij.

Het duurde een halfjaar voordat ik weer bij mijn positieven kwam, als je het zo kunt noemen. Ik hield nog steeds van Ben, maar ik voelde me schuldig omdat ik gelukkig was, terwijl mijn ouders allebei vroegtijdig waren overleden, eigenlijk zonder reden. Het was niet eerlijk.

Toen Philomena belde, kwam ik met een schok terug in de werkelijkheid. Omar had alweer een boodschap ingesproken op hun antwoordapparaat. Ik kon het niet aan in mijn eentje. Waar was ik in godsnaam mee bezig? Waarom was ik weggegaan?

Het bericht was voor Leila. Omar had zijn nummer achtergelaten en gevraagd of ze hem wilde bellen. Hij had een grote som geld voor haar, en hij had haar bankgegevens nodig om het geld aan haar over te kunnen maken. Hij zou binnenkort naar Engeland komen en dan haar grootouders opzoeken.

Philomena sloeg haar armen om me heen toen ik begon te huilen. 'Niet doen, Jacky, je put jezelf uit,' zei ze. 'Hij kent alleen dit adres, en wij zullen hem nooit iets vertellen.'

'Heb je een telefoonboek, Philomena?'

Snel zocht ik de achternaam van mijn vader op, en mijn vinger bleef liggen bij zijn naam en adres.

'Wat heb ik gedaan? Omar dreigt me te vermoorden. Ik trouw, ik verander mijn naam, ik verhuis naar een nieuw adres. Twee keer. Dan gooi ik alles weg en ga ik terug naar het huis waar zelfs de grootste stommeling me kan vinden. Kijk.' Ik liet Philomena het telefoonboek zien. 'Mijn vader, compleet met zijn adres en telefoonnummer. Heel handig.'

Dat was een jaar geleden. Waarom Ben me nog een kans heeft gegeven zal ik nooit weten. Ik weet wel dat ik hem nooit meer in de steek zal laten. Drie maanden geleden zijn we opnieuw verhuisd, naar een huis waar mijn ouders nooit zijn geweest. Ik heb een kersenboom geplant in de tuin, en ik heb foto's en een paar meubels van ze. Ik zal nooit over hun dood heen komen, maar ik heb me er inmiddels bij neergelegd dat deze nieuwe pijn een deel van mezelf is geworden.

Meestal voel ik me vrij. Elke dag kijk ik over mijn schouder; de fatwa blijft op de achtergrond en ik zal altijd op mijn hoede moeten zijn. Maar ik weiger mijn leven erdoor te laten beheersen, en ik kijk met dankbaarheid en hoop naar de toekomst.

Philomena en Richard wonen nog steeds in ons oude huis. Omar blijft bellen. Ze hebben nooit een ander nummer genomen, aangezien Richard thuis werkt en het dan alleen maar lastig zou zijn. Dat zeggen ze, maar net als Carol van de burgerlijke stand willen deze twee schatten van mensen me zo veel mogelijk beschermen. Ze weten wat een fatwa betekent, en ze weten dat Omar zolang hij blijft bellen tenminste niet ergens anders naar me op zoek gaat. Hij heeft zich er nooit bij neergelegd dat we niet meer bij hem wonen. In Egypte is het hoogst ongebruikelijk dat iemand van de lagere klasse verhuist. Onroerend goed gaat van de ene generatie over op de andere.

Tegenwoordig kan Omar rechtstreeks bellen, al zit er soms nog steeds een telefonist tussen. Meestal belt hij vrijdag midden in de nacht. Ik word ijskoud vanbinnen als ik naar zijn stem luister. Hij praat tegen de stem op het bandje van de antwoorddienst alsof hij tegen Leila praat. Het lijkt wel alsof hij bij ons in de kamer is. Zijn stem is veranderd, ouder geworden, maar als ik hem hoor praten, zie ik hem even duidelijk voor me als op die dag, nu zestien jaar geleden, dat ik hem slapend in ons bed in Cairo achterliet.

Hij is dezelfde man, hij is niet veranderd. Ik ben daarentegen wel veranderd. Hij heeft me onzichtbaar gemaakt, mijn ware ik verborgen onder een deken van onderwerping. Die deken heb ik lang geleden verbrand.

In de volgende hoofdstukken belicht ik de onzichtbaarheid van andere vrouwen, in allerlei verschillende vormen. Elk hoofdstuk gaat over een andere vrouw. Hoewel het op zich stuk voor stuk inspirerende verhalen zijn, blijkt pijnlijk duidelijk dat er veel meer onzichtbare vrouwen zijn dan we allemaal denken.

10

Kareena: een gesprek

'Ik ga over drie maanden trouwen, maar niet met mijn grote liefde.'

Het was zo ongeveer alles wat ik van Kareena wist toen we afspraken om elkaar te ontmoeten, zodat zij me haar verhaal kon vertellen.

In de trein deed ik mijn ogen dicht en probeerde ik me voor te stellen hoe Kareena eruitzag. We hadden alleen contact gehad via e-mail, en nu zou ik haar voor het eerst in levenden lijve zien. Klein en slank, dacht ik, met grote donkere ogen en lang haar. Donkere, neutrale kleding, of misschien een sari in zachte pasteltinten. Het was per slot van rekening zomer.

'Help! Ik heb geen idee hoe ze eruitziet.' Geschrokken schoot ik overeind, en toen ik mijn ogen weer opendeed, zag ik dat de passagiers om me heen me heel raar aankeken. Haastig verontschuldigde ik me. 'Sorry, ik geloof dat ik droomde.'

Ik dacht na over dit nieuwe probleem. Waarom had ik haar in hemelsnaam niet op zijn minst gevraagd wat ze aan zou hebben? Wat kon ik toch dom zijn. Wat moest ik doen? Ik had haar niet verteld hoe ik eruitzag. Het station van Leeds was gigantisch groot. We zouden elkaar nooit vinden.

Grabbelend in mijn tas vond ik de uitdraai van een mailtje dat ze me had gestuurd, en daar stond haar mobiele nummer op. Ik slaakte een zucht van verlichting en stuurde haar een sms'je. 'Wat heb je aan? Ik draag een bruin suède jasje en heb een paraplu.'

Het duurde vier lange minuten voordat ik antwoord kreeg.

'Witte broek.'

Een witte broek. Dat was wel het laatste wat ik had verwacht. Een jong Pakistaans, islamitisch meisje kwam in een witte broek naar onze afspraak. Ik besefte hoe bevooroordeeld ik was door aan te nemen dat ze kuis gekleed zou zijn om vooral geen aandacht te trekken. Nu verheugde ik me er nog meer op haar te ontmoeten.

Laat je vooroordelen varen, Jacky, hield ik mezelf voor. Luister en leer.

Kareena, een meisje van begin twintig, bleek de enige op het perron te zijn die een witte broek droeg. Ze had de broek gecombineerd met een wit T-shirt, een spijkerjasje en een brede glimlach. Haar lange zwarte haar viel los over haar schouders en omlijstte haar gezicht. Ze keek me recht in de ogen, en meteen voelde ik een warm contact tussen ons. We liepen samen naar haar auto en gingen naar een Franse bistro in het centrum om te lunchen en te praten.

Onderweg babbelde ze losjes en zelfverzekerd en informeerde ze naar mijn reis. Eenmaal in de bistro bestelden we onze lunch en vertelde ze me haar verhaal.

'Ik ben op 9 juni in Bristol geboren. We hebben er niet meer dan een jaar gewoond. Toen verhuisde het bedrijf van mijn vader naar Wales, en wij gingen mee. Ik heb een oudere broer en twee jongere zussen. Mijn zusjes zijn allebei in Wales geboren. Mijn ouders zijn opgegroeid in Pakistan. In de jaren vijftig is mijn vader naar Engeland gekomen. Hij was toen een jaar of veertien. Mijn moeder volgde na haar huwelijk, in de jaren zeventig. Zij heeft nooit gewerkt. Ik werd aangemoedigd om op school hard te werken, en na mijn eindexamen ben ik rechten gaan studeren. Dat was in Wales. Daarna ben ik naar Leeds gegaan om een academische graad te halen.'

Ik kon het niet helpen, ik moest haar onderbreken. 'Dus je ouders zijn liberale moslims, anders had je nooit op jezelf mogen wonen.'

Ze knikte enthousiast. 'O ja, in dat opzicht zijn ze echt geweldig. Pakistanen zitten raar in elkaar, weet je. Ze noemen zichzelf moslims en volgen de wetten van het geloof, maar veel dingen hebben niets met de islam te maken en alles met hun eigen cultuur. Als Pakistaan word je in een bepaalde kaste geboren, en het gebruik is dat je alleen met een Pakistaan uit dezelfde kaste trouwt. Dat is niet islamitisch, het is hun eigen interpretatie. Volgens de islam kan elke moslim met een andere moslim trouwen, einde verhaal. Best, dat kan ik begrijpen, maar dat andere standpunt begrijp ik niet.

Neem nou bijvoorbeeld mijn tante. Als je met haar praat, zou je nooit denken dat ze al dertig jaar in Engeland woont. Na al die jaren heeft ze nog steeds dezelfde mentaliteit als toen ze voor het eerst hier kwam. Ik draag altijd westerse kleren, maar elke keer dat ik de deur uit ga, fronst ze afkeurend haar wenkbrauwen. Wat maakt het nou uit wat voor kleren je draagt? Toch maakt zij er elke keer een toestand van. Als mijn broer zichzelf een glas water moet inschenken, lijkt het wel of ze een beroerte krijgt. Ze vindt dat de taak van de vrouw.'

Ze zweeg even en pakte haar handtas. 'Heb je er last van als ik rook?'

Ik schudde mijn hoofd en keek bewonderend naar deze energieke, onafhankelijke, moderne en intelligente jonge vrouw. Ze leek me eigenzinnig genoeg om alles wat op haar pad kwam aan te kunnen. Wat ging ze me vertellen?

'En je ouders blijven je manier van leven steunen?' vroeg ik.

'Ja. In dat opzicht is mijn vader heel cool. Ik denk dat het onder andere te maken heeft met het feit dat mijn ouders in het begin in een half-vrijstaand huis woonden, in een buurt buiten de Pakistaanse gemeenschap. Daardoor waren ze geïsoleerd van het dagelijkse contact met landgenoten. Er was dus niemand om mee te roddelen. En als Pakistanen zou érgens dol op zijn, dan is het op roddelen. Het rare is dat Pakistan inmiddels moderner is geworden, en de cultuur daar is nu heel anders dan zij het zich herinneren. De mensen hier denken dat Pakistan altijd blijft zoals het was toen ze weggingen, terwijl er in werkelijkheid veel is veranderd.'

'In welk opzicht is het voor vrouwen veranderd?'

'De mensen zijn liberaler dan toen. Vrouwen zijn niet langer aan het aanrecht of het huis gekluisterd.'

'Ben je er vaak geweest?'

'We zijn er ongeveer een halfjaar geweest toen ik drie was, en in de jaren daarna telkens een maand, zoiets.'

'Als je zegt dat Pakistan moderner is geworden, heb je het dan alleen over de grote steden of ook over de dorpen?'

'Het is over de hele linie veranderd. Hier in Engeland sturen veel Pakistanen hun kinderen nog steeds niet naar school, vooral de meisjes niet, terwijl men in Pakistan een opleiding juist heel belangrijk vindt. Daar willen alle ouders dat hun kinderen naar school gaan. Hier houden ze vast aan de traditionele normen, terwijl die in hun vaderland zijn achterhaald. Heel raar.'

Hoofdschuddend drukte ze haar sigaret uit. 'Neem mijn nichtje in Pakistan. Ze is vijf en zit op een particuliere school om haar de beste kansen te geven. Toen mijn moeder nog in Pakistan woonde waren er geen scholen in de dorpen, maar nu rijzen de scholen als paddenstoelen uit de grond. Het is tegenwoordig echt een prioriteit. Ik ben zó blij dat mijn moeder heeft ingezien hoe belangrijk een opleiding is, en dat ze me heeft laten studeren. We hebben allemaal van jongs af aan te horen gekregen dat we hard moesten werken, dat we moesten studeren, dat we iets van ons leven moesten maken. Mijn vader heeft uiteindelijk succes gehad met zijn eigen bedrijf, maar in het begin heeft hij keihard moeten werken. Hij wilde niet dat zijn kinderen het net zo zwaar zouden hebben.'

'Vertel me eens over je broer en je zussen. Hebben zij succes in het leven?'

'Mijn broer is accountant. Mijn zus heeft een tijdje medicijnen gestudeerd, maar dat beviel haar niet, en nu doet ze de school voor journalistiek. Mijn jongste zus heeft het eigenlijk het moeilijkst gehad. Als baby is ze heel erg ziek geweest, en bovendien is ze de jongste, de benjamin in ons gezin. Daardoor zijn mijn ouders heel toegeeflijk geweest. Ze is aan allerlei dingen begonnen, maar heeft nooit iets afgemaakt. Ze is voor haar eindexamen van school gegaan en heeft toen een tijdje een opleiding tot schoonheidsspecialiste gevolgd. Dat werd niets, en daarna kreeg ze een parttime baantje als verpleeghulp in een verzorgingshuis. Het lijkt erop dat het dit keer wel goed gaat. Ze vindt het werk leuk, ze geeft echt om de patiënten. Volgend jaar wil ze proberen om de verpleegstersopleiding te gaan doen. Waar het om gaat, is dat mijn ouders haar de kans hebben gegeven om alles te proberen wat ze leuk vond. Ze hebben haar die vrijheid gegeven. Ons niet.'

De achtergrondmuziek die ik eerst zo sfeervol had gevonden, begon me nu te irriteren. Geboeid boog ik me naar voren, want ik wilde geen woord van haar verhaal missen.

'Ik kan het goed vinden met mijn ouders, en ook met mijn broer en zussen. Mijn vader is altijd heel aanhankelijk geweest. Hij knuffelde ons eindeloos toen we klein waren.' Ze zweeg even. 'Dat doet hij eigenlijk nog steeds.'

Ik wilde meer weten. 'Beschrijf je vader eens.'

Glimlachend voldeed Kareena aan mijn verzoek. 'Hij ziet er heel jong uit voor iemand van zijn leeftijd, veel jonger dan zijn drieënzestig jaren. Hij is lang en slank, en hij is dol op sportauto's. Hij rookt, maar niet heel veel, tenzij hij boos of gespannen is. Dan drinkt hij liters koffie en rookt hij als een schoorsteen, dus weten we wanneer we hem met rust moeten laten. Maar doorgaans is hij heel rustig. Een bedaarde man, en toch is hij altijd duidelijk aanwezig.'

'Zo te horen is hij iemand met een sterke persoonlijkheid. Vertel me eens over dat onafhankelijke leven van je. Wat vond je vader daarvan?'

'Toen ik het huis uit ging om hier te gaan studeren, had ik eerst een kamer op de campus van de universiteit. Toen huurde mijn vader hier een huis omdat hij vaak in Leeds moet zijn voor zaken, en ben ik daar gaan wonen. Hij is er een paar nachten per week.

De meeste Pakistanen in Leeds komen uit Kashmir, en dat loopt iets van duizend jaar achter vergeleken bij de rest van Pakistan. De Kashmiri zijn erg traditioneel. Ons gezin is veel moderner. Ik was het eerste meisje in de hele familie dat naar de universiteit ging, en het eerste meisje dat parttime ging werken. Tien, vijftien jaar geleden was dat ondenkbaar. De druk vanuit de gemeenschap zou te groot zijn geweest, zelfs voor mijn ouders.'

'Oké, dus jij bent een moderne Pakistaanse, vertel dan eens hoe het met vriendjes zit. Hoe ver gaat die liberale houding eigenlijk?'

Kareena glimlachte. 'Officieel heb ik nooit een vriend gehad, maar in werkelijkheid was ik een normale tiener. Je weet hoe het gaat, je eerste verliefdheid op de middelbare school. Als je hem later terugziet, denk je: wat een sukkel. Kevin heette hij. We hebben nooit echt iets met elkaar gehad. Mijn eerste vriendje kreeg ik pas toen ik studeerde. Hij kwam uit Saoedi-Arabië en hij was wel oké, maar het is nooit serieus geweest. Ik was eenentwintig toen ik voor het eerst een serieuze relatie kreeg, met een jongen uit Rochdale. We leerden elkaar kennen via een nichtje, een vriendin van me. Ik vond hem geweldig, maar hij ging eigenlijk liever uit met zijn vrienden, je weet wel, elk weekend dronken. Hij was een Pakistaan, maar hij liet me voortdurend in de steek. Mijn vader heeft er nooit iets van geweten, alleen mijn zus. Uiteindelijk heeft hij me gedumpt. Ik was er kapot van. In die tijd dacht ik dat ik van hem hield, maar achteraf besef ik dat ik het me had ingebeeld, want we waren meestal heel gemeen tegen elkaar.

Hoe dan ook, ik had tijd voor mezelf nodig. Ik werkte toen voor Immigration Control, en heb uitwisseling aangevraagd. Dat lukte, en ik werd naar Waterloo overgeplaatst. Het betekende drie dagen per week in Londen en twee in Parijs, op het Gare du Nord. Dat is nu twee jaar geleden.

Ik verhuisde naar Londen en maakte nieuwe vrienden. We hadden de grootste lol met elkaar en ik ging veel uit, zodat ik me begon te ontspannen en me beter begon te voelen over mezelf. Ik vond het zelfs niet erg dat ik 's ochtends heel vroeg op moest.

Ik heb Salah leren kennen doordat ik mezelf volkomen belachelijk heb gemaakt. Ik sprak geen woord Frans en probeerde in het Frans koffie te bestellen, terwijl hij vloeiend Engels sprak. We moesten er allebei om lachen, en we voelden ons meteen tot elkaar aangetrokken. Ik haalde zoveel koppen koffie bij hem dat ik ze weg moest geven, maar ik had het ervoor over want zo kon ik tenminste met hem praten. Uiteindelijk viel bij hem het muntje. Hij zette me echt in vuur en vlam. Toch durfde ik hem niet mee uit te vragen. Op een gegeven moment is een vriendin van me naar hem toe gestapt en heeft ze hem gevraagd of hij me mee uit eten wilde nemen. Iedereen kon het horen, al mijn collega's, de mensen van de douane en personeel van de Eurostar, heel gênant. Hij keek naar mij, en glimlachte naar me. "Oké," zei hij. En dat was dat.

We gingen uit eten, en hij kwam te laat voor ons eerste afspraakje! Hij had vastgezeten in de metro. Maar hij was het allemaal waard. Vanaf het begin was het alsof we goede vrienden waren. We hadden zoveel met elkaar gemeen, er was zoveel waar we samen om konden lachen. Ik had de avond van mijn leven. Hij was een moslim uit Marokko. En hij was zo knap. In een oogwenk was het een uur 's nachts, en we zaten nog steeds in het restaurant, helemaal verdiept in elkaar.'

Ik glimlachte. 'Dus hij was het waard dat je jezelf belachelijk hebt gemaakt?'

'Absoluut. Ik zou het zo weer doen. Daarna zagen we elkaar zoveel mogelijk. We waren geknipt voor elkaar. Ik ging van hem houden, en hij van mij. Ik was zo gelukkig. Het duurde niet lang. De uitwisseling liep af, en ik moest terug naar de Midlands, weg bij Salah. In de maanden daarna spraken we elkaar alleen telefonisch. Op een gegeven moment vroeg hij aan me: "Wat gaan we doen? Ik kan niet zonder je." Hij vroeg me ten huwelijk, en ik dacht dat mijn hart zou barsten van geluk. Ik wilde zo snel mogelijk zijn vrouw worden.'

Ik leunde naar achteren zodat de ober de tafel kon afruimen. 'Maar dat is toch geweldig, Kareena. Ik verwachtte een tragisch einde. Dit is pure romantiek: je ziet een knappe, onbekende man in een druk café, je spreekt met hem af, het klikt meteen, je droomt dag en nacht van elkaar, hij wil met je trouwen en jij zegt ja. En de bruiloft is over drie maanden?'

Kareena stak nog een sigaret op. 'Ja. Nee. Niet helemaal. Ik bedoel... laat me je vertellen wat er precies is gebeurd. We spraken af dat ik mijn ouders over ons zou vertellen, en ook dat we wilden trouwen. Dat was niet gemakkelijk, ik kon het niet plompverloren aankondigen. Ik heb er ongeveer een maand over gedaan voordat ik het onderwerp ter sprake durfde te brengen. Ik werkte er geleidelijk naartoe, bracht het zijdelings ter sprake, zoals met wie we wel en niet kunnen trouwen, dat soort dingen. Ik kreeg te horen waar ik al bang voor was. "Het is niet echt belangrijk, maar je weet hoe het gaat in onze gemeenschap. We moeten aan onze cultuur denken, en we trouwen alleen met Pakistanen. Je zult met iemand van dezelfde kaste moeten trouwen." Dat soort dingen. Een getrouwde neef van me snoof ongelovig toen hij het hoorde en zei dat hij het klinkklare onzin vond, maar mijn ouders hielden er nog steeds een traditionele manier van denken op na. Het was belangrijk voor me om van te voren te weten hoe ze erover dachten. Ik vond het doodeng, dus ik bleef het voor me uit schuiven. Salah verzekerde me steeds dat ik me nergens voor hoefde te schamen. Hij drong erop aan dat ik mijn ouders gewoon zou vertellen dat we wilden trouwen. "Je moet voet bij stuk houden," zei hij telkens.

Ik verkeerde in tweestrijd. Moest ik het mijn moeder eerst vertellen? Of was het misschien beter om er eerst met mijn vader over te praten? Of moest ik de koe bij de hoorns vatten en er tegen hen allebei over beginnen? Ik aarzelde nog een paar weken, en toen flapte ik het er op een dag uit tegen mijn vader. Ik stond er zelf versteld van.

"Pap, ik heb een jongen leren kennen, en ik ben gek op hem. Ik wil hem graag aan je voorstellen. Hij werkt in Frankrijk, en we hebben elkaar ontmoet toen ik daar werkte."

Ik wachtte met ingehouden adem af. Hij hield op met waar hij mee bezig was, keek me aan en gaf me zijn antwoord: "Nee."

Geen discussie. Niets. Ik probeerde met hem te praten, vroeg of hij in elk geval naar me wilde luisteren, maar hij stak zijn hand op en begon te razen en te tieren. Hij eindigde met de kille woorden: "Je hebt niets te willen. Vergeet hem. Nu."

Dat was een jaar geleden. Ik zei tegen hem dat ik in mijn ogen niets verkeerd had gedaan en dat het een redelijk verzoek was, maar hij wilde niet naar me luisteren. Daarna is er een halfjaar lang met geen woord meer over gesproken.

Mijn moeder probeerde me ervan te overtuigen dat hij niet goed genoeg voor me was. Ze noemde hem ongeschoold, terwijl ze niets van hem wist. Ik heb het meteen rechtgezet. Salah

71

was cum laude afgestudeerd en juist heel goed opgeleid, gelukkig. Hij was heus niet stom, hij werkte alleen parttime in een café. Mijn moeder zei dat zij een man voor me zouden zoeken, iemand van mijn eigen kaste. Ik ontplofte. We kregen laaiende ruzie.

"Hoe komt het dat we vroeger steeds te horen kregen dat we hard moesten werken en carrière moesten maken, zonder dat iemand ooit heeft gezegd dat we moeten trouwen met de persoon die júllie uitkiezen?" riep ik tegen haar. "Hoe kon je zoiets belangrijks vergeten? Wat zijn jullie toch hypocriet. Jullie hebben het over het geloof en onze cultuur, maar alleen als het jullie uitkomt. Jullie vinden het belangrijker wat andere mensen denken dan hoe je eigen dochter zich voelt. Zo zijn we niet opgevoed. Het is niet míjn cultuur, het is júllie cultuur. Het is niet eerlijk, en ik kan me er niet bij neerleggen." Ik zakte huilend in elkaar op de bank.

"Dat je een Engels paspoort hebt maakt je nog niet Engels," antwoordde ze.

"Haarkloverij," snauwde ik.

Het haalde allemaal niets uit. Salah kon zijn oren niet geloven. "Ik heb nog nooit van mijn leven zoiets belachelijks gehoord," zei hij tegen me. Als je zelf geen Pakistaan bent, kun je hun gebruiken nooit echt begrijpen. Salah heeft mijn vader nooit ontmoet. Mijn vader zou hem hebben vermoord, zo ernstig was het.

Ik moest een beslissing nemen. Ik ben met mijn neef gaan praten, en hij vertelde me hoe hij erover dacht.

"Luister naar me, Kareena. Je ouders zullen zich er nooit bij neerleggen. Nooit en te nimmer. Er zijn twee mogelijkheden. Je kunt het uitmaken met Salah, hem vergeten en doorgaan met je leven, of je kunt nu naar boven gaan, je koffers pakken en vertrekken. Bouw een leven op met Salah, en probeer het dan later bij te leggen met je ouders. De keus is aan jou."

Salah vond dat ik moest kiezen, maar hij zei wel dat ik heel zeker moest zijn van wat ik wilde, en wat het zou betekenen om mijn ouders nooit meer te zien. Als ik daarvoor koos, stond me een hele hoop stress te wachten, dat wist ik donders goed. Mijn vader zou achter me aan komen, en dan zou de hel losbarsten. Wat zou hij doen als ik alles op de spits dreef?

Ik ben heel gevoelig, weet je. Ik zou chaos veroorzaken als ik wegging, en dat kon ik niet over mijn hart verkrijgen. Zo ben ik nu eenmaal. Ja, ik hield zielsveel van hem, maar mijn moeder zou door de hel gaan als ik voor hem koos. Ik heb een beslissing genomen en Salah nooit meer gezien. Ik werd voor twee maanden naar een ander vliegveld overgeplaatst, en daardoor had ik tijd om na te denken.

Intussen had mijn moeder me in de aanbieding gedaan op de vleesmarkt. Je verspreidt dan discreet iemands gegevens in de Pakistaanse gemeenschap, zowel hier als in Pakistan, en dan wacht je totdat de huwelijkskandidaten aankloppen. Het heeft niets te maken met wie je werkelijk bent of wat je in het leven hebt bereikt. Alleen je uiterlijk telt: is ze lang genoeg, is ze mager genoeg, is ze mooi genoeg. Het is zo primitief, maar wat ik nog veel erger vind, is dat ze met mijn leven speelt. Alsof je vijf minuten nadat je een man hebt leren kennen kunt zeggen: Ja, met hem wil ik trouwen. Belachelijk!

Er werden "afspraken" voor me geregeld, en dan moest ik opdraven, opgetuigd als een kerstboom. Nou vraag ik je! Je zit in de huiskamer, en dan word je van alle kanten bekeken. En niet alleen door de man. Zijn familieleden verdringen zich om ook een kijkje te nemen en te zeggen wat ze ervan vinden. Na zes maanden had mijn moeder beet. Het is eerder haar keus dan de mijne. Als ik hem vreselijk had gevonden zou ze haar zin niet hebben doorgedreven, maar ik had me er inmiddels bij neergelegd, en hij was de beste van het hele spul. De eerste vijf waren echt sukkels. Ze liegen bijna allemaal, weet je. Ze zeg-

73

gen bijvoorbeeld dat ze arts zijn, maar dan zijn ze in feite nog bezig met hun studie. Mijn moeder belt dan het bureau – het is niet echt een bureau, gewoon een of andere vrouw die in haar huiskamer zit – om te vragen of het wel klopt wat ze allemaal beweren. Zo begint het allemaal: "Hallo. Ik wil mijn zoon uithuwelijken, kunt u dat even regelen?" En een paar maanden later is het rond. Ze hebben een enorm netwerk.

Mijn "verloofde" is van Pakistaanse origine, maar hij heeft jaren in Europa gestudeerd. Zijn broers en zussen zijn ook allemaal in Europa opgeleid. Op dit moment werkt hij in een ziekenhuis in Londen. Ik heb tegen mijn moeder gezegd dat het me niet meer kon schelen. "Als jij hem aardig vindt, dan ga je je gang maar. Doe wat je moet doen, mij maakt het echt niet uit." Nou, dat hebben ze gedaan, en over drie maanden ben ik getrouwd.'

Ik vond het schokkend. 'Je gaat halsoverkop trouwen! Vinden de ouders het niet belangrijk dat jullie elkaar eerst wat beter leren kennen?'

'Niet echt, nee. Hij werkt fulltime. Tot nu toe hebben we elkaar nog maar twee keer gezien. We bellen elkaar. Eerlijk is eerlijk, het is een aardige man...'

'Maar?'

'Maar hij is Salah niet.' Haar gedachten dwaalden af en ze slaakte een zucht. 'Het heeft ook met mijn leeftijd te maken. Er zijn natuurlijk nog steeds meisjes die trouwen als ze zestien zijn en op hun twintigste al drie kinderen hebben. Dat hangt van je familie af. Maar een opleiding wordt steeds belangrijker, ook voor meisjes, en er wordt steeds later getrouwd. Ik heb een tante van dertig die carrière maakt en nog steeds niet is getrouwd. Nog maar een paar jaar geleden zou ze onder druk zijn gezet om haar carrière op te geven voor een huwelijk, of ze had ervoor moeten kiezen om vrijgezel te blijven, en dan ben je in feite een outcast. Nu gebeurt dat niet meer.

Waarschijnlijk trouwt ze als ze er zelf aan toe is en kan ze gelukkig worden, terwijl ze toch door de gemeenschap wordt geaccepteerd.'

'Dus het is nooit bij je opgekomen om weg te lopen voordat je gaat trouwen?'

Beslist schudde ze haar hoofd. 'Geen seconde. Dat kan ik mijn ouders niet aandoen.' Triest sloeg ze haar ogen neer. 'Het is mijn eigen keus. Ik heb besloten om me neer te leggen bij mijn lot.'

'Waar gaan jullie wonen?'

Ze glimlachte, en ik ving een glimp op van de Kareena die ik nog maar een paar uur geleden had leren kennen, toen ze me vrij en blij had opgehaald. 'Daar heb ik in elk geval iets over te zeggen. Hij is arts. Hij kan overal werk vinden, dus we hebben het voor het kiezen. Voor hem is deze verbintenis belangrijker dan voor mij, dus dat is goed.'

'Denk je dat je de keten met hem kunt doorbreken? Ik bedoel, mogen jullie kinderen straks wel met elke moslim trouwen, ongeacht afkomst of kaste?'

'Daar droom ik van, maar ik kan alleen hopen. Hij is modern, en hij heeft het grootste deel van zijn leven in Europa gewoond. Misschien kan het. Wie weet? Het hangt allemaal van hem af. Het zou kunnen dat hij blijft zoals hij nu is, liberaal en "westers", of hij kan traditioneler worden als we eenmaal zijn getrouwd. Ik hoop het niet, want dan verwacht ik de nodige problemen in de toekomst. Ik kan erg koppig zijn als het me echt niet bevalt. Het zou strijd kunnen geven.'

Ik had een brok in mijn keel toen ik weer op het perron stond en Kareena nakeek. Ik had grote bewondering voor haar krachtige persoonlijkheid en doorzettingsvermogen. Met haar onbaatzuchtige liefde voor haar ouders dwong ze respect af, maar tegelijkertijd stemde het me verdrietig dat ze bereid was deze reis te ondernemen. De reis die begon met gelatenheid, overging in onderwerping, en eindigde met de onvermijdelijke bestemming: onzichtbaarheid.

Kareena, jij hebt vrede met je toekomstige leven. Ik wens je alle geluk en voorspoed van de wereld. Doorbeek het patroon en wees jezelf. Ga ervoor, meisje!

11

Laura

Ik zat in kleermakerszit op de bank in onze woonkamer en dronk koffie met mijn vriendin Laura. Gezellige, geestige, pittige Laura. Ik kende haar al een jaar of tien. Ik had haar zoon in de klas gehad, en Laura was altijd een van de betrokken ouders geweest – ze hielp een handje in de klas en liep elke week met de hele groep mee naar het zwembad. Als haar kinderen iets wilden, was zij altijd de eerste om hen te stimuleren. Haar zonnige glimlach had een positief effect op ons allemaal, en we werden dikke vriendinnen.

Vriendschap. Elke vriendschap is anders, en toch weten we allemaal wat we bedoelen als we het woord horen. In ons geval kletsten we over de kinderen, onze partners en onze dagelijks beslommeringen, en we fantaseerden over een betere wereld. De jaren verstreken, en op een gegeven moment verruilden haar kinderen de beschermde wereld van de basisschool voor de veel grotere en bedreigender wereld van oudere kinderen, ontelbare klaslokalen en een kantine waar je zelf je eten kiest en betaalt.

Ook ik besloot over te stappen van de basisschool om les te gaan geven aan een middelbare school, met als gevolg dat Laura en ik elkaar uit het oog verloren. We kwamen elkaar af en toe tegen in de stad en beloofden elkaar dan te bellen, maar het kwam er nooit van. Op de een of andere manier zat het leven in de weg. Totdat ze mijn boek las, *Fatwa*.

'Ik ben het niet gewend om over mezelf te praten.' Laura nam haar laatste slok koffie. 'Ik heb door de jaren heen zo mijn best gedaan om het te verbergen. Alleen Ian begrijpt het.' Ian was haar man en haar rots in de branding; betrouwbaar, vol begrip en de rust zelve. Ze hadden nog steeds een goed huwelijk, ondanks hun problemen, terwijl om hen heen vrienden uit elkaar gingen, hertrouwden of verhoudingen hadden.

'Ik kom uit een groot gezin, maar wat hen betreft zou ik net zo goed dood kunnen zijn. Zo is het sinds mijn achtste altijd geweest. Altijd. Het is alsof ik niet besta.'

Ik staarde haar aan. Hoe is het in vredesnaam mogelijk om tien jaar met iemand bevriend te zijn en niet te weten dat ze met zo'n groot trauma rondloopt? Kennelijk kan dat. En als je vriendinnen hun verdriet zo goed kunnen verbergen, hoe zit het dan met alle andere vrouwen die met een opgewekte glimlach door het leven gaan? Er moeten overal 'onzichtbare' vrouwen zijn.

'Mijn verhaal zou in je boek passen,' vervolgde ze. 'Ik ben geen buitenlander, ik ben niet religieus en ik heb niet eens een slecht huwelijk. En toch ben ik onzichtbaar.'

Ze vertelde verder, en ik vroeg of ze het vervelend zou vinden als ik haar verhaal op band vastlegde. Ze haalde alleen haar schouders op. Laura maakt het anderen graag naar de zin.

'Ik heb fijne herinneringen aan mijn vroegste jeugd. Er was liefde en blijdschap, we waren een gelukkig gezin. Ik had een schat van een moeder, en een tweelingbroer, Matt, maar mijn oudere zus Jane was mijn beste vriendin. We deden alles samen, we droegen dezelfde kleren, alleen in andere kleuren.'

'Hoeveel scheelden jullie?'

'Ze was net twee jaar ouder dan ik, en we waren stapeldol op elkaar. Ik heb nog oude filmpjes van toen we klein waren. Ze houdt steeds mijn hand vast, ze is altijd bij me in de buurt. Ze waakte echt over me.'

'Zijn er bepaalde dingen die je je van vroeger herinnert?'

'Ik weet nog dat we voor het eten altijd samen op de bank zaten en naar *Watch with Mother* keken. Ik heb ook nog een broer die vier jaar jonger is dan ik, Rob. We waren altijd allemaal thuis voor het eten en dan keken we samen televisie. Ik weet nog dat ik dan tegen mijn moeder aan kroop en naar haar omhoogkeek, ik herinner me nog hoe ze rook, dat ik haar geur opsnoof. Er was een heel warm gevoel tussen ons. Ik groeide op in een ideale wereld.'

'Was je vader vaak thuis?'

'Ja. Hij werkte in de haven. We hadden de grootste lol. Hij zorgde ervoor dat we twee keer per jaar met vakantie naar Butlin gingen. Dat klinkt niet erg bijzonder, maar als kind heb je weinig nodig. Het was geweldig. Alles wat een kind zich kan wensen.'

Ik luisterde gefascineerd naar haar verhaal. Een liefhebbend gezin met leuke broers en zussen. Zelf had ik altijd van een tweelingbroer gedroomd. 'Kon je het goed vinden met je tweelingbroer?'

'Ja. Nog steeds trouwens, tot op zekere hoogte. Vroeger hadden we altijd tijd voor elkaar, we speelden vaak samen. Zelfs nadat...' Haar stem stierf weg.

Ik boog me naar voren om nog een keer koffie in te schenken. De geur van gebrande koffiebonen omhulde ons. 'Waardoor is het dan allemaal veranderd?'

Laura keek me verdrietig aan, duidelijk in gedachten verzonken. 'Dat wist ik toen niet en ik weet het nu nog steeds niet.'

Het stelde me voor een raadsel. 'Was het een plotselinge verandering of ging het geleidelijk?'

'Voor mij kwam het als een donderslag bij heldere hemel. Op mijn achtste was ik me niet bewust van tijd en ruimte en zo. Mijn hele wereld bestond uit het hier en nu. Ik dacht niet aan gisteren, morgen of verleden week. Ik leefde van dag tot dag. Maar die ene dag zal ik nooit vergeten. Het was een zondag. Ik kwam 's ochtends beneden en ging naar de eetkamer aan de achterkant van ons huis, en daar hingen al Janes kleren aan de muren, aan de rail voor schilderijen. En met "alle" bedoel ik letterlijk alles. Al haar rokken, T-shirts en jurken, zelfs haar cape. En al haar knuffels. Ik herinner me een hele stapel poppen en teddyberen. Al haar spullen waren in de eetkamer.'

'Deelden jullie toen een kamer?'

'Ja. Maar goed, mijn moeder kwam achter me aan de kamer binnen, en zei: "Deze kleren zijn nu van jou. Jane heeft ze niet meer nodig." Ik had geen idee wat er aan de hand was. Niemand wilde me iets uitleggen. Ik moest mijn mond houden. Ik heb geen van haar kleren ooit gedragen, want die dag kwam er een eind aan de geweldige relatie met mijn dierbare zus. Het ene moment had ik een zus, het volgende niet meer. Létterlijk. Na die dag heeft niemand me ooit zo gek kunnen krijgen dat ik haar spullen aanraakte.'

'Ik begrijp het niet,' zei ik in verwarring. 'Ging Jane zich opeens anders tegen je gedragen?'

'Volkomen. Zomaar opeens veranderde ze in een robbedoes, ze werd ruw en jongensachtig. Ze had totaal geen belangstelling meer voor me, wilde niet meer met me spelen. Haar hele persoonlijkheid veranderde. Voor mijn gevoel gebeurde het letterlijk van het ene moment op het andere.'

'Veranderde haar houding ook ten opzichte van andere mensen, of alleen tegenover jou?'

'Alleen tegenover mij.' Laura knikte heftig. 'Geloof me. Plotseling was ik het kleine zusje aan wie ze geen behoefte meer had. Mijn moeder had genoeg van haar dochter van tien, dus werd Jane omgeturnd en kreeg ik al haar meisjesachtige kleren en poppen. Ik had er niets over te zeggen. Het wrange was dat ik vaak Janes kleren droeg als ze haar te klein waren geworden. Dat vond ik niet erg. Maar dit!'

Laura boog zich naar voren en legde haar gezicht in haar handen. 'Dit was anders. Het was alsof Jane dood was gegaan. Alles werd weggehaald uit de slaapkamer. Het klopte niet. Mijn moeder zei dat ze geen nieuwe kleren voor me zou kopen voordat die van Jane me te klein waren. En dat heeft ze stug volgehouden. Verschrikkelijk. En niemand wilde me uitleggen waarom.'

'Maar Laura, dat was dertig jaar geleden. Nu weet je het toch wel?'

Ze schudde haar hoofd. 'Jane en mijn moeder lijken heel erg op elkaar. Ze zijn hard en spartaans, ze hebben een hekel aan gedoe. Jane heeft nooit verkering gehad, en ze heeft geen vrienden. Ze woont op zichzelf, ze heeft geen sociaal leven, ze zit altijd alleen thuis, onder een stapel dekens omdat ze de verwarming niet gebruikt. Ze is een echte einzelgänger. Als we elkaar zien, gaat ze tegen me tekeer en heeft ze aanmerkingen op alles wat ik doe of zeg. Ik neem elk jaar nog steeds de moeite om met Kerstmis naar mijn ouders te gaan met Ian en de kinderen, en dat doen we graag, maar zelfs dan kan Jane zich niet inhouden en maakt ze rotopmerkingen tegen me. Op de verjaardag van mijn nicht heeft Jane een keer in het bijzijn van dertig mensen iets ontzettend gemeens over me gezegd, luid en duidelijk, expres toen Ian in de buurt was. Het kan haar gewoon niet schelen. Ze vindt het grappig. Kleine steken onder water. Ze is heel erg manipulatief. Mijn moeder doet aan geestelijke mishandeling, en dat heeft Jane van haar overgenomen, op een minder subtiele manier. Ze zijn allebei even hatelijk, en geen van beiden is in staat om op een normale manier emoties te tonen.'

Ik verbaasde me over de macht die broers en zussen over elkaar hebben. Door de jaren heen moest Laura toch een manier hebben gevonden om tegen Jane opgewassen te zijn. Haar verhaal maakte een hoop gevoelens in me los; ik wilde het liefst zelf naar die mensen toe gaan en ze ermee confronteren, ik wilde er een eind aan maken. Maar dat zei ik niet hardop. In plaats daarvan vroeg ik: 'Hoe ga je er nu mee om?'

'Ik heb inmiddels geleerd om het te negeren. Ik heb niet genoeg zelfvertrouwen om het tegen haar op te nemen. Dat zal ook nooit gebeuren. Zo voel ik me over mijn hele familie. Jane is vals, ze zijn allemaal vals. Ik heb destijds heel vaak gevraagd wat er was gebeurd, maar elke keer werd ik afgescheept met: "Begin daar nou niet weer over. Het was allemaal jóúw schuld. Je bent veel te lastig. We willen het er niet meer over hebben."'

'Wat frustrerend. Het moet enorm beangstigend zijn geweest voor een meisje van acht.'

'Ik was doodsbang. Jane was mijn andere helft geweest, en opeens wilde ze niet meer met me spelen en mocht ik haar spullen niet meer aanraken. Ik herinner me dat ik onze kamer een keer wilde opruimen, en dat mocht niet van haar. Toen ik mijn moeder riep, gaf Jane me zo'n harde duw dat ik van een trap met twaalf treden viel, op een betonnen vloer. Ze werd heel snel kwaad op me, en dan ging ze door het lint. Ze heeft me een keer zomaar met een potlood in mijn been geprikt. Als er een vriendinnetje van haar bij ons kwam, mocht ik niet meedoen met hun spelletjes. Voor haar was het een kans om me buiten te sluiten. Meestal vermaakte Matt zich wel in zijn eentje, maar soms speelde hij met me. Jane deed nooit met ons mee. Dan zei ze iets tegen hem, en liet hij mij aan mijn lot over en koos hij haar kant. Ik was steeds vaker alleen. Ik raakte mijn zelfvertrouwen en mijn gevoel van geborgenheid kwijt, en uiteindelijk begon ik aan mezelf te twijfelen. Misschien was het écht wel allemaal mijn schuld. Als ik door lief en gehoorzaam te zijn geen aandacht kreeg, lukte het misschien door vervelend te zijn. Dat heb ik dus geprobeerd. Ik had het beter niet kunnen doen.'

'Hoezo?'

'Ik belandde bij een psychiater, en ik was pas acht. Stel je eens voor hoe gênant dat was. Ik moest verzuimen van school omdat ik een afspraak had bij de psychiater. In die tijd hielden ze op school geen rekening met je gevoelens. Iedereen wist het, en ik schaamde me kapot.' Laura zweeg even om een traan van haar wang te vegen. 'Mijn ouders bleken me overal de schuld van te geven. Ze zeiden dat er geen land met me te bezeilen was. Ze praatten over me alsof ik een of ander wild dier was. Het is bizar. Ik herinner me die spreekkamer als de dag van gisteren. De eerste psychiater die ik had heette Mrs. Morton. Een van de eerste keren dat ik bij haar was, gaf ze me een vel papier en vroeg ze me een tekening te maken van mijn familie. Ik heb er eeuwen over gedaan. Het was een tekening van mij en mijn vader. Verder niemand. Toch werd ik ook door mijn vader mishandeld. Ik weet niet waarom ik hem heb getekend. Hij stond voor mijn hele familie.'

'Was het een gezinstherapie, of ging je alleen?'

'Alleen. Mijn moeder ging altijd met me mee, en dan zat ze in een andere kamer en kon ze me observeren door zo'n spiegel. Ze kon me niet horen, alleen zien. Het rare was dat het heel vernederend voor me was om uit de klas te worden gehaald en erheen te gaan, maar als ik er eenmaal was, vond ik het geweldig. Het werd belangrijk voor me, want het was míjn tijd, hoe moeilijk het ook was. Ik weet nog dat mijn broer en zus een keer mee kwamen naar een sessie om met me te spelen. Ik was woest. Het was míjn plek, míjn speelgoed. Het was mijn toevluchtsoord, de enige plek waar ik mezelf kon zijn zonder dat ik ervoor werd gestraft, en opeens kwamen zij erbij en pakten ze dat van me af. Ik wilde met rust gelaten worden om zelf te kunnen spelen, want dat kon ik niet meer na die noodlottige dag.'

'Wat bedoel je?'

'Thuis verstoorde Jane altijd alles, ze pestte me en moedigde

Matt aan om mee te doen, en later Rob ook. Verbaal en fysiek. Het hield nooit op. Wat de anderen ook deden, ik kreeg altijd de schuld. De anderen hadden vriendjes en vriendinnetjes, en die kwamen bij ons thuis spelen. Ik was de enige die nooit iemand mee naar huis mocht nemen.

Op een avond hielden Matt en Jane me vast en sprongen ze op en neer op mijn borst. Ik kreeg geen lucht meer. Mijn ouders waren erbij en zagen wat er gebeurde, maar ze staken geen vinger uit om me te helpen. Ik werd naar mijn kamer gestuurd omdat ik vervelend tegen ze was geweest!

Vijf of zes keer per week vonden ze wel een of ander excuus om me te slaan. Het ging zo ver dat ik werd geslagen omdat ik een T-shirt in de verkeerde kleur aanhad, of omdat ik per ongeluk drinken morste. En het was geen tik. Ik werd echt hard geslagen en dan naar mijn kamer gestuurd. Iedereen had de pest aan me. Ik was een last voor de hele familie.'

Ik werd steeds kwader toen ze me over de mishandeling vertelde. Waarom was dat allemaal gebeurd? Welk excuus kon een volwassene verzinnen om een kind van acht regelmatig te slaan? 'Was je voor je achtste wel eens geslagen?'

'Nee, dat is nou juist het gekke. Niet één keer. Kun je dat geloven?' Ze liet haar hoofd hangen. 'Ik kan het niet helpen, maar soms denk ik echt dat ik er zelf voor heb gezorgd dat ze zo gemeen tegen me deden. Nadat alles was veranderd en ze me in de kou lieten staan, ben ik ontzettend vervelend geweest. Daarmee gaf ik ze een excuus om me nog meer buiten te sluiten.'

'Maar waarom wilden ze je buitensluiten? Wat was daar de reden voor?'

'Wist ik het maar. Mijn vader was heel dubbel. Bijna elke avond nam hij me mee naar boven, en dan sloeg hij me totdat ik me zo klein mogelijk had gemaakt op de vloer. Als ik helemaal in tranen was, ging hij weg en bleef hij voor de deur staan wachten totdat ik weer een beetje tot bedaren was ge-komen. En dan kwam hij terug, sloeg hij een arm om me heen en zei hij dat hij alleen maar het beste voor me wilde. Elke avond was ik alleen. Ik bad dat iemand me zou opmerken. Ik word misselijk als ik eraan terugdenk.'

Ik sprong overeind en kwam naast haar zitten. Zelf voelde ik me ellendig, dus ik wist dat het heel veel van haar moest hebben gevergd om me alles zo open en eerlijk te vertellen. 'Hoe werd je verder mishandeld?'

Laura verstrengelde haar vingers en drukte haar handen krampachtig tegen elkaar. 'Waar zal ik beginnen? Ik werd aan mijn haar de trap op getrokken, van beneden naar boven. Soms ging ik met kale plekken op mijn hoofd naar school. Dat was altijd mijn vader. Mijn moeder hield het bij emotionele mishandeling, ze kleineerde me, maakte rotopmerkingen, sloot me buiten, of ze keek me lang genoeg gemeen aan totdat ik de kamer uit ging. Mijn vader deed de lichamelijke mishandeling.'

'Kun je me een voorbeeld geven van een aanleiding om slaag te krijgen?' vroeg ik voorzichtig. 'Alleen als je het wil vertel-len,' voegde ik er snel aan toe.

Laura glimlachte zuur. 'Hoeveel voorbeelden wil je? Altijd kleine dingen. Ik zat bijvoorbeeld een keer te tekenen in een boek van mijn broer, en ik werd aan mijn haren weggesleept.'

'En als hij dat deed in jouw boek?'

'O, dat was iets heel anders. Dan legden mijn ouders uit dat ze dat niet mochten doen en zo. Ze vonden het goed als de an-deren me urenlang opsloten in het schuurtje in de tuin. Jane mocht aan alle spullen van de anderen komen. Ik niet. Die keer dat ze me in mijn been stak met een potlood, zo hard dat het rechtop bleef staan, kreeg ze niet eens een standje. Sterker nog, ik werd geslagen omdat ik vervelend tegen haar was geweest. En als ik me verweerde, werd het alleen maar erger. Een keer vertikte ik het om weg te gaan toen ik de kamer uit moest, en heb ik gezegd dat het niet eerlijk was. Mijn vader sleurde me overeind van de vloer, en terwijl hij me weg droeg, greep ik me vast aan de deur. Hij sleepte me naar boven en bleef me slaan, en ik sloeg terug. Hij was woedend. Hij smeet me aan mijn haren mijn kamer in. Ik vloog door de lucht, viel op mijn elleboog en moest naar het ziekenhuis.'

Een gevoel van opluchting ging door me heen. Haar vader had haar een keer te vaak geslagen, en nu zouden de artsen de kinderbescherming waarschuwen om een eind te maken aan de mishandeling. 'In het ziekenhuis gingen ze natuurlijk vragen stellen,' zei ik gretig, benieuwd naar de rest van haar verhaal.

'Vergeet niet, dit was rond 1970. In die tijd werd er niet ingegrepen. Een wonder, trouwens, want ik zat onder de blauwe plekken.

Maar goed, ik ging niet meteen naar het ziekenhuis. Eerst trok niemand zich er iets van aan dat ik klaagde over pijn in mijn elleboog. Ik weet nog dat ik die avond in bed lag en zoveel pijn had dat ik naar de kamer van mijn ouders sloop en een sjaal pakte die ik om mijn arm wikkelde. Ik plaste bijna in mijn broek van angst dat iemand me zo horen, maar mijn elleboog klopte zo erg dat ik het erop moest wagen. Niemand hoorde me, ze zaten beneden televisie te kijken. Pas toen ik de volgende ochtend met een heel erg dikke elleboog beneden kwam, was mijn moeder bereid iets te doen. Ze keek er van een afstand naar, zuchtte diep en zei tegen mijn vader dat hij met me naar het ziekenhuis moest gaan, want hij had het immers gedaan. Toen draaide ze zich weer om naar het aanrecht. Geen greintje medeleven of bezorgdheid. Zoals ik al eerder zei, dit was mijn moeders methode van mishandeling.'

Ik kon mijn oren niet geloven. 'Was er verder nog iemand met wie je kon praten?'

'Na een tijd ging ik na school af en toe naar mijn grootouders. Ze woonden vlakbij. Zij waren lief voor me.'

'Godzijdank. Heb je hun ooit gevraagd of ze wisten wat er gebeurde?'

Ze schudde haar hoofd. 'Dat durfde ik niet. Er werd gewoon niet over gepraat, punt uit. Toen niet. Nu niet. Tot op de dag van vandaag weet ik niet wie van mijn familieleden er iets van weet. Niemand is er tegen mij ooit over begonnen, dat weet ik wel. Vroeger heb ik wel eens overwogen om mijn tantes en ooms ernaar te vragen, maar ik wist niet wat mijn moeder er misschien over had gezegd, en ik was bang. De vragen werden dus nooit gesteld. Ik kon gewoon niemand vertrouwen. Ik droomde ervan om weg te lopen van huis en bij vrienden te gaan wonen, maar ik wist niet waartoe mijn moeder in staat zou zijn. Pas een jaar geleden heb ik van de buren gehoord dat de hele straat wist wat er aan de hand was. Ik was met stomheid geslagen dat niemand ooit heeft geprobeerd iets te ondernemen, helemaal niemand. Ze lieten me gewoon aan mijn lot over, terwijl ze het al die jaren hebben geweten.'

'Het moet heel moeilijk voor je zijn geweest.'

'Ik was nog zo klein. Ik wilde mijn ouders terug en ik had geen idee hoe ik dat voor elkaar moest krijgen. Het probleem was, ik was gewoon niet – ' ze aarzelde en begon te huilen voordat ze haar zin afmaakte ' – gewenst.'

Ik sloeg een arm om haar heen en hield haar dicht tegen me aan. Het duurde een paar minuten voordat ze verder kon gaan.

'Ik weet nog dat Jane een keer weg wilde lopen van huis na een ruzie met mijn moeder. Waar ze precies ruzie over hadden weet ik niet meer, maar ik herinner me wel dat mijn moeder haar bij de deur tegenhield en haar overhaalde om te blijven. Met mij ging het anders. Ik moet een jaar of tien zijn geweest. Ik had genoeg van alle ruzies, de verwijten en de klappen, dus ik pakte mijn koffertje om weg te gaan, terwijl ik dat eigenlijk niet wilde. Het was natuurlijk een kreet om hulp, dat zie ik achteraf heel duidelijk. Ik hunkerde naar aandacht, hoopte dat iemand genoeg van me hield om me tegen te houden. Aan de ene kant wilde ik blijven, aan de andere kant hield ik het gewoon niet meer uit in dat huis. Ik had gezien hoe het met Jane was gegaan, dat mijn moeder achter haar aan was gerend om haar tegen te houden. Nu was het mijn beurt. Met een bonzend hart liep ik naar de voordeur, nadat ik tegen mijn moeder had gezegd dat ik wegging. Niemand deed iets. Het kon niemand iets schelen.

Nou, daar ging ik, een meisje van tien met haar koffertje, de deur uit en de straat op. Met elke stap die ik deed, hoopte ik vurig dat iemand me achterna zou komen en mijn naam zou roepen. Ik zou dolblij zijn geweest en met een brede glimlach terug zijn gehuppeld en hebben gezegd dat ik er spijt van had. Maar die kans kreeg ik niet. Aan het eind van de straat begon het me te dagen dat er nooit iemand achter me aan zou komen.

Het ging niet zoals ik had gehoopt, en ik had niet bedacht wat ik verder moest doen. Ik wilde in tranen uitbarsten, maar ik trok een heel kalm gezicht, alsof het me niets deed, maakte rechtsomkeert en ging terug naar huis. Ik ging door de voordeur naar binnen en naar boven, naar mijn kamer. Niemand besteedde aandacht aan me, niemand zei iets over wat ik had gedaan. Het was totaal oninteressant voor de rest van de familie. Toen mijn moeder eindelijk doorhad dat ik terug was, zei ze niets. Het liet haar koud. Ik ging op mijn bed liggen en heb onbedaarlijk gehuild. Ik had me nog nooit zo alleen gevoeld, zo ongewenst, zo onbemind.'

Ik knikte vol begrip. 'Ik ken het gevoel, al was ik volwassen toen het mij overkwam,' zei ik. 'In Egypte had ik een paar vriendinnen op de school waar ik lesgaf, en bij hen kon ik soms mijn hart uitstorten, en dan voelde ik me stukken beter. Was school voor jou een toevluchtsoord?'

'Was het maar waar,' zei ze met een spijtig glimlachje. 'Ik denk echt dat ik er veel beter mee om had kunnen gaan als ik het op school fijn had gehad. Maar dat was niet zo. Op school werd ik ook gepest, jaar in, jaar uit. Mijn moeder weigerde nieuwe kleren voor me te kopen, dus werd ik uitgejouwd. Het was zo vernederend. Ik heb altijd tweedehands kleren gedragen, totdat ik ging werken en zelf iets nieuws kon kopen.

Er was niemand met wie ik kon praten. Ik kon het mijn leraren niet vertellen, want dan zouden ze er met mijn ouders over gaan praten, en die zouden het me betaald zetten. Op school was ik doodsbang voor de andere kinderen, en thuis voor mijn ouders. Soms moest ik kiezen tussen twee vuren. Een keer heb ik geld uit mijn moeders portemonnee gehaald, met alle risico's van dien, om het aan de pestkoppen op school te geven zodat ze me geen pijn zouden doen.

Op een dag – ik zat toen op de middelbare school – kwam mijn moeder naar de school met rubberlaarzen die ik aan moest trekken. Ze vertelde het personeel dat mijn schoenen nat waren. Het werd door de hele school omgeroepen dat ik naar het kantoor moest komen om andere schoenen aan te trekken. Mijn schoenen waren helemaal niet nat. Om de een of andere reden wilde ze me nog verder vernederen. Nou, dat is haar gelukt. Ik werd de hele dag gepest, nog erger dan anders.

Ik geef je nog een voorbeeld, een schoolfoto. Het schooluniform was veranderd toen ik veertien was. Op de dag van de schoolfoto was ik zestien, en ik moest van mijn moeder mijn oude uniform dragen. Van de duizend leerlingen op die foto was ik de enige in het oude uniform, en het was me bovendien veel te klein. Het was geen gezicht. De andere leerlingen hadden de grootste lol. Nee, ik heb het op school afschuwelijk gehad.'

Ze boog zich naar voren om in de koffiepot te kijken. De koffie was steenkoud. 'Heb je zin om nieuwe te zetten?'

'Wat vind je van een glas wijn?' opperde ik. 'Ik weet niet hoe jij je voelt, maar ik kan wel een glas gebruiken. En toevallig ligt er een fles in de koelkast.'

'Vooruit,' zei ze lachend. 'Omdat je zo aandringt.'

In een mum van tijd was ik terug met twee grote glazen koele chardonnay.

'Hoelang ben je bij een psychiater geweest?' vroeg ik.

'Ruim een jaar. Hij heeft me heel erg geholpen, maar Ian is uiteindelijk mijn redding geweest. Ian is geweldig, weet je.' Ze nam een grote slok wijn. 'We hebben eindeloos gepraat. Hij heeft me erop gewezen dat mijn moeder nooit hulp heeft gezocht. Misschien is er echt iets gebeurd en kon mijn moeder zichzelf er niet toe brengen om het onder ogen te zien en erover te praten. Jane droeg geen meisjesachtige kleren meer nadat alles was veranderd, maar mijn moeder raakte ook haar vrouwelijkheid kwijt. Ze droeg broeken in plaats van jurken, ze had elke dag een broek aan met een T-shirt en een vest. Nog steeds. Ze was een liefhebbende, zorgzame moeder, en ze veranderde in een kille, gevoelloze vrouw die mij niet langer als dochter wilde hebben. Ik werd de zondebok. Wat kan een meisje van acht nou hebben gedaan dat zó erg is dat alles erdoor wordt ontwricht, iets wat zó erg is dat het al die mishandeling en verwaarlozing rechtvaardigt? Het klopt van geen kant. Het is ook heel moeilijk om te aanvaarden dat je ouders je zoveel pijn hebben gedaan. Dat snijdt heel diep. Ik tril nu helemaal vanbinnen, maar aan de andere kant is het goed om te praten en iemand te hebben die naar me luistert.'

Ik voelde me vereerd dat mijn vriendin me al haar ellende wilde vertellen, maar ik was bang dat ik tekortschoot. 'Luisteren is niet zo moeilijk,' zei ik tegen haar, 'maar ik weet niet goed hoe ik je kan helpen.'

'Je helpt al door er gewoon voor me te zijn,' zei Laura met een glimlach. 'Ik voel me nu al stukken beter. Soms denk ik dat ik gek word omdat Ian de enige is die het begrijpt. Hij heeft allerlei theorieën. Hij denkt dat mijn moeder de reden om te veranderen misschien wel op Jane heeft overgebracht om haar op de een of andere manier te beschermen. Door mij al Janes meisjeskleren te geven, herinnerde ik haar misschien aan datgene wat ze uit haar leven probeerde te bannen. Zodat ze mij vervolgens verstootte. Het was makkelijker om zich tegen mij te keren dan haar eigen probleem op te lossen. Voelde vrouwelijkheid misschien als een soort bedreiging voor haar?'

'Het heeft duidelijk een groot effect gehad op de persoon die je nu bent,' merkte ik op.

'In meerdere opzichten. Neem de telefoon. Zelfs nu ben ik er nog bang voor. De telefoon werd als wapen gebruikt, weet je. Soms sloop ik 's avonds naar beneden tot halverwege de trap en zat ik te luisteren naar de geluiden uit de huiskamer; het geroezemoes van gesprekken, stemmen op de televisie, af en toe gelach. Ik stelde me voor dat ik gezellig bij de anderen in de huiskamer zat. Als mijn vader me betrapte, pakte hij direct de telefoon en deed hij alsof hij het kindertehuis belde. Ik schaam me er nu nog voor dat ik me als meisje van negen of tien aan zijn voeten wierp en mijn eigen vader bad en smeekte om me niet weg te sturen. En hij tierde alleen maar tegen me: "Dit keer heb je het echt te bont gemaakt. Je gaat weg. We willen je hier niet. We willen een gezin, en daar hoor jij niet bij." Het is meelijwekkend als een klein kind moet smeken. Echt waar. In gedachten zie ik het voor me, en dan schaam ik me. Het gebeurde soms wel een paar keer per week, maar ik bleef denken dat ik weggestuurd zou worden als hij het kindertehuis te pakken kon krijgen.'

'En als je overdag iets verkeerd deed? Werd je dan ook naar boven gesleurd?'

'Nee, overdag was het anders. Als ik iets verkeerd deed, al was het nog zoiets kleins, werd ik het huis uit gegooid, wat ik ook aan had, wat voor weer het ook was. Soms had ik alleen een hemdje en broekje aan, en dan werd ik in de voortuin gesmeten. Ze deden de deur op slot, dus dan spurtte ik zo snel mogelijk om het huis heen. Zij renden dan met zijn allen naar de achterdeur, zelfs de kleine Rob, en dan draaide mijn moeder kalm de sleutel om in het slot en stonden ze daar naar me te kijken, te wijzen en te lachen totdat Jane het gordijn dichtdeed zodat ze me niet meer hoefden te zien. Het was een wreed spel. Meestal lieten ze me ongeveer een halfuur buiten staan, zelfs als het vroor dat het kraakte of pijpenstelen regende en ik geen schoenen of sokken aan had. Ik maakte me zo klein mogelijk op het betonnen trapje, diep ellendig natuurlijk. Als ze me uiteindelijk weer binnenlieten, sleepte mijn vader me aan mijn haren naar boven en smeet hij me op mijn bed.'

'Dus je was eigenlijk nooit samen met de rest.'

'Nee.'

'Met wie kon je het best opschieten?'

'Met Matt, mijn tweelingbroer, denk ik. Jane hield Rob altijd zoveel mogelijk bij me uit de buurt. Ze zorgde dat ze naast hem zat, met hem speelde. Ik kreeg nooit de kans om met hem te spelen. De enige uitzondering was een keer dat we op vakantie gingen. Halverwege ruilden we van plaats, dan mochten de twee in het midden bij de raampjes zitten. Die ene keer zat Rob toevallig naast me, en hij viel op mijn schouder in slaap. Ik was in de zevende hemel. Mijn kleine broertje zat lekker dicht tegen me aan, al was het maar voor even.'

'Na je achtste ben je dus in feite eenzaam opgegroeid, terwijl je uit een gezin van zes personen kwam.'

'Ik leerde alleen te zijn, alleen te spelen. Ik trok me helemaal terug in mijn eigen wereldje. En in die wereld was ik gelukkig. Zo hield ik het vol.

Zeventien jaar geleden ging een nicht van me trouwen. Ik was in die tijd al met Ian getrouwd, en we waren naar Bristol verhuisd. We haalden mijn moeder op om samen naar Liverpool te gaan, waar de bruiloft werd gehouden. Mijn moeder had een pesthumeur, ik weet niet waarom. Uiteraard moest ik het ontgelden, en ze schold me uit waar Ian bij was. Ons eerste kind, Jack, was toen net zes maanden oud, en hij begon te huilen. Dat gaf me de moed om het tegen haar op te nemen. Ik vroeg haar ter plekke wat ik in godsnaam ooit voor vreselijks had gedaan. Ze keek me recht in de ogen en zei kil: "Dat vertel ik je niet. Maar dit wel. Tot op de dag van mijn dood zal ik je nooit vergeven wat je ons gezin hebt aangedaan." Toen liep ze weg en liet ze me gewoon staan. Zeventien jaar later heb ik nog steeds geen antwoord op mijn vraag.'

'Wat een zware last om met je mee te dragen.'

'Ian vindt dat ik naar een hypnotiseur moet gaan om te zien of ik me op die manier iets kan herinneren. Misschien doe ik dat wel.'

'Vertel me eens hoe je Ian hebt leren kennen.'

'Ik ben op mijn zestiende van school gegaan en meteen gaan werken. Ik moest voor mezelf bewijzen dat ik mijn ouders niet nodig had. Via school had ik een keer stage gelopen in een ziekenhuis. Ik vond het geweldig en wist meteen dat ik in de verpleging wilde. Mijn ouders moesten toestemming geven om mij nog twee jaar langer op school te laten blijven, maar mijn moeder weigerde het formulier te tekenen. Ze zei dat onderwijs niet aan mij besteed was en dat ik toch nooit iets zou bereiken. Hartelijk bedankt, mam. Al mijn hoop en mijn dromen gingen in rook op. Ik zou nog steeds graag een verpleegstersopleiding willen doen.'

'Waarom doe je dat dan niet?'

'Ik ben te onzeker. Mijn ouders hebben geen spaan van me heel gelaten. Het beetje zelfvertrouwen dat ik heb, heb ik aan Ian te danken. Hij zegt dat ik het gemakkelijk kan, maar mijn moeders woorden zijn blijven hangen en ik raak ze niet kwijt. Als ik eraan denk om mijn droom waar te maken en een opleiding te gaan doen, raak ik in paniek en krijg ik een akelig hol gevoel vanbinnen.'

'Ik heb ook pas laat een opleiding gedaan, Laura, na Egypte.'

'Jij bent sterker dan ik, Jacky. Ik had nooit kunnen doen wat jij allemaal hebt gepresteerd.'

We zwegen even. Ik had het gevoel dat ze zichzelf onderschatte, maar zij was natuurlijk op een andere manier mishandeld dan ik – ik door mijn Egyptische man, zij door haar eigen familie.

Ik strekte mijn stijve benen en ging verder. 'Waar ging je werken?'

'Bij een stomerij. Ik heb er vier jaar gewerkt, totdat ik met Ian trouwde. Ze boden me een baan aan als manager van dat filiaal, maar ik had geen zin in de stress en heb nee gezegd. Als tiener keek ik altijd naar andere meisjes en dan vergeleek ik mezelf met hen. Ik dacht: als zij een man kunnen vinden om mee te trouwen, dan kan ik het ook. Op een dag kwam Ian de stomerij binnen, toen ik zeventien was. Het was net een sprookje. Ik keek hem aan en mijn hart stond even stil. Hij was mijn eerste vriendje, de enige man die ik ooit heb gehad, en het is nu drieëntwintig jaar later. Hij is geweldig. Ik zou niet weten wat ik zonder hem zou moeten, en ik wil er niet aan denken hoe mijn leven eruit zou hebben gezien als ik hem nooit had ontmoet.'

'Hoe reageerde je familie?'

'Als kind had ik nooit vriendjes of vriendinnen mogen hebben, maar ik was toen bijna volwassen en had mijn eigen inkomen, dus konden ze er weinig van zeggen. Het is heel moeilijk geweest voor Ian. Jane heeft er alles aan gedaan om onze relatie kapot te maken. Ze flirtte als een gek met hem, probeerde hem te zoenen, vertelde hem leugens. Ze was natuurlijk jaloers, want zij had niemand en ik wel. Het was overduidelijk dat ze zich onbehoorlijk gedroeg, maar niemand zei er iets van, de hele familie liet haar gewoon haar gang gaan. Het zijn drie vreemde jaren geweest, maar Ian en ik wisten dat we uiteindelijk samen zouden zijn. En hij heeft me altijd gesteund, wat er ook gebeurde. We zijn door de hel gegaan vanwege alle bagage die ik meenam. En niet zomaar een beetje bagage, hele hutkoffers vol. Een of twee keer is het bijna misgegaan, maar we hebben ons erdoorheen geslagen en hulp gezocht. Nou, en daar zijn we dan.'

'Waar is dat precies?'

'Geloof me of niet, ik zie ons als een hecht en gelukkig gezin: vader, moeder, Jack en Jess. Mijn gezin betekent alles voor me, en ik heb geprobeerd alles van mezelf in een goede relatie met mijn gezin te steken. Maar door alles wat ik heb meegemaakt, kost het me nog steeds moeite om te accepteren dat het oké is om dat te doen. Ik zeg niet dat mijn remmingen mijn relatie met Jack volledig hebben verstoord, maar goed is het in elk geval niet geweest. Toen hij acht werd, kwam alles boven. Vanaf die leeftijd hadden jongens en mannen me alleen maar pijn gedaan. Jane ging zich jongensachtig gedragen en begon me pijn te doen, mijn vader sloeg me en mijn broers werden tegen me opgezet. Ik was inmiddels volwassen, maar ik had het er zo moeilijk mee dat ik me afsloot voor mijn eigen zoon. Ik hou zielsveel van hem, hij is mijn lieve schat en ik wil het beste voor hem. En toch kon ik niet lief voor hem zijn. Daar heeft hij verdriet van gehad, dat weet ik en ik ben er niet trots op. Ik kan het niet van me af zetten omdat er nooit een eind is gekomen aan de mishandeling. Daar is Jack het slachtoffer van geworden.'

'En Jess?'

'Met haar heb ik niet zoveel problemen gehad. Ian en ik hebben haar altijd gesteund als ze het moeilijk had op school en we hebben haar geholpen om zelfvertrouwen op te bouwen. Ze is nu een rustige, tevreden en evenwichtige jongedame.'

'Hoe voel jij je nu?'

'Oké, daar gaan we. Ik ben bang om alleen te zijn, of nee, ik ben bang voor eenzaamheid. De angst om afgewezen te worden zit me altijd in de weg. Ik ben altijd bang voor wat mensen van me denken. In lastige situaties raak ik in paniek en zoek ik iemand die me vertelt wat ik moet doen. Als er iets misgaat, denk ik automatisch: wat heb ík verkeerd gedaan? Ik huil als ik boos ben. Nog steeds probeer ik mijn gedrag te veranderen om bij mijn ouders in de gunst te komen. In hun bijzijn voel ik me net een ondeugend kind. Het kleine meisje van acht zit nog steeds binnen in me, een meisje dat ernaar hunkert om weer lief gevonden te worden door haar moeder en zus. Ik verlang nog steeds naar de liefhebbende ouders die ik voor mijn achtste had, de ouders die me een gelukkige jeugd hadden kunnen geven. Daarom wilde ik dat mijn kinderen alleen maar goede jeugdherinneringen zouden hebben. Jammer genoeg is dat met Jack niet gelukt omdat ik te erg met mezelf in de knoop zat, maar ik probeer allebei mijn kinderen even goed te steunen.'

'Wat voor soort relatie heb je nu met je ouders?'

'We gaan altijd naar ze toe met Kerstmis. Dan komt de hele familie bij elkaar voor het kerstdiner. Meestal gaat alles zijn gangetje, zoals in de meeste families, maar af en toe laait alles weer op.

Ik ga regelmatig naar ze toe om schoon te maken en boodschappen te doen. Ik doe wat ik kan. Op die manier gaan ze misschien op een dag toch nog van me houden, of me waarderen, of me in elk geval een beetje aandacht geven. Ze bedanken me nooit, maar ik blijf het doen. Het zijn per slot van rekening mijn ouders.'

Wat heb ik een bewondering voor Laura. Ze heeft haar verleden voldoende verwerkt om een goede relatie met haar man en twee kinderen op te kunnen bouwen. Ze heeft haar ouders niet de rug toegekeerd, ze houdt contact met haar broers en zus en ze is niet verbitterd of rancuneus geworden als gevolg van haar afschuwelijke ervaringen. Voor de buitenwereld is ze een gelukkig, attente, optimistische vrouw, en ze is een schat van een vriendin. Een heldin.

Zelf ben ik tijdens mijn huwelijk ernstig lichamelijk mishandeld. Het is niet te vergelijken, maar ik denk dat het veel erger is wat Laura heeft meegemaakt. Ik werd niet mishandeld omdat mijn man niet van me hield. Op zijn eigen manier hield hij van me, maar het lukte hem niet om mij en onze twee dochters het leven te geven dat hem voor ogen had gestaan, en als trotse moslim raakte hij daardoor gefrustreerd. We waren afhankelijk van zijn vader en mijn inkomen als lerares Engels. Dat vond Omar zo beschamend dat hij het op mij afreageerde. Laura is niet alleen lichamelijk mishandeld, maar ook geestelijk, en dat is enorm traumatisch. Ze was een onschuldig kind, en de gevolgen van de mishandeling ervaart ze tot op de dag van vandaag. Voor haar is er geen einde, het is geen periode die ze kan afsluiten. In tegenstelling tot Laura heb ik thuis in Engeland altijd twee schatten van ouders gehad, en ik heb altijd op hun steun en hun liefde kunnen rekenen, wat ik ook deed. Laura's hele familie heeft haar buitengesloten en onzichtbaar gemaakt. Zij had geen keus.

12

Grace

Maandagochtend. Ik was al vroeg uit de veren en had zin in de week. Toen iedereen de deur uit was naar werk en school ging ik aan mijn bureau zitten, van plan om eerst mijn e-mails te lezen en een paar andere dingen te doen voordat ik aan het werk ging. Een halfuur later zat ik te gapen, en ik besloot nog een laatste mailtje te lezen en dan te pauzeren om een kop thee te drinken.

Die thee is er nooit van gekomen. Ik vergat zelfs dat het maandagochtend was. De volgende e-mail was van een vrouw uit Canada, Grace.

'Vrijdag was ik jarig,' schreef ze, 'en mijn moeder heeft me je boek gestuurd, *Fatwa*. Ik heb genoeg vrije tijd, en ik had het al na twee dagen uit. Toen zag ik je website op de achterflap. Ik weet eigenlijk niets van je, maar dat maakt het op de een of andere manier makkelijker voor me om mijn hart uit te storten. Je bent een vreemde, en dat is veilig.

Mijn probleem,' vervolgde ze, 'is dat ik volledig afgestompt ben. Ik heb altijd geweten dat ik maar één ding wilde in het leven: een huis en een gezin. En dat heb ik allebei. Ik heb er hard voor gewerkt, me er volledig voor ingezet en al het andere voor mijn gezin opzijgezet. Ik zou gelukkig moeten zijn, tevreden en voldaan. Alleen dringt het opeens tot me door dat ik mijn huis niet meer herken. Het is niet langer mijn thuis, mijn kinderen zijn de deur uit, en mijn man is er eigenlijk nooit voor me geweest.'

Toen ik dit had gelezen, keek ik om me heen in mijn eigen huis: er lag huiswerk op tafel, een paar modderige voetbalschoenen stond bij de deur, de kat lag te soezen op de pianokruk en de hond lag aan mijn voeten. Ik voelde me op mijn gemak; hier kon ik mezelf zijn. Wat was mijn huis in Egypte anders geweest. Daar had ik me een vreemde gevoeld. En nu vertelde Grace me hetzelfde over haar huis.

'Zo te horen heb je zoveel tijd in je huis en je gezin gestoken dat je jezelf bent vergeten,' schreef ik terug. 'Wat vind je leuk om te doen? Werk je? Heb je veel vrienden?'

'Mijn hele leven draait om dit huis, mijn man en de kinderen. Ik heb twee zoons, een tweeling, en een dochter, en dan blijft er niet veel tijd over voor werk of vrienden. Ik weet niet meer wie ik ben.'

Ik voelde me gevleid dat ze mij als vertrouwenspersoon had gekozen. Ik gaf meteen antwoord, mijn vingers vlogen over de toetsen. 'Als de kinderen de deur uit zijn en je man is de hele dag aan het werk, hoe vul je dan de dagen?'

'Ik doe het huishouden. Koken. Strijken. Ik kijk televisie. Ik voel me een beetje als een vulkaan die op uitbarsten staat. Laatst had ik een inzinking.'

Ik was geboeid, wilde meer weten, en het mailen ging me te traag. Opeens dacht ik aan de mogelijkheid om te chatten via msn. Terwijl ik het idee opperde in een e-mail, wist ik dat het de ideale oplossing was. We konden online gedachten uitwisselen en zo met elkaar 'praten'. Het hele gesprek zou op het scherm staan, zodat we dingen terug konden lezen als we dat wilden. Wachtend op een antwoord kwam er een gevoel van opwinding bij me op.

Grace vond het net als ik een geweldig idee. In minder dan twintig minuten hadden we de verbinding tot stand gebracht.

Nu konden we echt tot de kern van de zaak doordringen. Ik wilde meer weten over de gemoedstoestand waarin Grace verkeerde. Ze had duidelijk een stadium bereikt waarin het strijken van overhemden niet langer genoeg was. Ik dacht na over het laatste wat ze had gezegd, dat ze op ontploffen stond. Hoe was het zo ver gekomen, vroeg ik me af.

Ik dacht terug aan mijn eerste huwelijk. In die tijd was het de weg van de minste weerstand geweest om me neer te leggen bij mijn onzichtbaarheid. Ik wist dat het zinloos was om terug te vechten en liet alles wat hij me aandeed gelaten over me heen komen, totdat mijn hardvochtige man mijn oudste dochter begon te slaan. Dat hij Leila mishandelde, was voor mij de katalysator geweest.

'Oké, Grace,' schreef ik, 'die inzinking van je. Kun je beschrijven hoe dat is gegaan? Waar je was, wat je voelde, wat je dacht?'

Mijn getikte woorden vlogen naar het venster bovenaan. Onder aan het scherm kon ik zien dat Grace een bericht aan het intikken was.

Een paar seconden later had ik haar antwoord: 'Ik zal het proberen.'

Grace deed heel lang over het schrijven van haar volgende antwoord. Ik wist dat ze de hele tijd aan het typen was, dat zag ik op het scherm. Om bezig te blijven haalde ik snel de stofzuiger door het hele huis, ik deed een was in de machine en zette de vuilnis buiten, terwijl ik tussendoor af en toe naar het scherm keek. Uiteindelijk kroop ik weer achter de computer met een broodje tonijn en een glas sinaasappelsap. Toen ik haar bericht ten slotte ontving, besefte ik dat ze inderdaad haar hart bij me uitstortte. Ze had er veertig minuten over gedaan om het te schrijven.

'Het gebeurde op vrijdag, mijn verjaardag,' begon ze. 'Brad was opgestaan, had gedoucht en was naar zijn werk gegaan zonder me te feliciteren. Hij gaf me alleen een kusje op mijn wang voordat hij wegging, net als anders. De postbode had pakjes voor me en een allerliefste kaart van mijn moeder in Engeland, maar niets van de kinderen. Ik was afwezig aan het strijken en vroeg me af of Brad soms een verrassing voor me in petto had toen het schrille rinkelen van de telefoon mijn gedachten verbrak. Ik zette de strijkbout neer voordat ik opnam. Het was mijn dochter Evie.

"Mam? Hoi, met mij. Gefeliciteerd met je verjaardag. Joe neemt ons de hele dag mee de pistes op om te snowboarden. Wens me maar succes. Misschien kom ik volgend weekend langs. Dan neem ik je kaart mee. Fijne dag. Doei."

Ik staarde naar de hoorn,' vervolgde Grace, 'en ik merkte dat ik onwillekeurig huiverde. Er brandde een groot vuur in de haard en het was heerlijk warm in de keuken, maar ik had het koud. Zorgen, twijfels, angst en spanning golfden door me heen en verstikten me, totdat ik geen lucht meer kreeg. Ik liet de telefoon vallen, rukte de achterdeur open en ging op de veranda staan, met mijn hoofd omhoog naar de lucht en liet de sneeuw-vlokken mijn gezicht strelen. De gesmolten sneeuw droop als tranen over mijn wangen totdat de paniek eindelijk wegzakte.

De staande klok kwam tot leven, en elke slag leek tegen me te zeggen: Beheers je. Tien uur. Tien waarschuwingen. Genoeg om mijn houding van wie-doet-me-wat weer aan te nemen, alsof ik een oude jas aantrok, en door te gaan met mijn klusjes.'

Ik staarde naar het scherm, maar er kwam verder niets meer. 'Waarom hou je opeens op?'

'Dat was het hele verhaal. Mijn inzinking. Ik heb mezelf onderhanden genomen. Nu gaat het wel weer,' antwoordde ze.

Ik kreeg een gevoel van sympathie voor haar. 'Dus zo ga je ermee om? Je veegt je gevoelens onder het tapijt? Kun je er niet met Brad over praten?'

Ze begon meteen aan een antwoord. 'Dat was ik vrijdagavond van plan. Ik was geschrokken van mijn paniekaanval, dus toen Brads secretaresse me belde om te vertellen dat hij die avond voor halfacht een tafel had gereserveerd in een bekend restaurant, nam ik me voor erover te beginnen. Meestal gaat hij helemaal op in zijn werk en wil hij niet over persoonlijke dingen praten. Ik had extra mijn best gedaan om er mooi uit te zien, en we reden ontspannen naar het restaurant. Na het hoofdgerecht breng ik het ter sprake, nam ik me voor. Maar ik was op van de zenuwen toen het zo ver was, en ik ben naar het toilet gegaan om op verhaal te komen.

Terwijl ik een paar keer diep ademhaalde, bewonderde ik mezelf in de spiegel. Mijn jurk had een vermogen gekost, dat kan ik niet ontkennen. "Niet slecht voor achtenveertig," fluisterde ik terwijl ik de soepele zwarte stof gladstreek over mijn platte buik. "Je mag er nog wezen, Grace Saunders, al zeg ik het zelf." Glimlachend werkte ik mijn lipstick bij en ik liep elegant terug naar ons tafeltje, me ervan bewust dat andere gasten naar me keken.

"Ik heb voor ons allebei een toetje besteld," kondigde hij zonder te glimlachen aan. "Waar bleef je nou zo lang?"

Toen ik me over het tafeltje boog om zijn hand te pakken, ging zijn mobiele telefoon. Snel nam hij op. De moed zonk me in de schoenen. De wijn, het eten en zijn vrouw waren vergeten, en hij sprak later die avond af met een collega. Mijn gouden kans ging voor mijn ogen in rook op.'

'Heb je niet gevraagd of hij een andere keer kon afspreken?' vroeg ik.

'Dat zou zinloos zijn geweest,' schreef ze. 'Hij zou zich alleen maar hebben geërgerd, en dan was de kans om te praten verkeken.'

'Heeft hij je tenminste wel een cadeau gegeven?'

'O ja,' antwoordde ze op bittere toon. 'Even nadenken, hoe ging het ook alweer? In de auto onderweg naar huis. Hij ver-

ontschuldigde zich door te zeggen: "Je weet hoe het is, schat."
Sinds het telefoontje was hij afwezig geweest, en toen pas herinnerde hij zich mijn cadeau. Hij stak een hand in zijn zak en
gaf me een blauw doosje met de woorden: "Gefeliciteerd met
je verjaardag. Ik zal proberen het niet te laat te maken."

Ik kon haar pijn haast voelen. 'En?'

'Of hij laat was? Uiteraard. Ik had mijn moeder gesproken
tegen de tijd dat hij thuiskwam, maar tot die tijd was ik in alle
staten.'

Het werd me duidelijk dat Graces moeder een grote emotionele steun voor haar was, en waarschijnlijk de enige. Ik wilde
meer weten. 'Vertel me eens over dat telefoontje,' zei ik. 'Wat
ze precies zei.'

'Nou, vlak voor twaalf uur ging de telefoon. Ik zat in bed
zachtjes te huilen. Het gesprek verliep ongeveer zo:

"Hallo, Grace?"

"O, hoi, mam. Wat fijn om je stem te horen." Onder het praten droogde ik mijn tranen.

"Het is toch niet te laat bij jou, hè? Ik raak nog steeds in de
war door het tijdsverschil met Canada."

"Je belt precies op het goede moment." Ik glimlachte ondanks alles. Hoelang woonde ik daar nu? Bijna zesentwintig
jaar. Mijn moeder zou er nooit aan wennen, net zoals ze er
nooit aan zou wennen dat haar dochter uit Manchester was
weggegaan om in Toronto te gaan wonen.

"Vertel me eens wat je vandaag hebt gedaan, lieverd. Hebben die kleinkinderen van me voor je gekookt?"

"Het was een énige dag, mam," zei ik op sarcastische toon.
"Evie heeft heel even gebeld. Ze is nog steeds stapelverliefd op
Joe. Ze zijn dit weekend weg om te snowboarden. Geen woord
van Jamie of Alex. Brad heeft me mee uit eten genomen, maar
daarna moest hij weer aan het werk. Hij heeft me gouden oor-
bellen gegeven. Ze zijn vast heel duur geweest."

Ik weet nog dat ik in de spiegel keek en mijn hoofd schuin hield, zodat de grote gouden druppel in mijn rechteroor het licht ving en als een verontschuldiging in de lucht hing. Ik voelde weer paniek opkomen, maar de stem van mijn moeder bracht me terug bij het gesprek.

"De tweeling maakt het wel erg bont," brieste mijn moeder. "Nu ze studeren hebben ze het te druk om bij hun moeder langs te gaan op haar verjaardag? Ze kunnen zelfs niet even bellen? Wacht maar tot ik die twee onder handen neem..."

"Ach, mam, waarschijnlijk zijn ze het gewoon vergeten," begon ik, maar ik brak mijn betoog af. Waarom verdedigde ik ze, vroeg ik me af.

"Ze horen je verjaardag niet te vergeten," viel ze boos uit. "En die man van je! Je ziet hem bijna nooit. Ik wilde dat ik bij je was, dan zou ik ze allemaal eens zeggen hoe ik erover denk, zeker weten. Ik zou tegen ze zeggen dat ze van hun luie je-weet-wel moeten komen en een beetje respect voor je moeten tonen..."

De tranen waren even snel terug als ik ze had weggeveegd. Maar voor wíe moeten ze respect tonen? dacht ik bij mezelf. Wie is de vrouw die ze "mama" noemen? Ik weet zelf niet eens meer wie ik ben. Ik ben mezelf compleet kwijt...'

Geleidelijk bouwden Grace en ik een hechte relatie op. We spraken tijden af om tegelijk online te zijn. Het was bij mij al theetijd als het bij haar nog ochtend was, maar het ging heel goed. Voor mij werd Grace een belangrijke persoon in mijn leven. Verlegenheid en remmingen vielen weg, en er ontstond een diep vertrouwen tussen ons, zodat we elkaar alles konden vertellen, wetend dat het niet doorverteld zou worden. Ik vond het een prettige gedachte dat ik Grace misschien een beetje kon helpen, maar voor mij was het net zo belangrijk om zo'n hechte en openhartige vriendschap te hebben.

'Ik ben onzichtbaar geworden,' klaagde Grace. 'Mijn kinderen weten niet wanneer ik jarig ben, mijn man zorgt dat ik me schuldig voel als ik me over zijn werk beklaag. Het komt nooit bij iemand op dat ik ook wel eens gevoelens zou kunnen hebben, verdomme. Ik heb jarenlang voor iedereen gekookt en gewassen en me uitgesloofd...'

'Hou je nog steeds van Brad?'

'Natuurlijk.'

Haar antwoord verbaasde me niet. Ze zei het zonder erbij na te denken, om haar bestaan te rechtvaardigen, bijna als onderdeel van alles wat ze in het huishouden deed: klusjes doen, met de buren babbelen, winkelen, eten koken, van haar man houden... Ik moest het over een andere boeg gooien.

'Hoe hebben jullie elkaar leren kennen?' vroeg ik.

'In Oxford. Ik zie hem nog voor me. Gekreukeld overhemd, vlekkerige bril, haar dat aan een kant altijd omhoogpiekte. Niet bepaald een blonde adonis. We waren allebei lid van een dispuut, en op een dag discussieerden we over de voor- en nadelen van het klassensysteem in het hedendaagse Engeland, hij in de ene groep, ik in de andere. Dat was het. Voor ons allebei. Ware liefde. Eeuwige liefde. Waar we ook terechtkwamen, we zouden altijd bij elkaar blijven.'

'En waar was dat?'

'Tja, dat is nog iets. Ik ben met hem meegegaan naar de andere kant van de wereld, zonder me ergens zorgen over te maken, alsof ik een boodschapje ging doen bij de Spar om de hoek. Waar hij ook heen ging, ik ging met hem mee. Ik heb alles voor hem opgegeven.'

'En wat heeft Brad opgegeven, Grace?'

In de maand daarna hadden we vrijwel dagelijks contact. Grace schilderde een gedetailleerde maar ontmoedigende aquarel van haar leven, eentje waar ik op een tentoonstelling aan voorbij zou zijn gegaan. Grace stortte haar hart bij me uit, en ik luisterde, stelde alleen af en toe een vraag, totdat ik het plaatje compleet had.

Het voelde vreemd voor me om aan de andere kant te staan. Om naar de problemen van iemand anders te luisteren, bedoel ik. Al die vrouwen reageerden op mijn website, en ik probeerde te helpen. Als puntje bij paaltje kwam had ik geen idee of ik daar goed of slecht aan deed. Ik was onervaren en had geen opleiding als hulpverlener, dus wie was ik dan om anderen advies te geven? Ik wist alleen hoe het voor mij zou zijn geweest als ik iemand had gehad toen ik me zo alleen voelde; ik zou de kans om te praten met beide handen hebben aangegrepen. Ik kon met niemand in mijn omgeving praten, dat was mijn probleem. Het risico was te groot. Als ik mijn vriendinnen of mijn ouders had verteld dat ik diepongelukkig was en regelmatig op het balkon van ons flatje op de vierde verdieping stond met de neiging om eraf te springen, zou iemand iets tegen Omar hebben gezegd.

Twee redenen weerhielden me ervan om zelfmoord te plegen. In de eerste plaats zouden de kinderen dan geheel in handen van de familie zijn gekomen; ze zouden op jonge leeftijd zijn uitgehuwelijkt en nooit hebben geweten van mij, Engeland of hun afkomst. In de tweede plaats was ik er niet zeker van dat ik dood zou zijn. Vier verdiepingen was niet zo heel erg hoog, en het was een schrikbeeld om de rest van mijn leven in een gammele rolstoel te moeten zitten, dat zou ik nooit aankunnen. Als ik een computer tot mijn beschikking had gehad en een volslagen vreemde in vertrouwen had kunnen nemen, zou ik het hebben gedaan. Ik had niemand, ik was helemaal alleen. Een vreemde zou de ideale oplossing zijn geweest.

Grace was zichzelf inderdaad kwijt. Op de een of andere manier had ze zichzelf omgevormd tot een plastic, efficiënte supervrouw, altijd tot in de puntjes verzorgd, alleen maar ge-

106

richt op wat Brad en de kinderen nodig hadden en het runnen van een huishouden dat op rolletjes moest lopen. Het was een zware taak, en ze was er zo door in beslag genomen dat ze niet meer zag wat ze echt wilde; het had haar leven overgenomen.

Het is een bekend gegeven dat als je iets maar vaak genoeg tegen iemand zegt, hij of zij het dan uiteindelijk gaat geloven. Het verbaasde me dus niet dat Grace zich erover beklaagde dat haar gezin haar als een vanzelfsprekendheid beschouwde.

'In zekere zin kun je het ze niet kwalijk nemen,' zei ik. 'Je hebt heel erg je best gedaan om zorgzaam te zijn, je hebt jezelf jarenlang weggecijferd en nooit iets voor jezelf geëist. Het is dus logisch dat ze in de eerste plaats aan zichzelf denken. En dat gaat ten koste van jou. Hoe voelen zij zich als ze jou in de steek laten? "O, dat maakt niet uit. Mam vindt het niet erg. Ze begrijpt het heus wel." En weet je waarom? Ze hebben gelijk. Je zou het begrijpen. Ze voelen jouw pijn niet omdat jij er nooit iets van laat blijken.'

Er kwam geen antwoord. Tot op dat moment had ik nooit zo duidelijk mijn mening verwoord. Nu had ik dat wel gedaan, en ik kon het niet terugnemen. Hoe zou ze reageren? Wat dacht ze? Hoewel Grace geen antwoord gaf, wist ik dat onze relatie inmiddels sterk genoeg was om te proberen of ik haar in beweging kon krijgen. Er zou een hoop moed van haar kant voor nodig zijn, maar we wisten allebei dat dit uiteindelijk de reden was waarom ze contact met me had opgenomen.

Ik ging voorzichtig verder. 'Volgens mij wordt het tijd dat jij je gevoelens onder ogen ziet en je gezin laat weten wat je voelt. Je moet eisen stellen, zodat ze je in een nieuw licht gaan zien. We praten later wel verder. Tot de volgende keer.'

De grenzen waren verlegd. Ik kon niet langer passief blijven luisteren, en daarmee was mijn rol als een anoniem en begrijpend luisterend oor onvermijdelijk ten einde gekomen.

In de drie weken daarvoor had ik Grace ook persoonlijke

dingen over mezelf verteld. Net als ik had ze geluisterd, altijd aandachtig en vol begrip. Niet één keer hadden we ongezouten onze mening gegeven of elkaar bekritiseerd. We hadden elkaar steeds gesteund en nooit veroordeeld. Met een zucht verstuurde ik mijn bericht, en ik stond op om de hond uit te laten. Ik had behoefte aan een flinke wandeling.

De koude wind beet in mijn nek en mijn oren; had ik me maar dikker ingepakt. Ik zette de kraag van mijn jas op en stak mijn handen diep in mijn zakken. De lucht was heel helder en blauw. Waarschijnlijk zou het gaan sneeuwen, bedacht ik, kijkend naar Henry, die aan het eind van het veld een modderige plas had gevonden en zich er lekker in rondwentelde. Het gevolg? Een natte, bemodderde hond. Aanvankelijk voelde ik frustratie.

'O, Henry, moet dat nou echt?' begon ik, maar toen bedacht ik me. Ik raapte een stok op en gooide die zo ver mogelijk weg, en Henry stoof er uitgelaten achteraan.

'Correctie,' mompelde ik. 'Natte, bemodderde en blíje hond. Wat kan mij de keukenvloer schelen. Je moet niet zo moeilijk doen. Laat Henry toch gewoon zichzelf zijn.'

Ik besloot met Grace hetzelfde te doen en haar de tijd te geven om te antwoorden zonder haar onder druk te zetten. Het duurde twee dagen voordat ze weer contact opnam, en niet op onze gebruikelijke tijd. Voor haar moest het midden in de nacht zijn geweest. Ik had net de wekelijkse boodschappen uit de auto gesjouwd. De hele keuken stond vol plastic tassen, en ik was bezig alles in de koelkast te zetten toen ik het signaal hoorde dat er een msn-bericht voor me was. Ik liet de deur van de koelkast wijd openstaan, holde naar mijn computer en klikte op het venster.

'Ik weet wat ik wil.'

Dit was een andere Grace; ik voelde het aan die paar woorden. Er was iets veranderd.

Ik ging zitten om een bericht te typen. 'Ik ben blij dat je nog steeds met me wil praten.' En toen: 'Sorry dat ik laatst zo uitviel...'

'Je had gelijk,' antwoordde ze openhartig. 'Het is mijn eigen schuld.'

'Dat heb ik nooit gezegd. Ik probeerde alleen...' Ik brak mijn zin af, wist niet wat ik moest zeggen.

'Brad heeft een ander.'

De vaststelling van een feit, woorden zonder emotie.

'Het oude cliché heeft mijn huis gevonden,' zei ze spottend. 'Brad en zijn secretaresse, het blonde stuk. Alleen heeft ze kort, rood haar.'

'Heb je haar gezien?'

'Doet dat ertoe? Ze bestaat, dáár gaat het om. Dit duurt al bijna een jaar, en het is nooit een seconde bij me opgekomen om aan zijn smoesjes te twijfelen. Dáár gaat het om. De ironie ervan. Ik was zo goedgelovig of blind dat hij nauwelijks de moeite heeft genomen om het voor me verborgen te houden. Er stonden afspraken in zijn agenda, met haar naam erbij, alles. Toen de schellen me eindelijk van de ogen waren gevallen, kon ik precies zien wat er aan de hand was. Ik ben ze gewoon gevolgd.'

Ik was verbijsterd. 'Wauw, Grace. Goed gedaan. Wanneer was dat?'

'Donderdagavond. Ik ben met de auto naar haar huis gegaan en ben buiten blijven wachten.'

'En?' Ik barstte van nieuwsgierigheid. Dit was groot nieuws.

'Het was ijskoud,' vervolgde Grace, 'maar ik voelde de kou bijna niet. Ik heb mijn sjaal stevig rond mijn nek gewikkeld en in mijn jas gestopt. Het sneeuwde hard en ik wist de weg niet precies, dus ik reed langzaam. Ik hoorde alleen het knerpen van de sneeuw onder de autobanden.

Uiteindelijk vond ik de straat waar ze woont. Ik heb de auto in het donkerste hoekje geparkeerd en de motor uitgeschakeld. Ik ben heel stil blijven zitten en heb afgewacht. Volgens de klok in het dashboard was het 22.12 uur. Drieënzestig minuten later werd mijn geduld beloond. Brads auto kwam de straat in, en hij stopte voor een flatgebouw. Instinctief maakte ik me zo klein mogelijk, ik zakte onderuit op de stoel zodat ik nog net over het dashboard heen kon kijken. Veel kon ik niet zien, maar wat ik zag sneed door mijn hele wezen heen. Pal voor mijn ogen kuste en liefkoosde mijn man een andere vrouw.'

De koelkast liet een waarschuwend piepen horen. Het drong nauwelijks tot me door, en ik typte mijn reactie. 'Wat ga je nu doen?'

Haar antwoord kwam snel, en het verbaasde me. 'Ik ga bij hem weg, wat dacht je dan?'

Grace had er niet meer dan drie dagen voor nodig om een vlucht naar Engeland te boeken, waar ze bij haar moeder zou gaan logeren, en haar spullen in twee dure Louis Vuitton-koffers te pakken. Ze hield me van elke stap die ze deed op de hoogte.

Op de ochtend van haar vlucht stuurde ze me voor de laatste keer een e-mail vanuit haar huis in Toronto. 'Hallo, Jacky. De staande klok begint net te ratelen om het hele uur te slaan. "Dit is de grote dag. Dit is de grote dag," zegt elke slag. Tien keer. Ik ben net klaar met strijken.'

Ik was verbluft. 'Klaar met wát?'

'Strijken. Laat maar. Ik voel me heel rustig. Ik heb net het laatste overhemd in de kast gehangen. Ik weet zeker dat Brad me nu echt zal waarderen.'

In de dagen daarna kon ik alleen proberen me een voorstelling te maken van wat Grace meemaakte. Wat ik ook deed, ze was steeds in mijn gedachten. Was ze echt weggegaan? Waar was ze nu? Hoe was het met Brad gegaan? Hoe ging ze met alles om? Voortdurend tolden de gedachten door mijn hoofd. Het was een kwelling voor me dat ik geen contact met haar kon opnemen. Ik had haar mijn telefoonnummer toevertrouwd, maar afgezien daarvan kon ik alleen afwachten, want ik wist niet waar ik haar kon bereiken.

Een week later ging de telefoon.

'Jacky? Met Grace. Hoe is het?'

Ze klonk opgetogen. Haar stem was lager dan ik me had voorgesteld. Ik kon wel huilen van opluchting dat ik eindelijk iets van haar hoorde. 'Fijn om je stem te horen, Grace,' zei ik terwijl ik mijn tranen probeerde in te slikken. 'Met mij gaat het goed. Maar hoe gaat het met jou? Dat is veel belangrijker.'

'Goed. Mijn moeder is zo lief voor me. Heel erg emotioneel dat ik weer thuis ben. Ze vliegt me voortdurend om de hals en ze is soms in tranen. We praten veel. Dat voelt heel vreemd. Ik ben het zo gewend om tegen de muur of de klok te praten. Het is raar iemand om je heen te hebben die oprecht belangstelling heeft voor wat je te zeggen hebt.'

'En Brad, hoe zit het met hem? Heb je verteld dat je wegging?' vroeg ik. 'Vertel me alles vanaf het begin, het hele verhaal.'

'Als het niet zo triest was, zou het grappig zijn,' antwoordde ze. 'Ik ging om elf uur 's ochtends weg, en Brad is meestal rond een uur of zeven thuis. Hij is thuisgekomen en heeft zelfs een douche genomen voordat het tot hem doordrong dat ik weg was. Door de overhemden.'

'De overhemden?' vroeg ik niet-begrijpend.

Ze lachte, een laag en hees geluid dat weergalmde door de lijn. 'Ja. Ze hingen in de kast.'

Ik begreep er steeds minder van. 'Daar hangen ze toch altijd?'

'Luister, Jacky, ik zal bij het begin beginnen. Toen bij hem eindelijk het muntje was gevallen dat ik weg was, heeft hij me hier bij mijn moeder gebeld. Hij was op van de zenuwen. Echt waar, hij hád het niet meer, ratelde maar door over wat er was

111

gebeurd toen hij thuiskwam. Hij gaf me niet eens de kans om te reageren. Hoe dan ook, ik vertel je in het kort hoe het is gegaan.'

Op dramatische, gedempte toon ging ze verder. 'Het was vreemd stil in huis. Ik kwam altijd naar de deur om hem te begroeten, hoe laat of vroeg hij ook thuiskwam. Het vuur in de keuken was uitgegaan, en in plaats van de lekkere geur van eten hing er nu een lucht van verschaalde rook. Het was kil in huis, en hij zag de kranten, uitgespreid waar hij ze die ochtend had laten liggen, zijn ochtendjas over de leuning. Het onbekende, het onverwachte, zorgde voor een onvriendelijke sfeer, en dat gaf hem een ongemakkelijk gevoel. Hij schijnt een paar keer mijn naam te hebben geroepen, en daarna is hij onder de douche gesprongen om zich op te frissen voor een of andere bespreking.'

Ik grinnikte. 'Dit is veel beter dan mailen. Ik zie het allemaal voor me, het huis en hem.'

'Het wordt nog beter,' verzekerde ze me. 'Nu wordt het pas echt leuk. Zoete wraak.' Opnieuw liet ze haar stem dalen. 'Een halfuur later stond Brad met alleen een handdoek rond zijn middel voor de garderobekast en staarde hij in ontzetting naar wat hij zag. Elk kledingstuk, elk overhemd, elk jasje, elke broek, hing keurig op hangertjes, en ze hadden één ding met elkaar gemeen: een brandgat aan de voorkant, precies in de vorm van het strijkijzer.'

Ik sloeg een hand voor mijn mond toen het besef begon te dagen. Al dat strijkwerk. Elk overhemd. Verpest. En ik had gedacht dat ze voordat ze wegging gewoon de goede huisvrouw was geweest en alles netjes achter had willen laten.

'Hij moet de schrik van zijn leven hebben gehad. Slim van je, Grace. Zo heb je hem laten weten dat het menens was,' zei ik giechelend. 'Enig idee wat hij heeft gedaan?'

Grace schraapte haar keel en ging verder, en met haar hese

stem verplaatste ze me naar de slaapkamer, alsof ik erbij was en Brads reactie kon zien. 'Hij liet zich zwaar op het bed ploffen, en het besef dat ik weg was raakte hem als een mokerslag. Vlak voor hem, naast het raam, zag hij een envelop op een tafel die meestal leeg is.

Al zijn andere plannen waren vergeten, en hij liep langzaam naar het tafeltje met de envelop, zag mijn handschrift en streek met zijn vinger over zijn naam. Alles waar hij bang voor was zat in die ene envelop, dat voelde hij. Er ging een dreiging van uit, en de angst vloog hem naar de keel.

Het begon te schemeren toen hij voor het raam ging zitten lezen. En onder het lezen begon hij te beseffen dat zijn leven nooit meer hetzelfde zou zijn. De woorden drongen tot hem door, en hij kon voor zich zien dat ik naast hem zat in de erker, heel rustig, en dat ik tegen hem praatte, hem duidelijk maakte wat hij steeds niet had willen zien, hem dwong om de dingen vanuit mijn gezichtspunt te zien.'

Grace lachte aan de andere kant van de lijn. 'Zie je het voor je? Mr. Brad Saunders. Achtenveertig, fit voor zijn leeftijd, zelfverzekerd, succesvol, alles onder controle. Tot aan die dag. Ik durf te wedden dat hij er achteraf spijt van heeft gehad dat hij naar huis is gegaan. Dat hij mijn brief open heeft gemaakt.'

'Geweldig.' Wat was Grace veranderd! 'Wat stond erin?'

'Daar kom ik zo op,' antwoordde ze. 'Ik heb er ook voor gezorgd dat hij iets heeft gedaan wat hem in geen jaren is overkomen. Dat weet ik omdat hij het weer deed toen ik hem aan de telefoon had.'

'Wat dan?'

'Hij huilde.'

Heel even had ik medelijden met hem, maar dat was snel weer voorbij toen Grace verderging.

'Stel je voor hoe het voor hem was om mijn brief te lezen. Ik zal hem je voorlezen:

113

"Mijn allerliefste Brad,

Mijn hele leven heb ik van je gehouden, en we hebben ooit gezworen om altijd bij elkaar te blijven. Aan dat altijd is vandaag een eind gekomen.

Jij hebt voor iemand anders gekozen, maar dat heb ik laten gebeuren. Ik heb me door jou naar de tweede plaats laten verdringen. Zo kon het Meisje met het Rode Haar met de hoofdprijs aan de haal.

Ik heb een belangrijke beslissing genomen. Ik wil niet langer nummer twee zijn. Ik wil de eerste plaats.

Ik ga terug naar Engeland, weg bij jou en weg bij de kinderen, zodat ik alleen nog maar met mezelf rekening hoef te houden. Zesentwintig jaar geleden ben ik weggegaan bij mijn eigen moeder, en het heeft al die tijd geduurd voordat ik besefte hoe zij zich toen gevoeld moet hebben, met name toen mijn kinderen zonder zich om mij te bekommeren het nest verlieten. Geloof me, het doet pijn. Ik heb nooit rekening gehouden met haar, net zomin als Evie, Jamie en Alex met mij. Moeders zijn er goed in om hun gevoelens te verbergen. Dat is afgelopen; ik heb besloten om nu eens aan mezelf te denken.

Dit is mijn moment om mezelf terug te vinden. Ik hou nog steeds van je, maar op de een of andere manier zijn we elkaar onderweg kwijtgeraakt. Ik heb altijd alles gedaan wat je van me verlangde, terwijl ik jou nooit ergens om heb gevraagd. Ben je er daardoor aan gewend geraakt om mij niets te geven? Dag, Brad. Het ga je goed.
Grace.'"

Ze zweeg.

Ik was onder de indruk. 'Nou, Grace, je weet wel hoe je een man moet raken waar het pijn doet,' zei ik. 'Geen verwijten, geen beschuldigingen. Chapeau.' In gedachten was ik terug in de slaapkamer, bij Brad en de brief. 'Dus toen hij was uitgehuild...'

'... heeft hij me gebeld. O, Jacky, hij was zo in de put, hij huilde, hij smeekte me om terug te komen.'

Dat verbaasde me niet. 'Hoe voelde dat voor jou?'

'Ik had het wel zo'n beetje verwacht,' vertelde ze, 'maar het deed me toch heel veel om het hem hardop te horen zeggen. En weet je wat er nog meer gebeurde? We hebben voor het eerst in jaren met elkaar gepraat. Je weet wel wat ik bedoel, de een praat, de ander luistert en reageert op wat er is gezegd. Eerst kletste hij maar wat, hij vertelde me tot in de kleinste details wat hij allemaal had gedaan totdat hij mijn brief had gevonden, en toen barstte hij in tranen uit, ik kon hem horen snikken. Op een gegeven moment snoot hij zijn neus en bleef het stil aan de andere kant.'

'Stil? Wat is daar zo bijzonder aan?'

'Brad is nooit stil,' legde Grace op spottende toon uit. 'Hij vult elke stilte met woorden, en als hij zijn ei heeft gelegd, hangt hij op of gaat hij weg. Dit keer bleef hij op mijn reactie wachten en begon hij me vragen te stellen. In het begin gaf ik op luchtige toon onbeduidende antwoorden, want ik dacht dat hij toch niet naar me zou luisteren. Maar hij drong aan op meer, hij hing echt aan mijn lippen. Het was zo raar. Ik bedoel, meestal wacht hij totdat ik ben uitgepraat en dan zegt hij wat hij ervan vindt, alsof ik hem met mijn woorden in de weg zit. Dit keer luisterde hij echt naar me, Jacky.'

Ik haalde diep adem en stelde de hamvraag, haast bang voor wat ik te horen zou krijgen. 'Overweeg je nu om terug te gaan?'

Ik had me geen zorgen hoeven maken.

'O, nee.' Grace klonk vastbesloten. 'Maar hij is wel een stuk aantrekkelijker nu hij aan de andere kant van de wereld zit.'

Na dat eerste gesprek belden Grace en ik elkaar een keer per week, op dinsdagavond na het eten. Brad gaf het niet op; integendeel, hij overstelpte Grace met telefoontjes, bloemen en zelfs brieven. Drie weken later had ze nieuws.

'Hij heeft me een gedicht gestuurd, Jacky. Dit is een andere Brad.'

'Wat voor gedicht?'

'Het is oorspronkelijk een tekst van Leonard Cohen over een meisje dat Annie heet,' vertelde ze opgetogen, 'maar hij heeft de naam Annie vervangen door Grace.'

'Nou en? Dat kan iedereen. Het is een beetje goedkoop, Grace, vind je niet?'

'Dat ben ik niet met je eens. We hebben veel gedichten gelezen in onze studietijd, maar daarna niet meer. Ik heb al mijn boeken in Engeland achtergelaten. We hielden allebei van Cohens werk. Nee, Jacky, hieraan weet ik dat hij echt zijn best doet.'

'Hoe gaat dat gedicht?'

'Ik zal het je voorlezen zoals Cohen het heeft geschreven:

"With Annie gone	Wiens ogen kan ik
Whose eyes to compare	met de zon vergelijken
With the morning sun?	nu Annie weg is?
Not that I did compare.	Niet dat ik vergeleek.
But I do compare	Maar ik vergelijk wel
Now that she's gone."	nu ze weg is.

Wat vind je ervan?' vroeg ze gretig.

'Ik vind het triest dat hij pas aandacht aan je besteedt nu je weg bent, en pas naar je wilde luisteren toen je er niet meer was. Ik denk dat hij het volkomen heeft verknald. En ik denk dat hij het zelf donders goed beseft,' antwoordde ik droog, vastbesloten om in dit stadium geen blad voor de mond te nemen.

'Hij heeft een punt gezet achter de verhouding met zijn secretaresse, en dat zijn niet alleen woorden. Hij wil me écht terug,' vervolgde ze zonder acht te slaan op mijn opmerking.

Ik zuchtte. 'Logisch. Zij kan zijn overhemden vast niet strijken zoals jij.'

Grace lachte. 'Een waar woord.'

Niet alleen Brad, maar ook Evie, Jamie en Alex bestookten Grace voortdurend met e-mails en telefoontjes. De kinderen waren diep geschokt dat hun moeder zelfs maar had kunnen overwegen om weg te gaan, maar in tegenstelling tot Brad beschuldigden ze haar ervan dat ze gevoelloos en egoïstisch was, en ze wilden van haar weten hoe het nu met hen moest – tamelijk voorspelbaar.

Brad was er daarentegen kapot van, en hij deed zijn uiterste best om te begrijpen wat er in Grace omging. Hij probeerde haar weer helemaal opnieuw te veroveren.

'Hij wil naar Engeland komen om me te zien,' vertelde Grace me een week later. 'Twee weken. Hij wil vakantie opnemen. Vakantie! Allemachtig, Jacky, dat doet hij nooit. Zal ik ja zeggen?'

'Wil je ja zeggen?'

'Ja, ja, ja!' riep ze.

'Dan is dat je antwoord. Ga hem maar bellen. Veel succes.'

Ik was zo betrokken geraakt bij Graces leven dat het moeilijk voor me was om twee weken niets van haar te horen en niet te weten hoe het met haar ging. Haar leven was verstrengeld geraakt met het mijne; de gesprekken met haar waren bijzonder voor me, en ik miste haar. Ik was dan ook opgetogen toen ze me belde op de dag nadat Brad naar Toronto was teruggaan.

'Hoi, Jacky. We hebben een fantastische tijd gehad, in alle opzichten. Hij heeft zelfs mijn moeder helemaal voor zich gewonnen. Ik wist wel dat hij zijn best zou doen, maar dit is meer dan ik ooit had durven dromen. Hij weet dat we niet op dezelfde manier door kunnen gaan, dus heeft hij me een aanbod gedaan. Hij zegt dat ik de vorige keer alles heb opgegeven om met hem mee te kunnen gaan. Dit keer is hij bereid om alles op te geven om bij mij te kunnen zijn. Is het niet onvoorstelbaar?'

Ik stond paf. 'Zeg dat wel. Maar ik begrijp het niet. Waar zouden jullie dan gaan wonen? En waar zouden jullie van leven? En hoe moet het met de kinderen?'

'Ik heb tegen hem gezegd dat mijn toekomst in Engeland ligt. Ik wil mijn studie Engelse literatuur weer oppikken, mijn doctoraal halen, misschien les gaan geven aan de universiteit. Heb ik je verteld dat ik mijn propedeuse heb gehaald? Hoe dan ook, het was voor Brad geen bezwaar. Hij wil weer met me samen zijn, daar gaat het hem om.'

'Jammer dat hij er zo laat achter komt,' merkte ik op. 'En de kinderen?'

'Ik heb nog niets beloofd. Ik heb me voorgenomen het langzaam te doen, in míjn tempo. Brad zal geduld moeten hebben. En als we besluiten dit een kans te geven, kunnen de kinderen twee dingen doen: slikken of stikken.'

'Hemel, wat ben jíj veranderd.'

'Nee, hoor, ik heb mezelf alleen weer zichtbaar gemaakt.'

In de maand daarna stelde Brad voor om samen op vakantie te gaan, en dit keer was ik niet sceptisch meer. Misschien hadden ze echt een toekomst samen.

'O, Jacky, een droomvakantie! Drie weken in Thailand rond Kerstmis en oud en nieuw, en we eindigen met drie dagen in Bangkok. Dan neem ik een beslissing. Eigenlijk heb ik al een beslissing genomen, maar ik wil hem nog een beetje in zijn piepzak laten zitten. Het wordt een tweede huwelijksreis. Ik hou echt van hem, weet je.'

'Dat weet ik,' antwoordde ik glimlachend. 'En zal ik je eens wat zeggen? Dit keer leven jullie nog lang en gelukkig.'

Op dit moment staar ik naar een paar regels van een gedicht dat me voor het eerst door een heel bijzonder iemand is voorgelezen. Dit is het:

'With Annie gone,
Whose eyes to compare
With the morning sun?
Not that I did compare.
But I do compare
Now that she's gone.'

Leonard Cohen moet het verdriet van een groot verlies hebben gevoeld toen hij deze aangrijpende woorden opschreef. Voor mij betekenen ze heel veel.

Grace en Brad vlogen een week voor de kerst naar Thailand, van plan om een nieuwe start te maken en naar de toekomst te kijken, niet naar het verleden. Ik vond het een fijne gedachte om te weten dat ze het heerlijk hadden samen, en wachtte op een kaartje.

Niemand had de verschrikkelijke natuurramp die zich in Azië heeft voltrokken kunnen voorspellen, noch dat hele dorpen van de kaart zouden worden geveegd.

De verwoestende tsunami overrompelde Azië op de ochtend van eerste kerstdag 2004. Hele gemeenschappen werden weggevaagd door de immense vloedgolf, en een hele generatie kinderen vond de dood.

Ook toeristen uit de hele wereld werden het slachtoffer; ze werden meegesleurd en verdronken, of ze werden gedood door wrakstukken in het water.

In Engeland zond de televisie lijsten van slachtoffers uit, en er waren websites waarop mensen hun dierbaren konden zoeken. Er was geen nieuws van Grace en Brad. Niets. Graces moeder werd gek van de zorgen, en ze is naar Thailand gevlogen om haar dochter te zoeken, een afschuwelijke taak. Een taak die voor elke moeder een nachtmerrie zou zijn geweest.

Het is nu de eerste week van februari. Nog steeds geen nieuws. Graces moeder is gebroken en ontroostbaar teruggekomen. Hoewel we nog steeds blijven hopen en tegen beter weten in willen geloven dat ze gezond en wel worden teruggevonden, vervaagt de hoop met elke dag die verstrijkt en begint het tot ons door te dringen dat we ons zullen moeten neerleggen bij hun dood.

Gisteren bracht de postbode een kaart, uit Cha-Am, in Thailand. Het is een foto van het Marukkhathaiwain Paleis, een gebouw op palen aan het strand, geel, met een rood dak. Ik vraag me af of het nog bestaat. De kaart was van Grace. Het was een blije tekst; ze schreef hoe geweldig ze Thailand vond, hoe goedkoop alles was en hoe lekker ze de verse vis vond. Haar laatste woorden sneden me door mijn ziel: 'Pas goed op jezelf.'

13

Yasmine

Ik draaide me om in bed, legde mijn been boven op het laken en begroef mijn hoofd in het kussen, hevig verlangend naar slaap. Het was een bloedhete nacht, warm en plakkerig zonder een zuchtje wind. Mijn haar kleefde in vochtige pieken tegen mijn wangen en ik had een zeurende hoofdpijn. Ik probeerde de warmte en de hoofdpijn te negeren en me op slapen te concentreren, maar het had geen zin. Ik was klaarwakker.

Vermoeid staarde ik omhoog naar het plafond, naar de spookachtig geprojecteerde rode cijfers: 01.54.

De klok van de toekomst, bedacht ik in stilte, een bijzonder kerstcadeau. Ik herinnerde me dat ik het cadeaupapier had opengescheurd en in stilte had gezworen dat ik nooit aan een reflecterende klok gewend zou raken; ik was heel tevreden geweest met de krakkemikkige wekker op het nachtkastje. Mijn man had dit wonder van moderne techniek stilletjes geïnstalleerd, zodat ik nu niet meer op de wekker hoefde te kijken en alleen nog maar naar het plafond hoefde te staren om te weten hoe laat het was. Geweldig.

Ik zwaaide mijn beide benen over de rand van het bed en liep op mijn tenen naar de keuken om een kop thee te zetten. Het was een vredige, stille nacht. Ik staarde uit het raam naar de donkere buitenwereld, en de stilte werd alleen verbroken door het zingen van het water.

'Er is mail voor u.'

De stem kwam uit mijn computer. Geschrokken liep ik naar mijn bureau en ik klikte op mijn inbox. Wie stuurde me nou in hemelsnaam op dit uur van de nacht een e-mail?

Het bericht was van een onbekende afzender en het bestond uit drie simpele woorden: 'Is het veilig?'

Op z'n zachtst gezegd dubbelzinnig. Maar mijn nieuwsgierigheid had de overhand, dus gaf ik antwoord. 'Ja.'

Ik maakte thee, ging aan mijn bureau zitten en wachtte af.

Toen: 'Ben je alleen?'

Ik besloot de onbekende gerust te stellen, zodat ik in elk geval zou horen wat er aan de hand was. 'Er is niemand bij me in de kamer,' antwoordde ik. 'Ik ben alleen thuis met mijn man en mijn zoon, en zij slapen. Het is volkomen veilig om door te gaan.' Ondanks de warmte ging er een rilling door me heen, een voorgevoel dat er iets vreselijks ging gebeuren.

De onbekende gaf meteen antwoord. 'Gelukkig. Bevestig alsjeblieft dat je echt Jacky Trevane bent.'

'Ik ben Jacky.'

'Oké. Sorry. Ik ben bang dat iemand ontdekt wat ik aan het doen ben. Ik moet voorzichtig zijn. Mijn vader ligt boven te slapen. Als hij wakker wordt, kan ik niet meer met je praten.'

'Ik begrijp het. Wat kan ik voor je doen?'

'Mijn naam is Yasmine. Ik woon bij mijn ouders in Leicester, samen met twee broers, een zus en mijn tante en haar dochter. Mijn oom is verleden jaar overleden, en toen zijn zij bij ons komen wonen. We komen uit Jordanië, mijn ouders in elk geval. Ik ben in Engeland geboren. We zijn moslims. Ik heb net je boek uit, en ik zag je website op de achterflap. *Fatwa* heeft me aan het denken gezet. Misschien ken jij iemand die me kan helpen. Ik vrees voor mijn leven.'

Ik rechtte mijn rug en staarde naar het scherm. Haar woorden tuimelden over elkaar alsof ze haast had, me niet snel genoeg van haar problemen kon vertellen. Als ze mij, een volslagen vreemde, om hulp vroeg, was ze kennelijk bang voor de mensen in haar omgeving. Maar waar ze ook mee zat, wat kon ik in vredesnaam doen om haar te helpen?

Bedachtzaam streek ik het haar uit mijn gezicht en dronk ik de laatste slokken inmiddels lauwwarme thee. Ik zou hier niet bij betrokken moeten raken. Waar zou het toe leiden? Maar terwijl ik het dacht, wist ik al dat ik mijn eigen waarschuwing in de wind zou slaan. Ik moest meer weten. 'Nou, daar gaan we dan,' mompelde ik hardop.

'Hoe oud ben je, Yasmine?'

'Negentien,' luidde het antwoord.

'Waarom verkeer je in gevaar?'

'Ik had een nicht, Soha, en zij studeerde aan dezelfde academie als ik. Ze vond het leuk om kapsels uit te proberen en met make-up te experimenteren, hoewel haar vader het niet goed vond dat ze opgemaakt de deur uit ging. We hebben heel vaak 's avonds op mijn kamer gezeten om te kletsen en onze nagels te lakken. Daar was ze heel goed in – je weet wel wat ik bedoel, ze maakte allerlei patroontjes, zelfs op teennagels. Maar goed, ze begon het vervelend te vinden dat ze altijd haar hoofd moest bedekken als ze naar school ging, en soms was ze zo dapper dat ze tijdens de lunch haar hoofddoek afdeed. Achter de rug van haar vader las ze de *Cosmopolitan* en ze rookte op de toiletten. Ze was een gelukkig, intelligent en pittig meisje met een aanstekelijk optimisme dat ze op iedereen overbracht. Ze had massa's vriendinnen. Jongens voelden zich tot haar aangetrokken, en dat wist ze. Maar ze ging er heel goed mee om, ze zorgde dat ze nooit echt met iemand bevriend raakte of met een jongen alleen was. Zoals je weet mogen we niet...'

Plotseling werd de correspondentie afgebroken. Ik bleef nog een halfuur zitten. Niets. Verdorie. Stel nou dat ze nog dieper in de problemen was geraakt doordat ze met mij had gepraat? Wat moest ik doen?

'Yasmine,' schreef ik. 'Ben je er nog?'

Het antwoord kwam snel. 'Ja. Ik moest huilen... Ben van streek.'

Ik slaakte een zucht van verlichting. 'Dit is zenuwslopend, Yasmine. Ik zou veel liever met je praten. Heb je een mobiele telefoon? Dan kunnen we vrijuit praten op een moment dat je ouders het niet kunnen horen.'

De volgende ochtend werd ik laat wakker, helemaal in de war. Ik bracht Adam in mijn ochtendjas met de auto naar de schoolbus, en toen ik terugkwam dronk ik drie koppen sterke koffie voordat ik een douche nam en me aankleedde. Ik was pas om tien voor halfvijf eindelijk terug naar bed gegaan en had tweeënhalf uur geslapen. Ik ging naar de slaapkamer om het bed op te maken en schoof een hand onder mijn hoofd-kussen. Daar lag een papiertje. Yasmines nummer stond erop, met een tijd: 12.30 uur. Ik mocht niet vergeten te bellen.

'Hoi, Yasmine, met Jacky. Hoe gaat het nu met je?'

'Hallo, Jacky. Beter, dank je. Ik ben op school, dus we kun-nen ongestoord praten.' Ze praatte heel snel, zodat haar woor-den ondanks haar zachte stem toch dringend klonken.

'Je had het over je nicht,' bracht ik haar in herinnering.

'Ja, Soha,' bevestigde ze. Ze haalde diep adem. 'Op haar zes-tiende was ze moedig, koppig en een durfal. Ze werkte hard en haalde goede cijfers. Haar ouders waren trots op haar. In haar eindexamenjaar zaten we op een dag samen te lunchen toen een jongen een briefje in haar tas stopte om haar te vragen of ze later met hem wilde afspreken. Soha had het niet eens ge-merkt. Thuis zette ze haar tas in de voorkamer en ging ze naar de keuken om te helpen met het eten. En toen ging het mis.'

Ik hoorde een snik toen Yasmine begon te huilen.

'Yasmine? Wat ging er mis?'

Ze ging verder, onderbroken door heftig snikken. 'Haar vader haalde haar tas leeg en vond het briefje. Hij was woedend en weigerde in Soha's onschuld te geloven. Toen hij haar kamer doorzocht en in een jaszak een lipstick vond, ging hij door het lint. Hij beschuldigde haar ervan dat ze schande over de familie bracht, en hij sloeg haar met een stok in haar gezicht en op haar hoofd totdat ze bewusteloos raakte.

Hij sloot haar op in haar kamer, maar ze wist door het raam te ontsnappen en kwam naar ons huis. Ze gooide steentjes tegen het raam van mijn kamer, en ik liet haar stilletjes binnen door de achterdeur. Niemand van mijn familie zou haar binnen hebben gelaten, en ik wist dat ik problemen zou krijgen als ze het merkten, maar ik zag meteen dat ze doodsbang was. In onze cultuur mag je je er niet mee bemoeien als een vader iemand van zijn familie straft; er moet altijd respect voor hem en zijn daden zijn, en die mag je nooit in twijfel trekken.

We sliepen die nacht samen in mijn bed, onze armen stevig om elkaar heen geslagen.'

Ze zweeg, en ik begon ongeduldig te worden. 'Wat is er gebeurd toen ze de volgende ochtend weer naar huis ging?' vroeg ik. 'Ben je met haar meegegaan?'

'Naar huis?' kermde Yasmine. 'Ze is niet naar huis gegaan. We wisten allebei dat ze nooit meer terug kon gaan. Nooit.'

Ik begreep er niets van. 'Maar haar vader zou toch wel weer tot bedaren zijn gekomen. In elk gezin is wel eens ruzie.'

'Dit was anders,' zei ze. 'Soha was ervan beschuldigd dat ze de eer van de familie had geschonden. Dit was niet zomaar een ruzie. Het was niet goed te maken. Het oordeel was geveld en haar lot bezegeld.'

'Wat bedoel je, haar lot was bezegeld?'

'Schaamte over de familie brengen is de ergste misdaad die een meisje kan begaan. Er staat de doodstraf op.'

'Bedoel je...'

'Ja, Jacky, ze kon niet terug. Het zou haar dood betekenen.'

Hoewel ik de woorden begreep, kon ik niet bevatten wat Yasmine me vertelde. 'Zo gaat het misschien in Jordanië,' protesteerde ik, 'maar we zijn in Engeland. Dit soort barbaars gedrag is bij wet verboden. Het zou hier nooit gebeuren.'

Yasmine lachte schamper. 'Je hebt zoveel meegemaakt, Jacky, en toch ben je nog steeds naïef. Denk je nou echt dat mijn vader zich ook maar iets van de wet aantrekt? Vergeleken bij het behoud van de familie-eer betekent de wet niets voor hem. Voor hem gaat een onbezoedelde reputatie boven al het andere. Ja, het kan hier in Engeland gebeuren. Het gebeurt.'

Ik was met stomheid geslagen. 'Wat hebben jullie gedaan?'

'We hebben een vluchtplan voor Soha bedacht. Ik trilde van angst, want als iemand ons ontdekte, zou ik ook worden gestraft. We hebben een Engelse vriendin gebeld, en de volgende dag is Soha heimelijk weggegaan om daar een paar dagen te gaan logeren. Tegen die tijd wisten haar vader en haar broers dat ze weg was, en ze kwamen naar ons huis om haar te zoeken. Ze stelden me massa's vragen, maar ik heb niets losgelaten. Die avond stuurde ze me een sms'je om te zeggen dat ze wegging uit Leicester en in Londen ging wonen; dat ze van me hield en me nooit zou vergeten...'

'Nou, ik ben blij dat het haar is gelukt om weg te komen. Hebben jullie nog steeds contact?'

'Ze zei dat het te gevaarlijk was. Dat is het laatste wat ik van haar heb gehoord, totdat...' Het werd stil.

'Totdat?' De spanning werd me haast te veel.

Yasmine ging op zachte toon verder, vlak en emotieloos. 'Er gingen zes maanden voorbij zonder nieuws van Soha. Toen kreeg ik zomaar opeens een panisch sms'je: "Ze hebben me gevonden. Lieve god, Yasmine, help me alsjeblieft." Ik heb haar meteen gebeld, maar ik kreeg direct de voicemail. Het was te laat. Ik heb haar nooit meer gesproken.'

'Weet je waar ze is?'

'Ze hebben haar vermoord,' antwoordde ze zachtjes fluiste-rend. 'Haar vader en broers hebben haar uiteindelijk opge-spoord, ze zijn haar flat binnengedrongen en hebben haar ver-moord. Ze hebben een mes in haar hart gestoken en haar keel zo woest doorgesneden dat ze half was onthoofd. Daarna heb-ben ze zich van haar lichaam ontdaan. Ze zijn teruggegaan naar Leicester en hebben iedereen verteld dat ze een man voor haar hadden gevonden en dat ze die dag al naar Jordanië was gegaan om zich voor te bereiden op de bruiloft. De hele fami-lie ging voor twee weken naar Jordanië, zodat het leek alsof ze naar Soha's bruiloft waren geweest. Maar er was geen man en er was geen bruiloft, want mijn Soha is dood.'

'Hoe weet je dat zo zeker?' hakkelde ik half versuft. 'Ze was hun dochter, hun eigen vlees en bloed. Ze kunnen toch geen fa-milielid vermoorden? Nee toch?'

'Dat was precies waar het om ging. Soha was geen familie meer. Ze had de familienaam te schande gemaakt en dus werd ze verstoten. We leven hier in een westerse samenleving, dus klinkt zoiets bespottelijk, en dat is de grote fout die Soha heeft gemaakt, denk ik. Ze besefte niet hoe groot de gevolgen zou-den zijn als ze lipstick gebruikte of onschuldig met jongens kletste. Sorry.'

Yasmine zweeg om haar neus te snuiten. 'Ik weet dat ze is vermoord, want haar arme zusje van dertien heeft gehoord dat de familie de gruwelijke details besprak. Ze was verlamd van angst en in alle staten, en ik was de enige met wie ze kon pra-ten, dus heeft ze mij in vertrouwen genomen. Godzijdank ver-moedt niemand dat ze het weet. De rest van de familie gaat ge-woon door met hun dagelijkse leven, alsof er niets is gebeurd; hun ogen zijn koud en uitdrukkingsloos. Ik kan er niet meer over praten. Ik kan er niet tegen om eraan te denken. We moe-ten een andere keer verder praten, Jacky. Is dat goed?'

Na ons gesprek ging ik op het internet op zoek naar meer informatie over eerwraak. Tot mijn ontzetting bleek deze onmenselijke gewoonte in islamitische landen aan de orde van de dag te zijn. In Pakistan bijvoorbeeld leven de vrouwen voortdurend in angst. Mannelijke familieleden hebben hen volledig in hun macht, en het komt regelmatig voor dat vrouwen worden vermoord als er alleen al een verdenking bestaat dat ze schande over de familie brengen. Ze worden doodgeschoten, doodgestoken, of zelfs in brand gestoken. Elk jaar worden niet een of twee vrouwen het slachtoffer van eerwraak, maar honderden. Van de meeste gevallen wordt niet eens melding gemaakt, en vrijwel geen enkele dader wordt ooit gestraft.

Ik had aangenomen dat deze praktijk op de een of andere manier verband hield met de islam, aangezien het altijd moslims zijn die onder dit bedenkelijke voorwendsel hun vrouwen en dochters vermoorden. Toen ik meer las, kwam ik echter tot de ontdekking dat eerwraak tegen de leer van de islam in druist, en dat er geen enkele rechtvaardiging voor is. Traditie zegeviert over de ware betekenis van de Koran, en die is zo allesoverheersend dat de leer van de Koran een 'licence to kill' kan worden.

Gefascineerd door het onderwerp breidde ik mijn zoektocht uit om te zien of ook mannen wegens beschamend gedrag het slachtoffer kunnen worden van eerwraak. Ik vond niets. Het verschil tussen de seksen steekt opnieuw de kop op, dacht ik bij mezelf. Jongens mogen op de weg naar volwassenheid onstuimig, wild, oneerbiedig en avontuurlijk zijn, het wordt zelfs van ze verwacht. Het is een vrijheid die ze als vanzelfsprekend beschouwen. Zíj kunnen de familie niet te schande maken, dus is het een misdrijf waar alleen vrouwen zich aan schuldig kunnen maken.

Nog schokkender was dat dit gebruik ook in Engeland veelvuldig voorkwam. Ik ontdekte dat er in het Verenigd Koninkrijk de laatste zes maanden twaalf van dit soort moorden waren gepleegd – en dat waren alleen de gevallen waarvan de autoriteiten op de hoogte waren. Was dit het topje van de ijsberg? De daders zaten in onze gevangenissen een levenslange gevangenisstraf uit, maar een veelvoud van het aantal daders moest nog vrij rondlopen, zoals in Soha's geval. Ik vroeg me af wat de werkelijke aantallen waren en rilde bij de gedachte eraan.

Als een dader in Jordanië überhaupt wordt gepakt, krijgt hij zelden meer dan zes maanden. In Pakistan, Jemen, Afghanistan en talloze andere landen is er voor vrouwen geen enkele wettelijke bescherming tegen eerwraak. Zelfs het woord maakte me al boos. Eerwraak! Een ander woord zou genoeg zijn: móórd!

Een week later belde ik Yasmine op de afgesproken tijd. Ze klonk opgewekter, bijna blij om me te horen, alsof ik als haar vertrouweling was aanvaard.

'Jacky, fijn dat je belt. Ik moet je nu echt mijn probleem uitleggen. Ik kom in tijdnood.'

Ik bad dat ik op de een of andere manier iets zou kunnen doen, hoe weinig het ook was, om de last waaronder dit meisje gebukt ging te verlichten.

'Ik zal doen wat ik kan, Yasmine,' beloofde ik haar.

'Ik heb mijn hele leven in Engeland gewoond. Ik heb Engelse vrienden, en ik ben hier gelukkig. Uiteraard kan ik niet vrijelijk met jongens praten of met een jongen uitgaan, maar dat vind ik niet zo erg. Soha is altijd mijn beste vriendin geweest. Nu zij er niet meer is, zit er een gapend gat in mijn leven, en kan ik eigenlijk geen reden meer vinden om te glimlachen. Verleden maand ben ik negentien geworden, en toen wilden mijn ouders met me praten. Ze zeiden dat het tijd werd dat ik ging trouwen. Het was het laatste wat ik had verwacht. Ze hebben me altijd aangemoedigd om op school hard te werken, mijn eindexamen te halen en te gaan studeren. Ik had het min of meer als vanzelfsprekend beschouwd dat ik mijn diploma als schoonheidsspecialiste zou halen en dan een baantje zou zoeken in Leicester. Trouwen, kinderen, huisje-boompje-beestje was nooit bij me opgekomen.'

'Je moet toch in elk geval aan jongens hebben gedacht. Denkt niet elk tienermeisje aan jongens?'

'Geloof me, Jacky, ik zat er niet mee. Door de vrijheid van het studeren voelde ik me eigenlijk net als andere jonge Engelse mensen. Ik stelde het uit om aan een gezin te denken en wilde eerst iets van een carrière opbouwen. Hoe dan ook, mijn vader heeft drie geschikte Jordaanse mannen bij ons thuis laten komen om mij te ontmoeten, alle drie neven.'

'Neven? Is dat niet een beetje dichtbij? Waarom wil hij dat je met een familielid trouwt?'

'Dat is normaal in onze cultuur, het heeft zelfs de voorkeur,' vertelde Yasmine me. 'Ik was nog helemaal niet van plan om te trouwen, dus heb ik ze alle drie direct afgewezen. Mijn vader leek het te accepteren dat ik nee zei, maar nu besef ik dat zijn rustige reactie onderdrukte boosheid was. Een week later vertelde hij me dat hij me had verloofd met een Jordaanse man die in Jordanië woont. Alles is besproken en beklonken zonder dat ik erin ben gekend, tot en met de bruidsschat aan toe. De man is tweeëndertig en begint al kaal te worden. Hoe kunnen ze van me verwachten dat ik naar Jordanië vlieg en nog lang en gelukkig leef met een man die ik nooit heb ontmoet? Volgens mijn moeder is hij een "goede partij", met zijn eigen huis en een eigen bedrijf. Ik wilde gillen en schreeuwen dat ze het recht niet hadden om me dit aan te doen, en dat ik niet met die man zou trouwen. Maar na Soha is de moed me in de schoenen gezonken. Iedereen om me heen is druk in de weer met voorbereidingen voor de grote dag. Je moet me helpen, Jacky, alsjeblieft.'

'Wanneer ga je erheen?' vroeg ik.

'Volgende maand. De negende.'

Ik keek op de kalender. Het was de zeventiende. 'Hemel, dat is al over drie weken.' Ik voelde paniek opkomen. 'Luister naar me, Yasmine, laten we ons gezonde verstand gebruiken. Als je gaat, is je hele familie gelukkig behalve jij. Als je niet gaat, wat betekent dat dan? Je familie zal zich nooit laten vermurwen. Dan moet je dus weglopen, net als Soha. Wil je zo door het leven gaan? Altijd op de loop, nooit meer contact met je familie of je vrienden?'

'Nee, natuurlijk wil ik dat niet,' zei ze zacht.

Ik liep heen en weer door de eetkamer om beter te kunnen nadenken. 'Wat je ook doet, je leven zoals je het nu kent is voorbij. Dat besef je toch wel?'

'Je zult wel gelijk hebben, Jacky. Ik ben bang.'

'En terecht. Maar in mijn ogen heb je wel degelijk een keus. Je gaat naar Jordanië en begint een nieuw leven als de islamitische echtgenote van een Jordaanse man. Je zorgt dat de eer van je familie behouden blijft. Iedereen keurt je gedrag goed. Of je maakt plannen om weg te lopen van huis, om weg te gaan uit Leicester en als een andere persoon een nieuw leven te beginnen. Het probleem daarmee is dat jij dan, net als Soha, de reputatie van je familie hebt geschonden en dat ze je achterna zullen komen. Je bent dan helemaal alleen en doodsbang, en je hebt niemand om mee te praten. Het is duidelijk een gevaarlijke optie. En laten we eerlijk zijn, Soha, als je wegloopt, is het omdat je ertoe wordt gedwongen, niet omdat je weg wílt lopen. Maar weet je heel zeker, na wat er met Soha is gebeurd, dat je sterk genoeg bent om het aan te kunnen? Als je eenmaal een beslissing hebt genomen, is er geen weg terug meer. Je moet heel zeker zijn van je zaak.'

'Daarom ben ik ook zo bang,' zei ze. 'Ik wil niet naar Jordanië en ik wil niet weglopen.'

Ik hoorde de wanhoop in haar stem, met een ondertoon van

verdriet. 'Yasmine, andere mogelijkheden zijn er niet. Je moet zorgen dat je alleen kunt zijn om na te denken over de weg die je wilt kiezen. Bel me wanneer je maar wilt. Maar maak een keuze en ga er dan ook voor.'

Die nacht kon ik niet slapen, ondanks een koele bries. Yasmines dilemma spookte door mijn hoofd. Wat moest ze beslissen? Wat zou ik in haar plaats doen? Nu, op de wijze leeftijd van veertig-en-nog-wat, zou ik de veilige mogelijkheid kiezen en naar een ver land vliegen om te trouwen. Maar zou ik dat op mijn negentiende ook hebben gedaan? Waarschijnlijk niet. Beslist niet. Op mijn drieëntwintigste was ik mijn hart achternagegaan en had ik de sprong naar een nieuw leven gewaagd, een leven waar ik voor weg had moeten vluchten. Ik nam me voor om de volgende dag na te denken over manieren waarop Yasmine zou kunnen 'verdwijnen', als ze dat wilde.

Twee dagen later liep ik achter een winkelwagen door een drukke supermarkt toen mijn telefoon het signaal gaf dat ik een sms had. Het was een kort bericht van drie angstaanjagende woorden: 'Ik heb gekozen.'

Ik liet het winkelwagentje lukraak op de diepvriesafdeling staan en haastte me naar buiten om zonder al het rumoer om me heen een bericht terug te sturen. Het goot van de regen, dus ging ik in de auto zitten. 'Kan ik je nu bellen?' toetste ik zo snel mogelijk in. Met mijn vingers roffelend op het dashboard wachtte ik op antwoord.

Het kwam meteen. 'Nee. Ik heb ermee ingestemd om te trouwen. Dat is het beste. Ik bel je later.'

Ik kon het niet helpen. De tranen stroomden over mijn wangen toen ik naar de regendruppels op de voorruit staarde. Mijn schouders schokten en ik snikte het uit. Ik huilde om Soha, om Yasmines moed, en om de moeilijke toekomst die haar zonder twijfel te wachten stond. Het zou moedig van haar zijn geweest om weg te lopen. Maar ik vond het nog veel moediger

132

van haar dat ze haar huidige leven opgaf en koos voor een toekomst die ze vreesde en verafschuwde. Ik hoopte vurig dat ze de juiste beslissing had genomen.

De volgende dag belde ze. 'Bedankt, Jacky. Je hebt me met mijn neus op de feiten gedrukt. Ik ben niet stom, ik kan niet doen alsof er nooit iets met Soha is gebeurd. Als ik voor die weg zou kiezen, kan ik hetzelfde verwachten. Nee, het is gewoon niet anders. Ik ga volgende maand trouwen en dan kinderen krijgen.'

'Je hoeft niet meteen kinderen te krijgen. Niet alles tegelijk,' antwoordde ik in een poging om een luchtiger draai aan het gesprek te geven.

'Het is een vereiste dat een getrouwde vrouw kinderen krijgt,' zei ze op plechtige toon.

Ik lachte. 'Wie zegt dat? Je klinkt alsof je iets opdreunt uit een handboek.'

'Ik maakte geen grapje, Jacky. Het is een integraal onderdeel van onze cultuur. Het is zelfs zo belangrijk dat mijn man, als blijkt dat ik geen kinderen kan krijgen, van me kan scheiden en me mag verstoten. O, en het is natuurlijk oneindig veel beter om zonen te krijgen. Die zijn nodig om hun ouders te onderhouden als ze eenmaal volwassen zijn. Dus als ik dochters krijg, moet ik kinderen blijven baren totdat ik een zoon krijg. Vrouwen hebben geen waarde. Geen enkele.'

'Hoe weet je dit opeens allemaal?' vroeg ik.

'Mijn moeder leert me hoe ik me moet gedragen en wat ik kan verwachten. We mogen niet zomaar de deur uit als we er zin in hebben. Er moet altijd iemand mee. We moeten altijd eerst goedkeuring vragen voordat we iets kopen, om er zeker van te zijn dat het wel gepast is. En we mogen niet autorijden. Is het niet onvoorstelbaar? Het is aan de familie van mijn man om dat te bepalen, en zij vinden het niet goed.'

Ik herinnerde me de familie van mijn ex-man in Cairo en de

macht die zij over me hadden gehad. Ik was verkracht door Omars broer, zonder dat hem ooit iets was verweten. Desondanks geloofde ik dat Yasmine de juiste keuze had gemaakt.

'Ik denk dat je een wijs besluit hebt genomen, Yasmine.'

Ze zweeg alleen maar.

Het was woensdagavond, tien dagen na ons laatste gesprek. Ik was in mijn eentje in de keuken eten aan het koken, Adam was op zijn kamer aan het oefen op zijn drumstel en maakte een hels kabaal, en Ben stond onder de douche. Hij kwam de keuken binnen met alleen een handdoek rond zijn middel, zette de televisie aan met het geluid heel hard, en hij ging aan de ontbijtbar zitten.

'Sorry, schat,' schreeuwde hij. 'Dit is de enige plek waar ik televisie kan kijken als Adam aan het drummen is. Ik wil het weerbericht horen.'

Vandaar dat de nieuwslezer te midden van een complete chaos – kabaal van de televisie, het drummen, het zingen van water dat aan de kook kwam voor een pot thee en pruttelende pannen op het fornuis – het bericht verkondigde dat een negentienjarig meisje van Jordaanse afkomst in Leicester was omgekomen.

Een ontredderde vrachtwagenchauffeur vertelde hoe het was gegaan: 'Er stond een groepje meisjes aan de kant van de straat, voor Miss Selfridge. Ik reed niet hard. Ze stonden bij de stoeprand alsof ze wilden oversteken. Het ene moment stond ze daar bij haar vriendinnen, en het volgende lag ze voor mijn vrachtwagen. Ik kon niets doen. De ambulance was binnen vijf minuten ter plaatse, maar bij aankomst in het ziekenhuis bleek ze te zijn overleden. Ze heeft alleen nog "het spijt me" gezegd tegen de ziekenbroeder voordat ze het bewustzijn verloor. Een tragedie. Zo'n jong ding. Ze had haar hele leven nog voor zich.'

Hij moest eens weten.

134

Uiteindelijk had Yasmine het heft in eigen hand genomen. Geconfronteerd met slechts twee keuzes, allebei onverdraaglijk, had zij een derde gevonden. Ze had geluisterd naar wat haar ouders wilden, ze had gezien welk lot Soha had moeten ondergaan, en ze had naar mij geluisterd. Wat ze ook had besloten, ze zou haar identiteit zijn kwijtgeraakt, en de echte Yasmine zou ten slotte onzichtbaar zijn geworden.

Dat had ze geweigerd; ze was trouw gebleven aan zichzelf.

En ze had haar keuze gemaakt.

14

Charlotte

De bel kondigde het eind van de les aan en er klonk het gebruikelijke geschuif met stoelen en geroezemoes van stemmen
nadat ik had gezegd dat ze konden gaan, met het verzoek hun
boeken in te leveren. Snel keek ik om me heen in de klas om
te zien of alle stoelen op hun plaats stonden en niemand iets
had laten liggen. Ik had mijn handen vol aan deze groep: de
derde klas, die ik Frans gaf. Tweeëntwintig tieners die stijf
stonden van de testosteron, in staat om een moord te plegen
als je ze de kans gaf. Die kans gaf ik ze niet; ik had de wind eronder. Het betekende dat ik streng moest zijn, vooral aan het
begin en het eind van de les. Door het felle zonlicht kon ik een
hele hoek van de klas niet zien, zodat ik met een hand boven
mijn ogen tegen het licht moest turen.

Toen zag ik het.

'Billy, raap dat alsjeblieft op. Jij hebt een betere rug dan
ik,' blafte ik. Volgens de verhalen in de docentenkamer was
smijten met boeken een van Billy's specialiteiten. Niet in mijn
klaslokaal. Terwijl Billy het boek opraapte en het aan mij gaf,
glimlachte ik naar het groepje meisjes achter in het lokaal.

'Charlotte, kun je alsjeblieft even blijven om me met de boeken te helpen?'

Ze knikte en voldeed aan mijn verzoek.

'Zit je misschien iets dwars?' vroeg ik toen we alleen waren
en de anderen ons niet meer konden horen.

Charlotte staarde naar de vloer en schudde haar hoofd. Het licht viel op haar golvende, kastanjebruine paardenstaart, die als een waterval in verschillende schakeringen tot aan haar middel viel.

Ik probeerde het nog een keer. 'Ze hoeven niet te horen wat je tegen me hebt gezegd. Voor zover zij weten, help je me alleen met het opbergen van de boeken.' Ik stak een hand uit en tilde haar gezicht zacht op naar het mijne in de hoop dat ze me zou aankijken, maar haar ogen bleven neergeslagen.

'Er valt niets te vertellen,' zei ze uiteindelijk, starend naar haar handen en wriemelend met haar vingers. Ik zag dat de nagelriemen van meerdere vingers kapot waren, rood en afgekloven.

'Ik heb het gezien,' drong ik aan.

Voor Charlotte was dit genoeg om haar vingers met rust te laten en me aan te kijken, met een angstige, vragende blik in haar ogen.

'Er ontgaat me niet veel,' vervolgde ik met een bemoedigend glimlachje. 'Ik heb gezien dat Jade je arm achter je rug vasthield, terwijl Danielle je telefoon uit je zak haalde. Sharon ging voor jullie staan om het te verbergen, maar ik heb een stap opzij gedaan vanwege de zon en alles gezien. Zelfs het papiertje dat ze in je hand drukte.'

Stilte. Ik deed nog een laatste poging. 'Luister naar me, Charlotte. Als het niet belangrijk was, zou je het denk ik geen probleem vinden om me het hele verhaal te vertellen. Juist doordat je niets wilt loslaten, weet ik dat er iets niet klopt. Heb ik gelijk of heb ik gelijk?' Half glimlachend keek ik haar aan.

'U heeft gelijk,' beaamde ze. 'Ze doen alsof ze mijn vriendinnen zijn, maar ze pesten me alleen maar. Ze daagden me uit om een jongen een sms'je te sturen om te zeggen dat ik hem leuk vind, maar dat wilde ik niet...'

'Dus hebben zij het gedaan, met jouw telefoon?'

Ze knikte somber.

'Wat gemeen,' zei ik. 'En het briefje?'

Ze gaf me een verkreukeld papiertje, een bladzijde die uit een werkboek was gescheurd. Ik fronste mijn wenkbrauwen, want dát had ik niet gezien. Er stond één woord op, in grote, onregelmatige hoofdletters: LAFAARD.

Tranen drupten op mijn bureau toen Charlotte begon te huilen.

'Niet huilen, Charlotte. Hier, droog je tranen. Snel,' droeg ik haar op terwijl ik haar een papieren zakdoekje aangaf. 'Huilen is het domste wat je kunt doen,' legde ik uit. 'Als je wilt dat ik je help, mag niemand weten dat we dit gesprek hebben gehad. Begrijp je me?'

Stevig legde ik mijn beide handen op haar schokkende schouders en ik keek haar recht in de ogen. 'Jade, Danielle en Sharon kunnen raden dat we hebben gepraat als ze zien dat je helemaal van streek bent. Dat betekent maar één ding: meer pesterijen. Kom op, beheers je en ga naar je volgende les. Hier is een briefje voor Mrs. Harris,' voegde ik eraan toe, en snel krabbelde ik een briefje aan haar volgende docente om uit te leggen waarom ze te laat was.

'Wat gaat u doen?' vroeg Charlotte terwijl ze het briefje aanpakte.

'Ik ga ze vragen naar dat briefje aan jou.'

Ze sperde haar ogen wijd open. 'Dat kunt u niet doen.'

'Waarom niet?' Ik glimlachte. 'Je hebt het laten vallen toen je een stapel boeken optilde. Heb je het niet gemerkt?'

Voor mij is lesgeven nooit alleen maar een kwestie van het overdragen van kennis geweest; dat is niet meer dan een deel van je taak als docent. Als je de andere aspecten niet beheerst, lukt zelfs het overdragen van kennis niet.

Tieners zijn grillig, dus als wij, de docenten, ze allemaal hetzelfde behandelen, doen we ons werk niet goed. Willen we ze iets leren, dan moeten we proberen ze zo goed mogelijk te begrijpen. Hip of nerd, leuk of vervelend, ze hebben allemaal hun eigen angsten, en daarmee dreigen ze de zorgvuldig opgestelde lesprogramma's van ons, de kwetsbare leraren, te doorkruisen. Het valt niet mee om normen te bepalen, en het is nog lastiger om ze te handhaven. Luisteren is een van de waardevolste en meest bevredigende eigenschappen die een mens kan hebben.

Dus dat probeer ik te doen. Ik ploeter voort en heb een 'professionele' belangstelling voor mijn leerlingen, maar als er problemen zijn pak ik die aan, dat laat ik niet aan de volgende docent of de mentor over. Mijn leerlingen hebben respect voor me, en ik voor hen. Ik sprak de drie meisjes aan op hun briefje aan Charlotte en veegde ze de mantel uit. Ze beloofden me dat het niet nog een keer zou gebeuren, en ik liet weten dat ze op ernstige repercussies konden rekenen als ze opnieuw voor problemen zorgden.

En dat was dat. Niemand meldde me meer iets, en voor zover ik het kon zien hielden Jade en haar vriendinnen zich verder koest. Charlotte was stil tijdens de lessen, maar dat was ze altijd geweest. Ze bleef achter Jade en de anderen aan lopen, altijd een beetje de vreemde eend in de bijt van dit hechte groepje. Na de les bleef ze nooit hangen, ze probeerde niet met me te praten.

Op het oog wees niets erop dat het niet goed met haar ging.

Aan het eind van dat schooljaar zegde ik mijn baan op omdat ik me volledig op het schrijven van een nieuw boek wilde storten. Mijn eerste boek verkocht goed, en ik kreeg veel reacties op mijn website.

Een paar weken na het begin van het nieuwe schooljaar zocht Charlotte via mijn website contact met me. Ze had haar middelbareschooldiploma gehaald, en was aan de laatste twee jaar van een hbo-opleiding begonnen.

'Ik hoop dat u het niet erg vindt dat ik op deze manier contact met u opneem. Op school kon ik niet met u praten, dat ging gewoon niet. Ze zouden het op de een of andere manier hebben ontdekt. En dan zouden ze me nog veel erger zijn gaan pesten.'

Ik staarde naar haar woorden. Dit was een kreet om hulp. Alsof ze niemand anders had die ze in vertrouwen kon nemen. Ze had een luisterend oor nodig. Was het wel verstandig om betrokken te raken?

Uiteindelijk besloot ik te reageren, maar niet meteen. Ik wachtte een dag en hield mijn antwoord zo luchtig mogelijk. 'Hoi, Charlotte. Leuk om van je te horen. Nog gefeliciteerd met je mooie cijfer voor Frans. Goed gedaan. Gelukkig kun je de narigheid op school vergeten en een nieuwe start maken. Hoe bevalt het op je nieuwe school?'

Die middag gaf ze antwoord.

'School is oké,' schreef ze. 'Er is een jongen die ik leuk vind, en hij glimlacht steeds naar me. En ik ga om met een groepje meisjes dat dezelfde bus neemt.'

Ik was opgelucht. Op mijn school had ze nooit een echte vriendin gehad, dus dit klonk veelbelovend. Het was dus toch nog goed gekomen. Ik zette gedachten aan Charlotte uit mijn hoofd en ging mijn eigen dingen doen.

De volgende ochtend vond ik een nieuw mailtje van Charlotte in mijn inbox.

'Sorry, Mrs. Trevane, maar ik heb uw boek nu al twee keer gelezen, en ik vond het geweldig. Ik heb het heel erg nodig om met iemand te praten, en ik weet dat u me begrijpt. Is het goed als ik u dingen vraag? Op school durfde ik dat niet, maar op deze manier is het anders. Vertrouwelijk. Maar ik wil u niet lastigvallen als het voor u te veel moeite is of zo.'

Op de een of andere manier had ik aangevoeld dat er iets niet klopte. En ik vond het bewonderenswaardig dat ze de koe bij de hoorns vatte en me zo open en eerlijk benaderde. Dit keer gaf ik zonder aarzelen antwoord. 'Vraag wat je maar wilt, Charlotte, al kan ik je geen wonderen beloven. Als je inlogt op msn-messenger kunnen we chatten.'

En zo begon onze relatie. Die eerste week hadden we elke avond contact en chatten we telkens ongeveer een halfuur met elkaar. Ze stortte haar hart bij me uit, een stroom van ellende die ik zowel verbijsterend als verontrustend vond.

Jade bleek zich een paar weken na het begin van het schooljaar ingeschreven te hebben op dezelfde school als Charlotte, en ze beschouwde het als haar missie in het leven om al Charlottes vriendinnen tegen haar op te zetten, en ze sprak op fluistertoon kwaad van haar als ze in de buurt was.

'Waarom doet ze dat in hemelsnaam?' vroeg ik.

'Ik weet het niet. Omdat ze het kan doen?' schreef Charlotte. 'Misschien doet ze het omdat ze er later bij is gekomen en ze zich op deze manier sneller populair kan maken. Hoe dan ook, het is haar gelukt. Zij hoort erbij en ik lig eruit.'

'Wat zegt ze precies over je? Waarom ga je niet gewoon naar haar toe om het uit te praten?'

'Niemand luistert naar me,' antwoordde ze. 'Het is net alsof ik onzichtbaar ben. Ze beschuldigt me van dingen, ik ontken het, en dan lachen ze me allemaal uit en lopen ze weg.'

Ik begreep er niets van. Dezelfde meisjes die eerst haar vriendinnen waren geweest, keerden haar nu de rug toe. Waarom zouden ze dat doen?

De week daarop was Charlotte midden op de ochtend online.

'Wat? Geen school?' schreef ik.

'Menstruatiepijn,' legde ze uit.

Charlotte bleef de rest van de week thuis. De week erna ging ze op maandag naar school, maar toen kreeg ze een ernstige migraineaanval en bleef ze weer een paar dagen thuis.

We bleven met elkaar chatten, maar praten over school of

141

haar vriendinnen was taboe. Ik stelde niet te veel vragen en probeerde heel zorgvuldig naar haar te luisteren, de betekenis achter haar woorden te doorgronden. Ze zag school opeens helemaal niet meer zitten, terwijl ze tegelijkertijd thuis fanatiek aan het sporten was geslagen; elke ochtend en elke avond deed ze tien kilometer op de hometrainer van haar moeder, en daarna trainde ze met halters. Het was het enige waar ze nog met een beetje enthousiasme over kon praten. Ik vond dat we inmiddels voldoende vertrouwen hadden opgebouwd om naar de sociale situatie op school te vragen.

'Heeft die leuke jongen je al mee uit gevraagd?' vroeg ik zo achteloos mogelijk.

'Ik moet ophouden, ik heb hoofdpijn,' luidde het antwoord.

Ik staarde naar het scherm. Ik wist dat ze loog. En zij wist dat ik het wist.

Later die avond meldde ze zich om te chatten, maar ik verzon een smoes en zei dat ik het te druk had. Als ze moest wachten, zou ze de volgende keer misschien openhartig zijn zodra ze de kans kreeg. Ik schreef dat ik de volgende dag wel tijd voor haar had.

'Hoe is het met de hoofdpijn?'

'Vandaag gaat het beter. Ik heb vanochtend dertien kilometer gedaan en daarna veertig minuten met halters getraind. Mijn spieren worden steeds sterker.'

'Geen school?'

'Einde van het trimester.'

Het is grappig hoe snel je de schoolvakanties vergeet als je er zelf niet meer mee te maken hebt. 'Sorry, dat was ik vergeten.' Ik wist niet goed wat ik verder nog kon zeggen, dus vroeg ik bij gebrek aan beter: 'Heb je veel huiswerk?'

'Niet echt. Ik denk er toch over om ermee op te houden.'

Daar schrok ik van, en ik probeerde haar uit haar tent te lokken. 'Heb je de verkeerde opleiding gekozen?'

142

'Het gaat niet om de opleiding, maar om andere dingen. Na wat er een maand geleden is gebeurd, heb ik veel gespijbeld. Ik heb problemen met mijn docenten en mijn mentor, ik ben achter met de stof, en nu begint mijn moeder me ook op de huid te zitten. Iedereen loopt op me te vitten, en het wordt alleen maar erger.'

Ik hoefde geen helderziende te zijn om te weten wat er aan de hand was. 'Heeft het toevallig iets met Jade te maken?'

'Jade maakt mijn leven kapot. Ik haat haar! Weet je die jongen nog? Op een dag kwam hij bij me zitten in de kantine. Hij is heel knap, grote blauwe ogen en zwart haar. Hij vertelde dat hij Craig heette en mij al een paar keer had gezien. Vroeg hoe ik heette. Nou, en toen vroeg hij me mee uit. Zomaar, zonder er omheen te draaien of zo. Ik kreeg een hoofd als een boei, maar ik zei ja, dat het me leuk leek om met hem naar de film te gaan. Toen kwam Jade naar ons toe. Ze deed alsof ze struikelde en gooide haar hete koffie over me heen. Het brandde op mijn been en het deed zoveel pijn dat ik ervan moest huilen. Ik ben weggerend, en ik kon haar achter mijn rug horen lachen. Ik schaamde me kapot. Toen kwam ze achter me aan naar de wc en duwde ze mijn hoofd in de wc-pot. Ze zei dat ik bij Craig uit de buurt moest blijven, dat hij bezet was. Of anders... Ik moest met mijn "dikke vingers" van hem af blijven, zei ze. Nadat ze weg was ben ik nog een halfuur op de wc gebleven voordat ik weer naar buiten durfde te komen. Toen ben ik meteen naar huis gegaan.'

'Jade is een gemeen kreng,' schreef ik. 'Probeer je er niets van aan te trekken. Trotseer haar. Als je voor jezelf opkomt, zoekt ze wel iemand anders die ze het leven zuur kan maken.'

'Makkelijker gezegd dan gedaan,' antwoordde ze. 'Na die dag bleven Jade en haar vriendinnen telkens wachten totdat ik eten had gehaald in de kantine, en dan kwamen ze naar me toe en maakten ze me belachelijk vanwege de dingen die ik at.

In de gangen fluisterden ze "vies vet wijf" tegen me, en ze zeiden dat Craig iets aan zijn ogen mankeerde dat hij naar zo'n dikzak als ik had gekeken.'

Ik was in de war. Charlotte was helemaal niet dik, eerder aan de magere kant. 'Waarom noemen ze je in godsnaam dik?'

Ze gaf geen antwoord op mijn vraag. 'Ik weet wel dat ik dik ben, maar ik zal ze eens wat laten zien,' ging ze verder.

'Charlotte, er zijn veel dingen die ik van je zou kunnen zeggen, maar beslist niet dat je dik bent,' zei ik. 'Hoe is het verder gegaan met Craig?'

'Dat heeft Jade geregeld. Ik weet niet precies wat ze hem heeft verteld, maar het moet heel erg zijn geweest, want hij heeft de bioscoop afgezegd met een lulsmoes, dat hij op zijn kleine broertje moest passen. Toen zei hij dat hij achterloopt met zijn werk voor school, dus dat we elkaar maar beter niet konden zien. Het is nu aan met Kelly. Met Kelly! Ze was mijn vriendin. Ze hangt de hele dag aan zijn arm en kijkt alleen nog maar naar hem. Ik word echt niet goed van haar. Van die twee.'

Ik wist niet wat ik kon zeggen om haar op te vrolijken. Ze had het beslist niet gemakkelijk. 'Het klinkt alsof je op deze manier achter raakt met school. En dan heeft Jade gewonnen, weet je. Je hebt altijd hard gewerkt en je was trots op je prestaties. Laat je dit met je doen? Laat je je door haar wegpesten van school?'

'Nee. Ja. Ik wil niet achter raken, maar ik kan niet naar school. Ik heb echt vaak hoofdpijn, en ik hoest de laatste tijd heel erg. Thuis kan ik me ontspannen en lekker trainen. Dan heb ik het tenminste zelf voor het zeggen.'

'Weet je moeder hier iets van?' vroeg ik, wetend wat het antwoord zou zijn.

'Natuurlijk niet. Niemand mag het weten. Helemaal niemand.'

Hoewel ik het antwoord had verwacht, schrok ik er toch van.

144

Alles wees erop dat het goed mis was, maar ik had de signalen te licht opgevat. Charlotte had me haar diepste gevoelens toevertrouwd. Ik verkeerde in de unieke positie dat ik kon proberen haar te helpen. En ik had het verknald.

Wat mezelf betreft, ik praatte met niemand over mijn relatie met Charlotte, zelfs niet met mijn man. Hij was het gewend dat ik mailde en chatte met volslagen vreemden, dus was hij zich er niet van bewust dat dit wel erg heftig was. Ben en ik bespraken altijd alles, maar in dit geval had ik het gevoel dat ik Charlottes privacy moest beschermen. Vandaar dat ik eindeloos liep te piekeren over een manier om haar te helpen.

Alleen thuis met mijn gedachten besloot ik een bad te nemen, en ik deed een flinke scheut badschuim in het water. Weggezakt tussen het schuim deed ik mijn ogen dicht en probeerde ik me in Charlotte te verplaatsen. Oké, ik ben Charlotte, dacht ik. Waar voel ik me goed? Thuis voel ik me veilig. Trainen geeft me het gevoel dat ik dingen onder controle heb. Mrs. Trevane vertrouwt me. Nou, dat is het wel zo'n beetje.

Toen dacht ik aan de dingen waar ze zich rot over voelde, en dat was een schrikbarend lange lijst: Jade, haar nieuwe vriendinnen die nu haar vijanden waren geworden, Craig, school, haar moeder, hoofdpijn. Charlotte leefde meer en meer als een kluizenaar, kon niet genieten van de leuke dingen die een normale, gezonde tiener deed. Ze was meestal in haar eentje en verdrietig, onzichtbaar voor de rest van de wereld. Ik was de enige bij wie ze met haar problemen terechtkon. Ik moest iets doen. Maar wat?

Voor zover ik het kon beoordelen, zakte ze steeds verder weg in een heuse depressie, terwijl ik lijdzaam toekeek. Naar haar kreet om hulp luisteren was niet genoeg. Ik moest in actie komen, andere mensen inschakelen die haar konden steunen. Ik hoopte dat ze het met mijn conclusie eens zou zijn. Het leek me het beste dat ze om te beginnen met haar ouders zou gaan praten. Na eindeloos dubben besloot ik het erop te wagen en ging ik achter mijn computer zitten.

'Oké, Charlotte, dit raad ik je aan,' schreef ik. 'Wacht op een goed moment om met je ouders te gaan praten. Ga bij ze zitten, zet de televisie uit en vertel ze dat je niet gelukkig bent. Ik weet zeker dat je blij verrast zult zijn met hun reactie.'

'Dat had je gedroomd,' kwam het antwoord. 'Pa is er met Kerstmis vandoor gegaan. Hij kon het niet meer aan. Zei dat hij er gek van werd om het gelukkige gezinnetje te spelen. Hij woont nu samen met een of andere troela die hij in de pub heeft leren kennen. Ze is pas eenentwintig, en hij is drieënveertig. Ik vind het smerig. Mijn moeder loopt de hele tijd te huilen en in het weekend drinkt ze te veel. Ze zeurt steeds dat ik zo vervelend ben en dat ik haar niet zoveel last zou hebben bezorgd als hij nog bij ons was geweest.'

Mijn hemel! Arme Charlotte. Wat naïef en stom van me om aan te nemen dat thuis alles koek en ei was. Ze had dringend hulp nodig, maar ze kreeg het tegenovergestelde. Ze stond onder toenemende druk om haar moeder te steunen en had het gevoel dat de scheiding van haar ouders haar schuld was. Ze moest helemaal kapot zijn. Geen wonder dat ze niet met haar moeder kon praten. Die zou haar dan alleen maar nóg lastiger vinden.

Ik durf te wedden dat Charlottes moeder geen flauw benul heeft van wat haar dochter meemaakt en hoe beschadigd ze raakt, dacht ik.

'Is het misschien een idee om met de huisarts te gaan praten?' opperde ik. 'Je bent zestien, dus dat hoeft verder niemand te weten. Wie is jullie huisarts?'

'We staan ingeschreven bij een groepspraktijk in het dorp. Als ik wel eens een afspraak maak, vraag ik nooit naar een van de artsen in het bijzonder.'

Dat klonk bemoedigend. 'Is er een vrouwelijke huisarts bij?'

'Ja, dokter Turnbull. Ze is best aardig.'

'Waarom maak je dan geen afspraak met haar?' drong ik aan, in de hoop dat ze naar me zou luisteren. 'Je hoeft haar niets te vertellen wat je niet wilt. Ze is een professionele hulpverlener, zij kan je veel beter helpen dan ik.'

'Wilt u niet meer met me chatten?'

Ik kromp ineen. Wat was dat meisje overgevoelig. 'Dat bedoelde ik niet. Je kunt met me chatten zo vaak je maar wilt. Maar ga ook met die dokter Turnbull praten. Je weet maar nooit.'

Stilte.

Na een paar minuten probeerde ik het nog een keer. 'Als het je niet bevalt, ga je gewoon niet terug. Wat heb je te verliezen?'

'Oké, ik zal een afspraak maken.'

Ik moest de druk opvoeren. 'Vandaag?'

Toen ik die avond naar bed ging, bad ik dat het iets zou opleveren. Als de dokter lief voor haar was en ze Charlotte duidelijk kon maken dat ze niet alles in haar eentje hoefde te doen, was er tenminste een kans dat ze er bovenop zou komen. Om te beginnen moest ze beseffen dat het niet allemaal haar schuld was.

De volgende avond kroop ik al vroeg achter mijn computer, benieuwd hoe het was gegaan.

'En, hoe ging het?'

'Goed,' antwoordde ze meteen. 'Ik wil niet lastig zijn, maar kunt u misschien iets voor me doen? Zullen we morgen met elkaar afspreken in de stad om ergens een kopje koffie te drinken? Dan kunnen we echt praten, en vertel ik u hoe het is gegaan.'

Ik had een berg werk te doen, er stonden belangrijke telefoontjes op mijn lijstje en ik had de volgende ochtend een afspraak bij de kapper. Ik had echt geen tijd voor haar.

'Natuurlijk kan dat, Charlotte. Om halfelf voor de Starbucks?'

147

Ze was te laat. Om kwart voor elf besloot ik naar binnen te gaan. Ik bestelde een cappuccino en nam kleine slokjes, voorzichtig, om geen snor te krijgen van het schuim. Ik woelde met mijn vingers door mijn haar, geërgerd omdat het zo rommelig zat. Op dat moment had ik me heerlijk kunnen laten verwennen in de kapsalon, als ik mijn afspraak niet had afgezegd. Ik deed mijn ogen dicht en stelde me voor dat ik daar zat.

'Hallo, Mrs. Trevane. Sorry dat ik te laat ben.'

Ik deed mijn ogen open en zag Charlotte naast mijn tafeltje staan. 'Hoi,' begroette ik haar met een glimlach. 'Ik haal een kop koffie voor je. Wil je er iets lekkers bij?' Ik wilde opstaan.

'Nee, dat hoeft niet,' zei ze met een opgestoken hand. 'Ik haal zelf wel koffie.'

Ik zag haar naar de toonbank lopen en in de rij gaan staan. Ze was een schaduw van haar vroegere zelf. Haar lange haar was dof en haar jas slobberde om haar heen. Ze moet zeker tien kilo zijn afgevallen, dacht ik in stilte. En ze was toen al zo mager. Ze ziet er vreselijk slecht uit.

Charlotte kwam echter met een brede grijns terug. 'Wat fijn om u weer te zien.'

Ondanks mijn ontzetting over haar uiterlijk glimlachte ik terug, want haar stemming was aanstekelijk. 'Zeg dat wel.' Ik stak een arm uit en gaf haar een stevige hand, en zag de rode, afgekloven nagelriemen.

Ze voelde zich meteen op haar gemak en babbelde opgetogen over het gesprek met de huisarts. Inmiddels had ik behoefte aan nog een kop koffie. Haar koffie was nog onaangeroerd.

'Ze had echt belangstelling voor me, dat was zo goed,' vervolgde Charlotte. 'Ze wil dat ik met een andere vrouw ga praten, een maatschappelijk werkster. Dinsdag. Ik weet niet of ik dat doe.'

'Doe het rustig aan,' adviseerde ik haar. 'Ga nog een keer met de huisarts praten, neem de pillen die ze je heeft voorgeschreven, en ga met die maatschappelijk werkster praten als je je weer wat beter voelt. Dáár gaat het allemaal om, Charlotte. Jij bepaalt wat er gebeurt. Het gaat om wat jíj wilt, wanneer je het wilt, en alleen áls je het wilt.'

Tegen de tijd dat we afscheid namen, was ze in een opperbest humeur. Ze gaf me een snelle zoen en verdween in de menigte. Ik bleef achter om nog een kop koffie te drinken. Zou het antidepressivum helpen? Ja, natuurlijk. Haar depressiviteit was de kern van het probleem, en dat was nu opgelost.

De volgende avond meldde ze zich zoals gewoonlijk om te chatten.

'Ik heb opeens weer hoop,' schreef ze. 'Misschien ga ik toch wel met die vrouw praten.'

Het ging duidelijk de goede kant op.

'Goed plan,' antwoordde ik. 'En school? Zie je het zitten om weer te gaan?'

'Ik heb nog steeds last van hoofdpijn. En ik weet niet of ik het aankan om Craig te zien. Ik vind hem nog steeds leuk.'

'Is hij nog steeds met Kelly?'

'Dat heeft nog geen twee minuten geduurd. Ik ben al een tijd niet naar school geweest, dus ik weet niet of hij iemand anders heeft. Waarschijnlijk wel. Een mooi, slank meisje, denk ik. Ik weet alleen dat hij niet met mij is. En dat zal ook nooit gebeuren. Het gaat tegenwoordig allemaal om uiterlijk en wat voor kleren je draagt.'

Ik dacht aan haar afgekloven nagels, de te grote kleren, haar magere gezicht en sombere ogen. Als dat zo is, dacht ik, doe je niet erg je best om aan de race mee te doen.

'Hoe gaat het met trainen?' vroeg ik, denkend aan wat ze me had verteld. 'Ben je al superfit?'

'Ik ben het nog aan het opbouwen. Soms sta ik 's nachts op om een kilometer te doen, en druk ik me vijftig keer op. Daarna ga ik terug naar bed.'

Het klopte niet. Als ze zo hard haar best deed om fit te zijn, waarom was ze dan niet het toonbeeld van blakende gezondheid?

'Waarom eis je zoveel van jezelf?' vroeg ik.

'Elke keer dat ze me ziet, pest ze me omdat ik dik ben,' schreef ze terug. 'Dat leer ik haar wel af.'

Ik slaakte een diepe zucht. 'Jade?'

'Ik train zo hard dat mijn hele lichaam er pijn van doet,' ging ze verder. 'Dan voel ik me een tijdje wat beter omdat ik controle heb over mezelf, maar als ik wakker word, is het afschuwelijke gevoel weer terug. Ik heb de hele tijd hoofdpijn en ik voel me slap. Ze geeft me het gevoel dat ik lelijk en waardeloos ben.'

'Je bent niet lelijk en niet waardeloos,' verzekerde ik haar. 'Je hebt een knap gezicht, mooi golvend haar en een prachtig lichaam.'

'Nee, Jade heeft gelijk. Ik ben dik,' protesteerde ze. 'Ik weet het. Maar ik werk eraan.'

'Charlotte, doe je soms aan de lijn? Toen ik je gisteren zag, kreeg ik de indruk dat je bent afgevallen.'

'Ik ben een paar kilo kwijt, maar het is niet genoeg. Ik puil aan alle kanten uit. Ik voel me echt een walvis als ik Jade zie. Ik zorg dat ik maar heel weinig calorieën binnenkrijg en ik train steeds harder. Ik wil net zo slank worden als zij.'

Jade had maat achtendertig. Ik schatte dat Charlotte ongeveer dezelfde maat had gehad, maar nu kon ze niet meer dan een maatje vierendertig hebben. 'Maar je bent veel slanker dan Jade.'

'U hoeft me heus niet te vleien, Mrs. Trevane. Ik heb de spiegel in mijn slaapkamer weggehaald, maar ik weet heel goed dat ik te dik ben. En ik ben niet gewoon dik, ik ben echt moddervet.'

Het had geen zin om met haar in discussie te gaan. Ze had

duidelijk een minderwaardigheidscomplex, en dit hoorde er allemaal bij. De pillen zouden helpen.

'Luister,' zei ik, 'het was heel dapper van je om de eerste stap te zetten en met de huisarts te gaan praten. Maar hoe moet het nu verder? Je kunt niet zomaar ophouden met school. Je moet goed nadenken over wat je wilt. Wil je doorgaan met school en hard werken? Of geef je de brui eraan omdat er een meisje is dat je pest?'

'Ze maakt een hel van mijn leven,' zei Charlotte. 'Als ik thuis ben, heb ik het gevoel dat ik haar aankan. Maar dat is niet zo. Thuis voel ik me veilig. Op school komen alle gevoelens terug, en ik kan er niet tegen. Ik durf ook niet met mijn mentor te gaan praten. Ik ben al eens eerder bij een psychiater geweest, en ik schaam me kapot. Wat kan ik nou zeggen om te verklaren dat ik zo vaak spijbel?'

'Waarom schrijf je hem geen brief?' opperde ik. 'Dan kun je rustig nadenken over de dingen die je wilt zeggen en hoef je je niet aangevallen te voelen. Je kunt alles op je eigen manier uitleggen.'

'Oké, ik zal het proberen. Maar ik ga eerst met die vrouw praten,' zei ze.

De maatschappelijk werkster was een uitkomst. Ze liet Charlotte niet alleen merken dat alles wat ze te zeggen had belangrijk was, ze gaf haar bovendien genoeg zelfvertrouwen om haar mentor te schrijven en uit te leggen dat ze door persoonlijke omstandigheden zo vaak afwezig was. Ze vroeg of het mogelijk was om met hem af te spreken en een inhaalprogramma op te stellen.

Met de huisarts, de maatschappelijk werkster en mij had Charlotte voor het eerst een klein netwerk van mensen die haar steunden, en dat leek een positief effect te hebben. De school zorgde voor bijles, en ze kreeg toestemming om vier dagen per week thuis te werken en alleen op donderdag naar school te gaan. Ik zorgde ervoor om elke woensdagavond met haar te chatten om haar een hart onder de riem te steken en haar aan te moedigen om de volgende dag naar school te gaan.

Dit ging vijf weken zo door. Charlotte werkte thuis heel hard, erop gebrand om de goede cijfers te halen die ze verdiende. Ze verdiepte zich in haar boeken, en aan het einde van de tweede week lukte het haar om twee lange werkstukken in te leveren. Elke dinsdag praatte ze een uur met de maatschappelijk werkster, en om de drie weken had ze een afspraak bij de huisarts.

De donderdagen waren duidelijk moeilijk voor haar. Ik vroeg haar altijd hoe het was geweest, en ook bijvoorbeeld wat ze had gegeten voor de lunch. Ze zei dat ze nooit at op school, omdat Jade dan alleen maar aanmerkingen zou maken.

Het begon me op te vallen dat ze op donderdag altijd maar tien minuten wilde chatten; ze zei telkens dat ze nog wilde gaan hardlopen voordat het donker werd. Het klonk alsof ze steeds dwangmatiger aan het trainen was.

In de zesde week nadat ze terug was gegaan naar school kreeg ik het volgende bericht van haar: 'Ik kan er niet meer tegen.'

'Wat is er? Wat is er gebeurd?' vroeg ik, bang dat het opnieuw met Jade te maken had.

'Het is allemaal mijn schuld. Als ik thuis niet zo vaak ruzie had gemaakt, zou mijn vader nooit zijn weggegaan en was dit nooit gebeurd. Ik wou dat ik dood was.'

Ik wist dat Charlotte haar vader niet meer dan een weekend per maand zag. 'Heeft hij jullie weekend afgezegd of zo?'

'Nee, maar ik ben weggegaan. Ik hield het niet uit. Het is te erg.'

Ik tastte nog steeds volledig in het duister. 'Wat is er dan gebeurd?'

'Hij heeft die teef zwanger gemaakt, meer niet. En ze houden het. En hij wil met haar trouwen. Hij is nog niet eens gescheiden, verdomme.'

'Charlotte, dat is niet jouw schuld. Doe niet zo dom.' Ik probeerde haar moed in te spreken, maar ik had mijn woorden zorgvuldiger moeten kiezen.

'Dom? Zo noemde híj me toen ik wegliep. Dus nu vindt u ook al dat ik dom ben? Nou, misschien ben ik wel dom. Het is dom van me dat ik van streek ben omdat mijn vader wegloopt bij het ene gezin en met een jong ding opnieuw begint, en het was dom van me om te denken dat u in me geloofde. Nu moet ik weg.'

Snel dacht ik na. Het was maandag. Over een uur had ze een afspraak met de huisarts, en de volgende dag zou ze naar de maatschappelijk werkster gaan. Zij moesten in staat zijn om haar te helpen, en ik besloot het aan hen over te laten. Het was beter om Charlotte de ruimte en de tijd te geven om te kalmeren.

De volgende dag had ik mezelf ervan weten te overtuigen dat het zinloos was om me zorgen te maken als er twee professionele hulpverleners voor haar zorgden.

Om zeven uur die avond schreef ze me echter: 'Ik ben een complete loser.'

Ik staarde naar haar woorden. 'Waarom denk je dat?'

'Dokter Turnbull heeft me gewogen. Ze heeft een ingewikkelde digitale weegschaal die zogenaamd heel precies is. Nou, mooi niet. Volgens dat ding weeg ik zevenenveertigeneenhalve kilo, maar ik weet dat ik niet meer dan zevenenveertig kilo weeg. Wat een flutapparaat. Hoe kan ik nou een pond zijn aangekomen, een pónd? Ik weeg echt veel te veel, en toch zegt zij dat ik moet aankomen! Ik ga nooit meer naar haar toe.'

'Charlotte, zevenenveertigeneenhalve kilo! Hoe kun je nou denken dat je te dik bent? Je bent ook nog eens vrij lang, ongeveer een meter vijfenzeventig, dus dan weeg je echt veel te weinig.'

'Niemand begrijpt het,' klaagde ze. 'Ik dacht dat het gemakkelijk voor me zou zijn om af te vallen, maar zelfs dat lukt me niet.'

Nu was ze écht dom bezig, dacht ik bij mezelf. Hoe kon ze denken dat ze dik was, terwijl ze alleen maar in de spiegel hoefde te kijken? Ik besloot over iets anders te beginnen. 'Hoe gaat het met je schoolwerk?'

'Ik heb vandaag een werkstuk teruggekregen, en ik had er maar een acht voor. Ik heb zo hard gewerkt om een tien te krijgen. Alles gaat mis. Kan nu niet langer chatten. Ik heb barstende koppijn en ik moet nog trainen. Dag.'

Na dit gesprek begon onze relatie te veranderen, alsof Charlotte geleidelijk steeds meer in zichzelf gekeerd raakte. Onze chatsessies gingen van een halfuur terug naar twintig minuten en toen naar tien, en uiteindelijk hadden we nog maar twee of drie keer per week contact. Ze wilde niet meer over haar gevoelens praten, klapte dicht en veranderde van onderwerp. Het was alsof ik haar kwijtraakte. Ze ging niet langer op donderdag naar school en raakte geheel geïsoleerd. Haar moeder dronk steeds meer, wat Charlotte het ideale excuus gaf om thuis te blijven, zogenaamd omdat ze voor haar moest zorgen.

Twee maanden later verbrak ze het contact. Ik logde elke avond in en ik stuurde haar e-mails, maar ze gaf geen antwoord. Nadat ik een week niets van haar had gehoord was ik zo bezorgd dat ik haar telefoonnummer opzocht en haar opbelde. Ik moest gewoon weten hoe het met haar was.

'Hallo?'

Het was niet Charlottes stem. 'Mrs. Borman? Mijn naam is Jacky Trevane. Ik heb uw dochter in de klas gehad. Kan ik haar even spreken?'

Om de een of andere reden voelde ik me schuldig. Opeens wist ik waarom. Ik besefte dat Charlotte en ik al die tijd achter de rug van deze vrouw om contact met elkaar hadden gehad. Haar eigen moeder wist niets van mij, en ik had het gevoel dat ik achterbaks was geweest. Nu was het te laat om het uit te leggen, ze zou het nooit begrijpen.

'Ik ben bang van niet. Ze is er niet. Ze is ingestort, en ze moest naar het ziekenhuis. Ze ligt aan een infuus omdat ze niet eet. Het malle kind. Alsof ik geen behoorlijk eten voor haar maak. Er is altijd lekker eten in huis...'

Terwijl ze verder ratelde, begon het me te duizelen. Een infuus? Ze at niet? Ze was ingestort? Dat arme meisje had anorexia! Het was pal onder mijn neus gebeurd, en ik had het niet gezien. Ik was ziende blind geweest. Hoe was het mogelijk dat ik de tekenen niet had herkend? Al dat trainen, de hoofdpijn, de excuses om niet te hoeven eten.

'... Neem me niet kwalijk. Hoe was uw naam ook alweer?'

'Jacky,' antwoordde ik. 'Jacky Trevane. Als u het goed vindt, Mrs. Bornman, wil ik Charlotte graag opzoeken. In welk ziekenhuis ligt ze?'

Ze sliep. Het was hartverscheurend om haar in bed te zien liggen, met haar bleke, uitgemergelde gezicht op het kussen. Ze was zo mager dat haar lichaam nauwelijks zichtbaar was onder het laken. Ik kon wel huilen. Ik keek op haar status aan het voeteneinde van het bed. Gewicht: eenenveertig kilo. Ik ging naast het bed zitten en nam haar benige hand in de mijne. Ze bewoog.

'Hallo, Charlotte,' zei ik met een glimlach. 'Wat moeten we nu met je doen?'

Ze draaide haar gezicht naar me toe en glimlachte flauwtjes terug. 'Het spijt me. Ik kan er niet meer tegen. Ik bezorg iedereen alleen maar problemen.'

'Dat is absoluut niet waar. Maar je bezorgt jezelf wel een hele hoop problemen,' merkte ik op. 'Dat zie je zelf toch ook wel? Je lichaam heeft voedsel nodig om door te kunnen gaan.'

'Ja, maar als ik op de weegschaal ga staan en ik zie dat ik ben afgevallen, geeft me dat een goed gevoel. Ik raak in een roes. Net als met trainen. Erna voel ik me geweldig, net alsof ik in trance ben. Als ik eet, voel ik me altijd schuldig. Daarom ben ik opgehouden met eten. Ik verbrand calorieën door te trainen, en ik zorg dat iedereen denkt dat ik goed eet.' Ze draaide haar hoofd weg en liet haar stem dalen. 'Weet u nog dat ik vertelde dat ik 's nachts opstond om te trainen?'

'Ja, dat weet ik nog.'

'Nou, ik werd wakker omdat ik vreselijke pijn had van de honger. Dan klapte ik helemaal dubbel. Ik had wel een os kunnen eten. Dan ging ik trainen om er niet aan te hoeven denken en mezelf uit te putten zodat ik weer kon slapen.'

'Charlotte, hoor je wat je zegt? Ben je je bewust van wat je zegt? Als je zo doorgaat, eindig je niet in een ziekenhuisbed maar in een doodskist.' Ik verhief mijn stem. 'En ik maak geen grapje, jongedame. Je speelt met je leven.'

Een traan biggelde over haar wang. 'Ik weet het. Maar op dit moment zijn er niet meer dan twee dingen belangrijk in mijn leven: afvallen en sporten. Ik leef in een absolute hel.'

Ik bleef een uur bij haar, en deed mijn uiterste best om haar duidelijk te maken hoe anders alles zou zijn als ze de kracht kon vinden om op een positieve manier met haar leven om te gaan. Toen ik wegging, voelde ik me uitgeput en machteloos. Ik had haar helemaal niet geholpen. Ik beloofde snel terug te komen, ging naar huis en stortte eindelijk mijn hart uit bij Ben, ik vertelde hem het hele verhaal. Het was een lange dag geweest.

Uiteindelijk werd Charlotte ontslagen uit het ziekenhuis. Sindsdien is ze nog twee keer opgenomen geweest. Haar gewicht schommelt tussen ondergewicht en gevaarlijk ondervoed. Nu haar toestand is erkend en bespreekbaar is gemaakt, is haar moeder zo geschrokken dat ze heeft besloten iets aan haar eigen problemen te doen, en ze zet zich inmiddels enorm voor haar dochter in. Charlotte wordt begeleid door het ziekenhuis en hulpverleners, en haar gewicht wordt regelmatig gecontroleerd. Toch lijkt ze tegen de stroom op te roeien: een stap vooruit, twee stappen terug. Ze heeft zich tot mij gewend, en ik heb de signalen verkeerd geïnterpreteerd. Ik heb haar in de kou laten staan.

Onlangs heeft Charlotte me beschreven hoe zij haar leven ziet: 'Ik ga door de hel, mijn leven is een complete nachtmerrie. Het enige verschil is dat ik niet wakker word.'

15

Verlegen meisje

Nadat ik uit Egypte was gevlucht en alle verschrikkingen die ik daar had meegemaakt achter me had gelaten, heb ik een hele tijd nodig gehad om voor mijn twee dochters en mezelf een nieuw leven op te bouwen. Tegenwoordig praat ik bijna nooit meer over de nachtmerries die ik nog steeds heb, over het benauwende gevoel van paniek dat me overvalt als ik aan die verschrikkelijke tijd terugdenk, of over het feit dat ik over mijn schouder blijf kijken. Sterker nog, ik praat er nooit over. Ik leef ermee. Het is een deel van mezelf geworden. Voor een buitenstaander ben ik een doodgewone moeder uit het noorden van Engeland, niet anders dan ieder ander. Ik heb steeds gedacht dat er waarschijnlijk een hele hoop andere 'doodgewone' moeders zijn die het net als ik zwaar hebben gehad en er nooit iets van laten merken. Hoe meer mensen ik spreek, des te meer ik besef dat er overal talloze vrouwen zijn die een 'doodgewoon' leven leiden en hun ellende voor elkaar verborgen houden. Regelmatig gebeurt er iets waardoor ik daaraan word herinnerd.

Niet zo lang geleden hield ik een praatje over mijn boek voor een groep geweldig leuke vrouwen van de huisvrouwenvereniging. Ik kreeg een warm onthaal, en de avond was een doorslaand succes. Een week later werd ik gebeld door Joan, de gastvrouw, om te vragen of ik een keer met haar vriendin Margaret wilde afspreken. Haar dochter had dingen meegemaakt die te vergelijken waren met wat ik in *Fatwa* heb beschreven.

'Ze was niet bij de lezing, maar toen ik jou over je ervaringen hoorde vertellen, moest ik meteen aan Margaret denken,' legde Joan uit. 'Ze heeft me nooit veel over haar dochter verteld, maar ik weet wel dat ze met een islamitische man getrouwd was en een hoop ellende heeft meegemaakt. Na jouw lezing heb ik haar je boek uitgeleend. Ze had het al na een paar dagen uit en belde me meteen op om te vragen of ze je kon ontmoeten. Erg emotioneel allemaal.'

'Geen probleem,' antwoordde ik. 'Wat is haar nummer?'

'Ik geloof dat ze je liever wil ontmoeten.'

Er ging van alles door me heen toen ik hoorde dat Margaret in hetzelfde dorp woonde waar mijn ouders woonden toen ze nog leefden. Het dorp waar ik ben opgegroeid en op school heb gezeten. Het dorp dat ik heb verlaten om te gaan studeren, waarna ik in Zuid-Engeland ben gaan werken, om uiteindelijk voor een leven in Egypte te kiezen. Het dorp waar ik met mijn twee dochters naar ben teruggekeerd.

Nadat mijn Egyptische man een fatwa over me had laten uitspreken, hebben we vier keer onze achternaam veranderd en zijn we vijf keer verhuisd. We wonen al lang niet meer in dat dorp.

Ik belde Margaret op, en we spraken af dat ik naar haar toe zou komen. Het voelde vreemd, bijna beklemmend, om terug te keren naar mijn roots en het verhaal te horen van een ander meisje uit mijn dorp, dat soortgelijke ellende had meegemaakt als ik.

Ik stopte voor de deur, en toen ik het portier afsloot, ging de voordeur open en kwam er een lange vrouw met schouderlang blond haar naar buiten om me te begroeten, elegant gekleed in een flatteuze rok met een vest erop. Hartelijk drukte ze me de hand, en ze stelde zichzelf voor als Margaret.

De woonkamer was smaakvol ingericht, en ik keek uit het raam naar de tuin. Het was een zonnige ochtend, hoewel het nog steeds koud was. De lente zat in de lucht, en de zon scheen op de bank voor het tuinhuis.

'Wat een beeldige tuin,' zei ik glimlachend. Er waren twee niveaus: een schitterend ontworpen terras, en een grasveld met een rotspartij en her en der planten in potten. Aan de zijkant stond een tuinhuis, op het zuiden, met een majestueuze boom ernaast.

'Andrew en ik zijn er erg blij mee.' Margaret kwam naast me staan voor het raam. 'We hebben er veel tijd in gestoken om alles precies zo te krijgen als we het hebben willen. We zijn hier pas verleden jaar september komen wonen, dus we hebben in zeven maanden al veel bereikt.'

Met een zucht draaide ze zich om. Ze was een gracieuze vrouw van in de zestig, en had een zachte stem, maar met een doortastende ondertoon. Ze liep naar een van de kolossaal grote bruine banken en ging zitten. Verwachtingsvol ging ik tegenover haar zitten.

'Heel erg bedankt dat je bent gekomen,' begon ze. 'Je boek raakte een gevoelige snaar bij me. Ik heb het in een paar dagen gelezen, en eerlijk gezegd zijn sommige scènes die je beschrijft precies zoals ik me het leven van mijn dochter had voorgesteld. Ik heb die pagina's eindeloos herlezen, eerst met een brok in mijn keel en toen hardop huilend. In al die jaren heb ik niemand ooit het hele verhaal verteld. Ik heb het altijd diep weggestopt, hier.' Ze klopte op haar borst. 'Het was zo vreselijk dat ik dacht dat niemand me zou geloven of me echt zou begrijpen. Totdat ik je boek las. Jij wordt de eerste in dertig jaar tijd die het hele verhaal te horen krijgt.

Nicola was achttien toen ze hem leerde kennen. Dat moet in 1975 zijn geweest. Ze had haar diploma als kapster en schoonheidsspecialiste gehaald en werkte in een kapsalon hier in de buurt. Ze wilde de cursus voor het knippen van heren volgen om uiteindelijk haar eigen salon te kunnen beginnen, voor dames en heren, dus schreef ze zich in. Karim was het model waar ze op oefende. In die tijd woonde ze nog thuis bij ons en onze drie andere dochters, van vijftien, dertien en elf.

Ze zagen elkaar vaak, al vertelde ze ons niets over hem. We wisten niet eens dat hij bestond, of dat ze een vaste vriend had. Als ze uitging, zei ze altijd dat ze met vriendinnen had afgesproken. Ze gedroeg zich keurig, was altijd op een nette tijd thuis. We hadden geen enkele reden om te vermoeden dat ze iets voor ons verborgen hield.'

Margaret zweeg en perste haar lippen op elkaar alsof de herinnering te pijnlijk voor haar was. Ik deed er het zwijgen toe om haar concentratie niet te verbreken. Met een zucht ging ze verder. 'Mijn man en ik gaven allebei les op de academie waar ze studeerde, en we kenden de meeste docenten. We waren bevriend met de man die verantwoordelijk was voor de buitenlandse studenten, Bob – hij zorgde voor hun integratie op school, dat ze naar de lessen gingen et cetera.

Op een avond belde hij ons op, als vriend, begrijp me goed,' voegde ze eraan toe, 'en hij vertelde dat hij het een beetje zorgelijk vond dat Nicola vaak samen was met Karim, dat ze elkaar in het openbaar zoenden en duidelijk een relatie met elkaar hadden. Het verbaasde me dit te horen omdat Nicky ons niet had verteld dat ze een vaste vriend had, maar op zich vond ik het geen reden om me zorgen te maken. Ik probeerde Bob gerust te stellen, maar toen zei hij iets wat alles veranderde. Karim was een student uit Libië en getrouwd met een Engels meisje, dat in verwachting was van hun eerste kind.

Die dag hebben we Nicky voor het blok gezet, maar ze veegde al onze bezwaren onder het tapijt. Ja, ze had verkering met een student uit Libië, maar hij heette geen Karim, zijn naam was Magdi. En nee, hij was niet getrouwd, dus we hoefden ons nergens zorgen om te maken.'

Margaret huiverde. 'We geloofden haar uiteraard. Het is gemakkelijk om iets te geloven als het alternatief onaangenaam is. We namen aan dat Bob zich had vergist en dachten er verder niet meer over na. Een paar weken later belde Bob opnieuw, en hij verwoordde dezelfde zorgen. Hij wist zeker dat Nicky iets met Karim had, niet met Magdi. Hij kende niet eens een student die Magdi heette. Hij gaf ons Karims volledige naam, en het adres waar hij met zijn vrouw woonde. We hebben hem bedankt en gezegd dat we nog een keer met Nicky zouden gaan praten. Meer konden we niet doen.

Toen Nicky die avond uitging, vroeg Andrew waar ze naartoe ging,' vervolgde Margaret. 'Ze zei dat ze naar de King's Head ging om met Magdi te eten, en we wensten haar glimlachend een prettige avond. Zodra ze weg was, kleedden wij ons om en gingen we naar hen op zoek. Ik trilde als een espenblad, zo nerveus was ik. Andrew nam de leiding. Hij beende naar hun tafeltje en zonder zichzelf voor te stellen beschuldigde hij Magdi ervan een bedrieger te zijn. Hij noemde Karims volledige naam en adres, en zei erbij dat hij een zwangere vrouw had.' Er rolde een traan over haar wang.

'En toen?' moedigde ik haar aan.

'Het ging allemaal heel anders dan ik had gedacht,' zei ze terwijl ze haar tranen droogde. 'Nicky keek totaal niet geschokt, alleen gegeneerd. Ze liet haar hoofd hangen en zei niets. Het begon me te dagen dat ze het al die tijd geweten moest hebben. Karim wachtte totdat Andrew was uitgeraasd, glimlachte, en stond op om hem een hand te geven. Hij was charmant. Zó charmant! Onberispelijk gekleed. Razend knap om te zien. Hij sprak vloeiend Engels, zonder accent. Ik begreep meteen waarom Nicky op hem viel. Hij haalde ons over om bij hen te komen zitten, en binnen een halfuur had hij ons ervan overtuigd dat hij al vijf maanden niet meer bij zijn vrouw woonde, dat hij van Nicky hield en dat hij onze gevoelens niet wilde kwetsen.

162

Het lijkt nu zo onwaarschijnlijk,' voegde ze eraan toe, 'maar op dat moment was hij volkomen geloofwaardig en overtuigend. We dropen met de staart tussen de benen af.

Zo is het allemaal begonnen,' ging ze zuchtend verder. 'Thuis begonnen me kleine dingen op te vallen die net niet helemaal klopten: de waterkoker was warm als we terugkwamen van ons werk, of ik durfde te zweren dat een stoel was verplaatst of een handdoek ergens anders hing. Karim bleek Nicky's sleutel te gebruiken om zichzelf binnen te laten in ons huis nadat wij allemaal naar ons werk waren gegaan. Hij was er de hele dag en ging weg voordat we thuiskwamen. Toen dat uitkwam, waren we daar natuurlijk niet gelukkig mee. Maar Nicky verdedigde Karim, zei dat hij nergens anders naartoe kon. Het leek haar te ontgaan dat hij overdag weliswaar in ons huis zat, maar dat hij 's nachts nog steeds bij zijn zwangere vrouw sliep.

Hoe dan ook, na een tijdje kondigde Nicky aan dat ze het huis uit ging en met Karim ging samenwonen, in een stad vijftig kilometer bij ons vandaan, waar de huizen goedkoper waren. Het plan was om een eigen salon te openen en daar in de buurt een huis te zoeken. Uiteindelijk vonden ze een salon met woonruimte erboven, en dat werd het.' Ze keek me aan en ging iets luider praten. 'Is het niet onvoorstelbaar? Deze "geweldige" man op wie mijn dochter verliefd was, ging weg uit zijn eigen huis op de dag dat zijn vrouw weeën kreeg! Geweldig, vind je niet?' zei ze, haar stem druipend van sarcasme. 'Wie doet er nou zoiets?'

'Vreselijk,' beaamde ik.

'Ik probeerde met haar te praten, probeerde haar duidelijk te maken dat die man een meedogenloze kant had. Als hij zo geweldig was, betoogde ik, waarom was hij dan zo gevoelloos dat hij zijn vrouw in de steek liet op het moment dat ze zijn eerste kind baarde? Hij was egoïstisch, zei ik. "Op dit moment wil hij jou, Nicky, en daarom laat hij zich van zijn beste kant zien. Maar wat gebeurt er als hij genoeg van je heeft en iemand anders wil?"' Handenwringend viel ze stil. 'Uiteraard wilde ze niet naar me luisteren. Ze lachte me zelfs uit en zei dat het dom van me was om me zorgen te maken. Een week later ging ze het huis uit.'

'Dat moet een emotioneel moment voor je zijn geweest,' zei ik.

'Heel erg emotioneel. Maar Nicky was vastbesloten. En ze was er heilig van overtuigd dat Karim en zij altijd samen zouden blijven. Hij was de ware, zei ze. Haar grote liefde. Ze was tot over haar oren verliefd.'

Margaret staarde naar buiten. Ik had een brok in mijn keel. Het was alsof ze mijn eigen moeder was, die verloren in de verte staarde. Ik dacht terug aan de dag dat ik mijn eigen ouders had verteld dat ik mijn grote liefde had gevonden en bij hem zou gaan wonen. Wat ze ook zeiden, hoe redelijk hun bezwaren ook waren, ik had overal een antwoord op. Net als Nicky. Hij was de ware. Mijn besluit stond vast, en ze konden me op geen enkele manier op andere gedachten brengen.

Nu pas, toen ik op die stralende lenteochtend in Margarets woonkamer zat en het verdriet op haar gezicht zag toen ze herinneringen ophaalde, kon ik eindelijk zien hoe diep verdrietig en verward mijn eigen ouders moesten zijn geweest. Destijds was dat totaal niet tot me doorgedrongen; ik was te verblind door hartstocht en te vervuld van mijn eigen toekomst om aan hun gevoelens te kunnen denken. Nu zag ik hoe Margaret en Andrew zich gevoeld moesten hebben. Wanhopig. Machteloos. Hulpeloos.

Ik voelde me ellendig. Ik verlangde ernaar om mijn ouders te omhelzen en ze te vertellen dat ik ze eindelijk begreep. Maar dat kon natuurlijk niet. Ze zijn er niet meer. Voor mij kwam het besef te laat.

Maar voor Margaret en Andrew moest het toch anders zijn?

Nicky verhuisde immers naar een stad in de buurt, en alle kinderen verlaten op een gegeven moment het ouderlijke huis. Ze was niet met hem meegegaan naar Libië of zo, het was niet meer dan een uur rijden naar haar huis. Waarom was ze dan zo droevig?

'Mijn ouders zijn door de hel gegaan toen ik naar Egypte ging,' vertelde ik. 'In die tijd dacht ik niet na over hun gevoelens, maar jij hebt me nu laten zien hoe erg het voor ze moet zijn geweest.'

Margaret was heel ver weg, geheel in gedachten verzonken. Mijn woorden wekten haar uit haar mijmeringen. Ze glimlachte wrang. 'Je hebt geen idee,' antwoordde ze. 'Op de dag dat onze dochter het huis uit ging, zijn we haar kwijtgeraakt. Ze was smoorverliefd op Karim, en ze werkte dag en nacht. Na sluitingstijd kwamen er vaak Libische vrouwen naar de salon om hun haar of nagels te laten doen. Ze was heel goed in manicures en pedicures.

We hadden niet veel contact met elkaar. Karim vond het niet prettig dat ze veel met ons omging, maar als we hen zagen, was hij nog steeds even charmant. Dan stond hij erop om voor ons te koken en kregen we allemaal lekkere dingen voorgeschoteld, echt een feestmaal. Hij was altijd even respectvol en beleefd, babbelde alsof hij het enorm gezellig vond dat we er waren. Maar ik kreeg nooit de kans om met Nicky alleen te zijn, om samen te gaan winkelen of te lunchen of een kop koffie te drinken. Ze was altijd aan het werk, of híj was er om alles in de gaten te houden. Zelfs met Kerstmis zagen we ze niet meer dan een paar uurtjes.'

'Als Nicky de hele tijd werkte, wat deed hij dan?' vroeg ik gefascineerd.

'Geen idee,' zei Margaret. 'Hij volgde een technische opleiding ergens in het noorden, maar hij leek nooit iets uit te voeren voor zijn studie. Vaak ging hij een paar dagen weg, voor "zaken" of wat dan ook. Hij vertelde nooit precies wat hij deed, en we hebben het nooit geweten. Nicky weigerde erover te praten, zelfs als hij er niet was. Ze wilde geen kwaad woord over hem horen. Wij kregen de indruk dat hij geen spat uitvoerde.

Zo ging het jaren achter elkaar,' vervolgde Margaret. 'De salon liep goed, en ze kochten drie rijtjeshuizen. Het was de bedoeling dat mijn vader, die aannemer was, en Karim de huizen zouden opknappen, om ze dan te kunnen verhuren. In werkelijkheid deed mijn vader negentig procent van het werk, terwijl Karim zich met mooie praatjes overal aan onttrok en nooit een wezenlijke bijdrage leverde. Ze kochten een beeldig huis, en verhuurden de verdieping boven de salon. Ondanks onze bedenkingen over Karim waren we heel erg trots op Nicky en alles wat ze had weten te bereiken. Ze had kapsters en een manager voor de salon in dienst, hoewel ze er zelf ook bleef werken.'

Ik dacht aan mijn eigen situatie in Egypte. Er kwamen bepaalde overeenkomsten boven water. Het was vreemd, maar mijn man, Omar, had ook altijd een beetje van dit en een beetje van dat gedaan om geld te verdienen, terwijl vrijwel alles wat we bezaten was betaald van mijn vaste inkomen en de privélessen die ik in de avonduren gaf.

'Zijn ze ooit getrouwd?' vroeg ik.

'Uiteindelijk wel, ja. Ze waren al tien jaar samen toen Nicky me vertelde dat ze zich tot de islam ging bekeren en een hoofddoek zou gaan dragen, en dat ze in een moskee met Karim ging trouwen. Wij zijn christelijk, en zo hebben we Nicky ook opgevoed. We waren het er niet mee eens. Ik smeekte haar om er nog eens goed over na te denken en gewoon voor de burgerlijke stand te trouwen. Het was voor het eerst in jaren dat ik ongezouten mijn mening gaf, en ogenschijnlijk had dat het gewenste effect. Ze stemden erin toe om hier in het gemeentehuis te trouwen. We waren dolblij.'

'Dat kan ik me voorstellen,' zei ik lachend. 'Ik heb geen woord begrepen van mijn eigen huwelijksceremonie. Het was allemaal abracadabra voor me.'

'Het was een leuke dag,' vertelde Margaret. 'Het rare was alleen dat er niemand was voor Karim. Geen familie, niet één enkele vriend. Later ontdekten we dat hij er niemand iets over had verteld. Een maand later gingen ze naar Londen, zonder dat wij het wisten, en daar zijn ze op islamitische wijze getrouwd. Wij waren niet uitgenodigd. Zijn hele familie kwam ervoor over, en er was een groot feest. Zij wisten niet beter dan dat hun dierbare zoon voor het eerst trouwde. Wat was hij geslepen, die Karim. Zijn eerste vrouw heette ook Nicky, en zo wist hij lastige vragen te omzeilen. Is het niet toevallig?'

Margaret huiverde. 'Hoe dan ook, wij hadden gedacht dat we onze dochter kwijt waren geraakt op de dag dat ze het huis uit ging, maar we raakten haar pas echt kwijt toen ze met Karim trouwde. Hij veranderde van de ene dag op de andere, en zij ook.'

Waarom ben ik niet verbaasd, dacht ik bij mezelf. Charmant als het meisje veroverd moet worden, totdat de ring aan de vinger gaat. Dan ben je van hem. 'Wat gebeurde er?' vroeg ik.

'Om te beginnen bekeerde Nicky zich tot de islam. Ze droeg lange rokken en altijd een hoofddoek. Opeens had ze het te druk om me te zien, of we spraken af dat ik naar haar toe zou komen en dan zegde ze het af. Het moet een halfjaar na haar trouwen zijn geweest dat ik haar voor het eerst weer zag. Meestal begroette ze me bij de deur met een glimlach en een omhelzing. Dit keer stond Karim me op te wachten, en hij liet me snel binnen. Nicky zat zwijgend op me te wachten in de huiskamer. Ik was geschokt over de verandering die ze had ondergaan. Haar hoofd was gebogen, ze praatte alleen als Karim iets tegen haar zei en ze leek niet goed te weten wat ze tegen mij moest zeggen. Het contrast tussen haar en Karim was

167

enorm; hij was even innemend en geestig en gezellig als altijd. Hij vertelde me van hun islamitische bruiloft en Nicky's bekering tot de islam, niet zij. Voor mij was het te veel om het te kunnen bevatten. Ik raakte compleet in de war, vooral toen hij me trots een aantal trouwfoto's liet zien en geanimeerd het feest beschreef – het had een lang weekend geduurd, en kosten noch moeite waren gespaard.

Ze heette niet langer Nicky maar Amal, vertelde hij me. Ik was ontzet en keek vragend naar Nicky. Nu moest ze toch zeker een gebaar maken en uitleg geven? Ze zei niets. Haar ogen bleven voortdurend op Karim gericht terwijl hij door de kamer liep, ze keek hem bewonderend aan als hij iets zei en knikte dan instemmend. Als ze mij aankeek, was haar blik nietszeggend, de innerlijke glimlach was weg. Ik probeerde mijn armen om haar heen te slaan, maar ze duwde me weg en draaide zich om. Ik wilde niets liever dan vragen wat er met haar was gebeurd, maar dat ging niet met Karim die in mijn nek hijgde. Op een gegeven moment zag ik mijn kans schoon en fluisterde ik in haar oor dat ik langs zou komen in de kapsalon, maar ze reageerde niet eens. Toen ik wegging, werd ik door Karim geescorteerd, en vertelde hij me trots dat mijn dochter vijf maanden zwanger was. Ik kreeg niet de kans om iets tegen Nicky te zeggen, want hij had me al de deur uit gewerkt.

Daarna was ik niet langer welkom bij hen thuis. Als reden gaf hij op dat ik geen hoofddoek of lange rokken droeg, en dat was onfatsoenlijk. Hij zei dat het vanwege zijn geloof was, maar ik weet dat hij dat alleen als excuus gebruikte. Islamitische families mogen toch zeker met andersgelovigen omgaan, of niet soms?'

'Natuurlijk mag dat,' beaamde ik. 'In principe is de islam een prachtig geloof, zolang er maar op een respectvolle en rationele manier mee wordt omgegaan.'

Margaret reageerde verbaasd. 'Ik dacht dat je een hekel had

aan moslims. In je boek beschrijf je alle dingen die je man je heeft aangedaan, en hij was een moslim.'

'Mijn verhaal was een persoonlijke ervaring,' legde ik uit, 'niet meer en niet minder. Omar was een egoïstische man die zijn geloof manipuleerde en het gebruikte om mij te mishandelen. Dat is niet de schuld van het geloof, het was zíjn schuld. Het grappige is dat ik de Bijbel nooit helemaal heb gelezen, maar de Koran wel. Ik kreeg een Engelse vertaling toen ik me bekeerde, een enorme pil, en ik heb er eindeloze uren in gelezen. De Koran is inspirerend, en ik heb inmiddels islamitische echtparen ontmoet die een geweldig voorbeeld zijn van de ware betekenis van de islam. Aan de andere kant is het beangstigend dat er een hele hoop Omars zijn, die hun vrouw volkomen in hun macht hebben en hen regelmatig slaan onder het voorwendsel dat ze hebben gezondigd of ongehoorzaam zijn geweest, dingen die zogenaamd in strijd zijn met de leer van de Koran. Het is gewoon niet waar; in de Koran staat nergens dat een man de baas is over zijn vrouw en haar kan slaan, terwijl het helaas aan de orde van de dag is en ze ongestraft hun gang kunnen gaan.'

'Hij heeft haar ongestraft kunnen vermoorden,' fluisterde ze.

Ik boog me naar voren. 'Sorry, Margaret, ik verstond je niet goed. Wat zei je?'

Ze gaf geen antwoord, ging in plaats daarvan verder met haar verhaal. 'Ik wist me geen raad, en Andrew net zomin. Andrew wist dat het zinloos zou zijn om Karim ter verantwoording te roepen, hij had altijd op alles een antwoord, maar we lieten ons niet langer door zijn glimlachjes en holle verklaringen bedotten. Sloeg hij haar? We moesten proberen contact met Nicky te krijgen en achter de waarheid te komen.

Ik besloot naar de kapsalon te gaan. Toen ik binnenkwam, was ze iemand aan het knippen en ze weigerde tijd vrij te maken om met me te praten. Zelfs met haar lange wijde kleren kon ik zien dat ze was afgevallen en pijnlijk mager was. Ze smeekte me om weg te gaan, en ik had me al bijna gewonnen gegeven, maar opeens laaide al mijn boosheid en frustratie op. Ik pakte haar arm beet en siste in haar oor: "Er klopt iets niet, Nicky, en ik wil weten wat er aan de hand is." Ik trilde van woede, maar ze maakte zich alleen los uit mijn greep, met als antwoord: "Ik heet Amal."

We konden niets doen. Helemaal niets. Ik was mijn dochter kwijt.'

Met een hand veegde ze de tranen uit haar ogen, en ze stond op om zakdoekjes te halen. 'In de jaren daarna zagen we ze bijna nooit. Het brak mijn hart. Nicky beviel van een zoontje, Mahmoud, en anderhalf jaar later kreeg ze een dochter, Latifa. In vier jaar tijd moeten we ze hooguit een paar keer hebben gezien. Schattige kinderen, maar ze kenden ons niet als opa en oma. Nicky was dol op haar kinderen en ze bleef lange dagen maken. Toch kwam ze nooit bij ons langs met de kinderen. Ik wilde ze graag zien, maar alles wat ik probeerde was tevergeefs. Nicky nam geen contact met ons op, ze belde niet eens om hallo te zeggen of zo.

Het moet een jaar of drie na hun trouwen zijn geweest dat ze verhuisden naar een flat in het noorden, waar Karim terugging naar de universiteit om zijn studie weer op te pikken. Hij raakte in de problemen omdat hij te laat was met het inleveren van zijn opdrachten, en zag er geen been in om mij te bellen met het verzoek om met zijn mentor te gaan praten en uitstel te vragen. Ik weet dat het onvoorstelbaar klinkt nu we hier zo zitten,' zei ze, 'maar hij was zo beleefd en kwam met zulke plausibele argumenten dat ik erin toestemde om helemaal naar het noorden te komen om te zien wat ik kon doen. Hij vertelde dat Nicky er niet zo best aan toe was en veel zorg nodig had. Het verzoek betekende natuurlijk ook dat ik de kans zou krijgen om mijn dochter en kleinkinderen een paar dagen te zien, dus ik was blij met het excuus om naar ze toe te gaan. Het was heerlijk om ze te zien. Ik deed wat ik had beloofd, ging met Karims mentor praten, en ik wist hem over te halen om Karim langer de tijd te geven door uit te leggen dat hij vanwege Nicky's toestand niet genoeg had kunnen doen.

Karim had gelijk; Nicky was onrustig en nerveus, en ze wilde de deur niet uit. Ze vertelde me een aantal vreemde dingen, die ik destijds aan haar verbeelding toeschreef. Ze beweerde dat Karim haar gek probeerde te maken door haar te laten denken dat zijn overleden vader haar elke nacht bezocht en in een lang wit gewaad aan het voeteneinde van het bed stond. Ze zei ook dat ze door drie mannen wreed was verkracht terwijl Karim toekeek. Het moest gewoon fantasie van haar zijn, het klonk te onwaarschijnlijk.

Het viel me wel op dat Karims toon veranderde als hij tegen haar praatte; hij commandeerde haar, blafte de hele tijd nare opmerkingen tegen haar, hoewel hij tegen mij niet vriendelijker had kunnen zijn. Ze onderwierp zich, liet nooit een protest horen. Elke dag werd hij wel om de een of andere reden kwaad op haar, en vaak bracht hij de kinderen ter sprake. Hij dreigde ze bij haar weg te halen als ze geen goede moeder voor hen kon zijn. Daarmee had hij Nicky totaal in zijn macht. Ze was doodsbang dat ze de kinderen kwijt zou raken. Ze had van die lange rekverbanden, en die wikkelde ze 's nachts rond zichzelf en dan rond de kinderen, zodat ze aan elkaar vastgebonden waren. Anders kon ze niet slapen, zo bang was ze dat Karim de kinderen mee zou nemen zonder dat ze het merkte.'

Margaret zuchtte. 'Mentaal balanceerde ze op het randje. 's Nachts gilde ze in haar slaap. Ik had het er heel moeilijk mee. De eerste nacht ben ik naar haar kamer gegaan en bij haar op bed blijven liggen totdat Karim kwam slapen. Hij had de pest in toen hij me zag, dus besloot ik daarna op mijn eigen kamer te blijven. De nacht erna ging ik naar de wc toen ik Karim stilletjes de trap op zag komen, gehuld in een lang wit laken. Nicky had het zich dus niet verbeeld, besefte ik. Ik ben woest op hem geworden, heb hem ervan beschuldigd dat hij Nicky krankzinnig probeerde te maken, maar hij lachte me recht in mijn gezicht uit.

De volgende dag heb ik met Nicky gepraat, geprobeerd duidelijk te maken hoe ongezond haar relatie met Karim was en haar gesmeekt om bij hem weg te gaan, maar ze wilde er niet van horen. Het was pijnlijk duidelijk dat ze me weg wilde hebben.

Ik besloot Andrew te bellen en te vragen of hij me van de trein wilde halen. Ze hadden thuis geen telefoon, en er waren in die tijd nog geen mobiele telefoons, dus ik moest uit een telefooncel bellen. Het weer was omgeslagen, en omdat ik alleen een dun jasje bij me had, leende ik Nicky's dikke zwarte overjas. Toen ik naar de dichtstbijzijnde telefooncel liep, stopte er een witte bestelwagen langs de stoeprand. Vanuit mijn ooghoeken zag ik drie mannen naar me gluren. Ze vroegen of ik het lekker had gevonden en zeiden dat ze binnenkort terug zouden komen voor een tweede portie. Toen ik me naar de auto omdraaide, zagen ze dat ik Nicky niet was. De bestuurder gaf gas en ze scheurden weg. Twee van de mannen waren blank, de derde was zwart. Trillend op mijn benen belde ik Andrew, en ik ging terug naar de flat. Daar vroeg ik Nicky naar de bestelwagen. Die was van de buren, zei ze. Drie mannen. De drie mannen die haar hadden verkracht. Toen ik het haar een tweede keer hoorde vertellen, besefte ik vol afschuw dat ze wel degelijk de waarheid had verteld.

Ik moest iets doen. Ik wist dat het geen enkele zin zou hebben om kwaad te worden op Karim, dus koos ik voor een andere aanpak. Het was beter voor hem als ik Nicky en de kinderen mee terugnam naar hun huis bij ons in de buurt, zodat hij zich op zijn studie kon concentreren. Op die manier zou hij veel sneller klaar zijn, betoogde ik, dus dan was hij des te eer-

172

der weer thuis. Hij zag in dat ik gelijk had, dus gingen we de volgende dag met zijn allen terug. Ik vroeg naar wat ze allemaal had doorstaan, maar ze klapte weer helemaal dicht en wilde dat ik wegging. Zonder medewerking van haar kon ik verder niets meer doen.

Ook nu belde ze ons nooit op, ze kwam niet langs en ze nodigde ons nooit bij haar thuis uit,' vervolgde Margaret triest. 'Karim kwam terug, en er heerste stilte. Op een dag besloot ik het erop te wagen en naar hun huis te gaan om te zien of Karim me weg zou sturen of me juist vriendelijk binnen zou vragen. Dan kon ik Nicky in elk geval even zien. Ik nam een tas met eten en lekkers mee. Er was niemand thuis, dus liet ik het eten achter bij de achterdeur. Een week later ging ik terug, en het eten stond nog op dezelfde plek waar ik het had neergezet. Gelukkig kon een van de buren me vertellen dat ze voor twee maanden met vakantie naar Libië waren. Ik was er kapot van dat ze niet eens de moeite had genomen om me even te bellen en te vertellen dat ze weg zou gaan. Het was net een nare droom.

Het begon me allemaal te veel te worden,' vertelde ze verder. 'Ik ging die week weer aan het werk, ziek van bezorgdheid om Nicky, en ik had het razend druk. Ik had het op me genomen om de catering te verzorgen voor een grote liefdadigheidsbijeenkomst, en dat moest ik 's avonds doen, na een hele dag werken. Tijdens de zenuwslopende voorbereidingen kreeg ik pijn. Ik begon hevig te zweten, en uiteindelijk kon ik niet meer en moest ik gaan zitten. Op dat moment wist ik het niet, maar het was een zware hartaanval. Toen de pijn ondraaglijk werd, belde ik Andrew, en die heeft me direct naar het ziekenhuis gebracht. Ik heb drie weken in het ziekenhuis gelegen, en daarna heb ik mijn baan als docent opgezegd. Andrew heeft me enorm gesteund. Ik zou niet weten wat ik zonder hem had moeten doen.

Ik bleef er bij Andrew op aandringen dat hij naar Nicky's huis zou gaan om te zien of ze al terug waren uit Libië, maar hij vond het onverantwoord dat ik weer met die situatie te maken zou krijgen en stond erop dat ik eerst volledig zou herstellen. Hij heeft me drie maanden laten wachten voordat hij naar hun huis is gegaan. Dit keer was het leeg. Letterlijk. Het was duidelijk dat er niemand woonde. Ik begreep er niets van. We gingen naar de kapsalon, waar ik te horen kreeg dat "Amal" nu weer op de verdieping erboven woonde. Ik ging een eindje naar achteren en keek omhoog naar de woning, en ik zag Nicky voor het raam staan. Toen ze me zag, verdween ze haastig uit het zicht. Ik belde eindeloos aan, maar ze deed niet open. Uiteindelijk deed ze het raam open, en ze schold me uit voor alles wat mooi en lelijk is. Ik staarde ontzet omhoog terwijl ze haar scheldkanonnade over me uitstortte. Ze was een vreemde voor me, niet langer mijn rustige, liefhebbende dochter. Ze had nog nooit van haar leven gevloekt, en nu gilde ze met een van woede vertrokken gezicht de vreselijkste dingen naar me, dat ze me haatte, dat ik weg moest gaan en nooit meer terug mocht komen. Ik kon niet weggaan. Als aan de grond genageld bleef ik staan, huilend en over mijn toeren, zonder dat ik wist wat ik moest zeggen of doen. Ze verdween, en even hoopte ik dat ze tot bedaren was gekomen en me binnen zou laten. In plaats daarvan kwam ze terug, nog steeds scheldend, en dit keer had ze een ketel kokend water meegenomen die ze over me uitgoot.'

'Jezus, heb je je gebrand?' vroeg ik.

'Nee. Zodra ik besefte wat ze van plan was, ging ik instinctief achteruit,' zei Margaret. 'Ik kreeg alleen een paar druppels op mijn hoofd. Het viel wel mee. Ik kon alleen niet geloven dat het gebeurde.'

Ze keek op haar horloge. 'Ik praat je de oren van het hoofd. Tijd om koffie te zetten.'

Ze stond op en liep naar de hal, en kwam even later terug met twee foto's in zilveren lijstjes. Die gaf ze aan mij. 'Dit is Nicky, en dit zijn haar kinderen,' zei ze, waarna ze naar de keuken ging.

Ik bekeek de grootste foto en zag een ranke schoonheid met ravenzwart haar en donkerbruine ogen. Nicky was werkelijk adembenemend mooi. Ze had dik, glanzend haar tot aan haar middel, en ondeugend lachende ogen in een teer, hartvormig en glimlachend gezicht.

Ik besefte dat ik had aangenomen dat ze blond zou zijn, want Margaret was zelf blond, en bovendien wist ik dat Arabische mannen het liefst met een blonde vrouw willen pronken. Terwijl Margaret me haar verhaal vertelde, had ik me een beeld gevormd van een magere, zorgelijke vrouw die er ouder uitzag dan haar jaren, met onverzorgd blond haar in een paardenstaart. Het meisje op deze foto was echter onberispelijk opgemaakt, zelfverzekerd en stralend; ze had een filmster in een glossy kunnen zijn. Het was duidelijk een foto van een jongere Nicky, uit de tijd voor haar beproevingen met Karim.

Op de kleinere foto stonden twee lachende kinderen op een strand. Margarets kleinkinderen, Mahmoud en Latifa. Zo te zien waren ze ongeveer zeven en vijf.

Toen Margaret terugkwam met koffie en cake, hield ik de grote foto omhoog. 'Wat is Nicky ongelooflijk mooi.'

De tranen sprongen haar in de ogen toen Margaret de foto's weer van me aanpakte en terugzette op het tafeltje in de gang. 'Ja, ze was mooi,' zei ze zacht. 'Dit is de beste foto die er ooit van haar is genomen.'

Thuis heb ik een foto van mezelf, die ook op een tafeltje in de gang staat. Hij is genomen door een schoolfotograaf toen ik lesgaf in Cairo. Ik was ongesluierd, en de foto's werden buiten genomen. De fotograaf had een goed oog voor het juiste licht, en de zon scheen op mijn blonde haar, zodat het prachtig

175

glansde, en hij wist een uitstraling van zelfvertrouwen en rust op mijn gezicht te vangen. In die tijd was Leila, mijn eerste kind, nog een baby – ik gaf haar nog borstvoeding en moest de kinderen in mijn klas onder de hoede van een schoonmaakster achterlaten als ze honger had. Dit was in het begin van mijn nieuwe leven als echtgenote en moeder, toen ik nog heel erg mijn best deed om alles goed te doen. We waren net naar onze eigen flat verhuisd, en ik was nog stapelverliefd op Omar en vol optimisme over onze toekomst. Doorgaans ben ik niet fotogeniek, maar op die foto zie ik er stralend uit; wrang genoeg is het de beste foto die ooit van mij is genomen, ervoor of erna – net als die van Nicky.

We dronken koffie en aten cake, zonder veel te zeggen. Ik voelde dat het veel van Margaret vergde om zo openhartig te zijn, en wilde haar niet opjutten. Ik begreep dat Nicky geobsedeerd was geweest van Karim, en was me ervan bewust dat Margaret dat besefte. Als ze haar hele verhaal had verteld, zou ze een enorm gevoel van opluchting ervaren, daarvan was ik overtuigd.

'Ik heb niet veel foto's van de kinderen,' zei Margaret. 'Zoals ik al zei, we zagen ze niet vaak. Karim leek dol te zijn op Mahmoed, maar we hebben jaren later begrepen dat hij niet bepaald blij was toen Latifa werd geboren.'

Ik knikte begrijpend. 'Hij wilde nog een zoon.'

'Precies. Later heeft hij zich er overheen gezet. Hij had immers nog een kind bij zijn eerste vrouw. Dat was een jongen.'

Die was ik straal vergeten. 'Ziet hij hem vaak?' vroeg ik.

Ze schudde haar hoofd. 'Hij heeft nooit veel met hem te maken gehad. Justitie heeft hem op moeten sporen vanwege de alimentatie. Hij wilde geen cent betalen voor zijn eigen zoon. Onvoorstelbaar.'

'Waarom zijn ze weer in de woning boven de kapsalon gaan wonen?' vroeg ik ongeduldig.

'Dat zijn we later pas aan de weet gekomen,' antwoordde ze. 'Maar wacht, ik wil je alles in chronologische volgorde vertellen. In die tijd wisten Andrew en ik alleen dat hun huis leegstond. We zijn naar de drie rijtjeshuizen gegaan die ze verhuurden, en daar bleken nieuwe eigenaars te wonen. Het was een raadsel, en we hadden geen idee hoe we het moesten oplossen.'

'Wat hebben jullie gedaan?'

'De kinderen gingen allebei naar de plaatselijke basisschool. We wisten dat Nicky ze elke ochtend bracht en elke middag weer ophaalde. Op een dag ben ik erheen gegaan om haar te vragen wat er allemaal aan de hand was. Eerst wilde ze niet met me praten. Ze gaf de kinderen een kus en liep haastig weg, deed alsof ze me niet hoorde roepen. Ik hield vol, en ging elke ochtend naar de school. Ze gilde naar me dat ik haar met rust moest laten, maar ik bleef komen en smeken. Op een dag bleef ze eindelijk bij het hek staan, en ze keek de kinderen na terwijl ik naast haar stond. Ik zei niets, en bad in stilte dat dit de dag zou zijn dat ze eindelijk met me wilde praten. Na een paar minuten stak ze een hand naar me uit en pakte ze de mijne beet. Zo bleven we staan, zonder iets te zeggen, ik in tranen, totdat ze eindelijk begon te praten. Ze vertelde me dat Karim schulden had gemaakt met gokken, en dat ze de huizen hadden moeten verkopen om de schulden af te lossen. Nu ging het weer goed, zei ze. Ze kneep in mijn hand en was weg.'

Margaret keek me aan en glimlachte. 'Het was niet veel, maar op dat moment had ik een gat in de lucht kunnen springen van blijdschap. Mijn dochter had het stilzwijgen verbroken en wilde weer met me praten. Ik reed naar huis en had nieuwe hoop dat het goed zou komen tussen ons.'

'Geweldig. Goed gedaan,' zei ik. 'Maar wat een smeerlap is die Karim. Hun hele bezit naar de maan. Zij had keihard gewerkt om het allemaal voor elkaar te krijgen, en dan vergokt hij het. Toen moest ze hem toch zeker doorzien?'

'Dat zou je denken,' zei Margaret schouderophalend, 'maar het tegendeel was waar. Na die dag ben ik nogmaals naar de school gegaan, maar de afstandelijke Nicky was terug. Ze negeerde me en schuifelde zonder een woord te zeggen weg. Ik was er stuk van. De nacht ervoor had ik wakker gelegen en plannen gemaakt voor de toekomst. Ik wilde voor Nicky en de kinderen zorgen, en had Andrew gek gemaakt met mijn verhalen. Ik liep met mijn hoofd in de wolken. Het was een illusie. En ik had het kunnen weten.

Ik ging terug naar huis, helemaal in de war en van streek,' ging ze verder. 'Andrew vond dat we haar een tijd met rust moesten laten voordat we het nog een keer probeerden. Na drie weken stilte was ik gek van de zorgen en ging ik voor de zoveelste keer naar de school. Geen spoor van Nicky en de kinderen. Ik nam aan dat een van hen ziek was, dus ging ik naar hun huis. Tot mijn verbazing hing er een groot bord achter het raam van de salon. De zaak was gesloten. Niemand deed open. Ik raakte in paniek. Waar waren ze? Aan wie kon ik het vragen? Er was daar niemand. Wéér was ik mijn dochter kwijt. Voor de zoveelste keer.

Eenmaal weer thuis was ik ontroostbaar. Andrew probeerde alles, hij werd zelfs kwaad op me. Toen begonnen de beschuldigingen. Ik liet alles uit de hand lopen, verwaarloosde onze andere drie dochters, en hem ook. Nicky was een grote meid, en ze had duidelijk gemaakt dat ze ons niet in haar leven wilde. "Zet je eroverheen," zei hij tegen me.'

'Zo te horen waren jullie allebei wanhopig. Hij wist niet wat hij moest doen en raakte in paniek, daar komt het op neer,' zei ik. 'Mijn vader verwachtte ook van mijn moeder dat zij het emotioneel zou verwerken. Waarschijnlijk heeft het te maken met het feit dat mannen uitgaan van een band tussen moeder en dochter. Ze laten die kant van de dingen aan vrouwen over. Als er problemen zijn, raken ze in paniek en maken ze het alleen maar erger door zich tegen hun eigen vrouw te keren en zo de aandacht af te leiden van henzelf. De moeders krijgen geen steun, maar juist de schuld van alles. Hun man voelt zich schuldig en gaat razen en tieren. Klassiek.'

Margaret knikte. 'Dat is precies zoals het is gegaan. Toch kwam er iets goeds uit. In zijn boosheid tierde Andrew tegen me dat ik met de leraren van de school moest gaan praten als ik zo bezorgd was, en hun moest vragen wat er aan de hand was. Ik begreep niet waarom ik het zelf niet had bedacht. Het was een openbaring voor me. Opeens had ik weer een sprankje hoop.

Ik weet nog dat ik naar hem keek terwijl hij briesend heen en weer liep door de kamer, en dat ik naar hem glimlachte. Ik ben opgestaan, heb mijn handen rond zijn verbaasde gezicht gelegd, hem een kus gegeven en hem bedankt. Daarna ben ik naar de school gegaan om met iemand te praten. Ze vertelden me dat Mahmoud en Latifa inmiddels op een andere school zaten, in een stad vijftig kilometer verderop. Ze hadden al hun gegevens doorgestuurd.'

Het lijkt me niet nodig om de naam van deze stad te noemen. Het was een marktstadje niet ver van waar Margaret woonde, hooguit vijftien kilometer bij haar huidige huis vandaan.

'Ik ging naar de school om navraag te doen,' zei Margaret, 'maar ik dacht dat ik te horen zou krijgen dat een van de kinderen ziek was, of zoiets. Dit was een enorme klap. Hoe was het mogelijk dat ze in zo'n korte tijd hun biezen hadden gepakt? En, wat veel belangrijker was, waarom? Ik ben meteen naar die stad gegaan, heb mijn auto op het marktplein geparkeerd en ben blijven wachten tot de school uitging. Ik heb zoveel mogelijk moeders gevraagd of ze mijn kleinkinderen kenden. Na tien minuten was ik wanhopig, ik kreeg alleen niet-begrijpende blikken en hoofdschudden. Toen zei een jongetje dat hij Latifa kende. Ik vroeg of hij enig idee had waar ze

179

woonden. Zijn moeder gaf opgelaten antwoord. Ze wist het niet zeker, maar ik kon het grote gebouw achter het plein proberen.

Ik heb haar bedankt en ben in de richting gelopen die ze aangaf, totdat ik bij een soort pakhuis kwam. Het was een hoog gebouw, het torende boven alle andere huizen uit. Het had ongeveer vijf verdiepingen, en grote stoffige ramen aan de voorkant. De enorme voordeur stond op een kier.'

Margaret huilde onder het praten en pakte een papieren zakdoekje. 'Het was alsof ik in een andere wereld kwam. Ik ging heel behoedzaam naar binnen en keek ontzet om me heen in een grote, donkere ruimte. Het was er stampvol mensen, buitenlanders, vluchtelingen, weet ik het. Her en der stonden armoedige meubels, kapotte stoelen, doorgezakte banken, kasten met loshangende deuren. Overal stonden tassen met kleren, maar nog veel meer kleren hingen aan kriskras opgehangen waslijnen. Ergens in het midden stond een brandende kachel, en het kabaal was oorverdovend. Vrouwen in lange kleren met hoofddoeken zaten op de grond, en kinderen in lompen renden overal rond. Uit elke hoek klonk geschreeuw; kinderen krijsten tijdens het spelen, en de vrouwen schreeuwden naar elkaar om zich boven het kabaal uit verstaanbaar te maken.'

Terwijl ik zat te luisteren zette ik grote ogen op. Ze beschreef een tafereel dat ik zelf vaak had meegemaakt. Toen ik in Cairo woonde en deel uitmaakte van een groot gezin, hadden we vaak met zijn allen in één kamer gezeten, of we gingen naar de dierentuin en zaten op het gras, en we hebben zelfs een keer met de hele familie een uitje gemaakt naar Alexandrië. De volwassenen riepen hun kinderen nooit tot de orde; het werd normaal gevonden dat ze rondrenden en schreeuwden en krijsten en elkaar achternazaten. Ze hoefden niet te gaan zitten om te eten, konden pakken wat ze wilden terwijl ze aan het spelen waren. Een moeder deed dan bijvoorbeeld een stukje kaas in een pitabroodje en probeerde dat haar kind te voeren, of een hap yoghurt. Waar we ook waren, met zoveel vrouwen en kinderen was het altijd chaos. En het kabaal was altijd oorverdovend. Ik hield me meestal een beetje afzijdig. Mijn kinderen waren de enigen die bij me kwamen zitten om te eten en dan pas verder te gaan met hun spel. O ja, ik kon de sfeer in dat pakhuis proeven, zelfs terwijl ik in Margarets huiskamer zat.

Het verontrustende vond ik echter dat ze niet iets beschreef wat duizenden kilometers verderop plaatsvond, in Egypte, maar in het centrum van een Engels stadje, nog geen vijftien kilometer van de plaats waar ik was opgegroeid. Het was haast onvoorstelbaar dat zoiets gebeurde, pal onder onze neus, zonder dat we er enig idee van hadden. En dat aan het einde van de twintigste eeuw! Inwendig huiverde ik, maar inmiddels had Margaret de draad van haar verhaal weer opgepikt.

'Niemand hield me tegen toen ik me door de enorme ruimte en weg baande naar de trap aan de achterkant. Op de eerste en tweede verdieping zag ik overal dezelfde wanorde. Het was hartverscheurend om te midden van zoveel menselijke ellende op zoek te zijn naar mijn eigen dochter.'

Margaret begroef haar gezicht in een papieren zakdoekje en probeerde zich te beheersen. Snikkend vertelde ze verder. 'Ik vond haar op de derde verdieping, vervuild, ineengedoken op een kale, gevlekte matras, met een grote riem rond haar middel. Haar kinderen zaten vast aan die riem, en ze klampte zich aan hen vast alsof haar leven ervan afhing. Toen ik naar haar toe liep, kromp ze nog verder in elkaar, en eerst wilde ze niet met me praten. Uiteindelijk vertelde ze me dat ze alles kwijt waren – het bedrijf, de huizen, de kapsalon, alles. Karim was in grote problemen geraakt door gokschulden, en ze konden nergens anders terecht. Toen ik de kinderen een zoen wilde geven, begon ze te gillen. Het was een soort janken, een wanho-

181

pig gegil, zo hard dat ik mijn handen over mijn oren legde en achteruit liep. Ik zei tegen haar dat ze alle drie met me mee naar huis konden komen, maar ze schudde heftig haar hoofd en zei dat Karim zijn best deed om hen daar snel weg te halen. Ze had geen idee waar hij was. Hoe ik ook bad en smeekte om weg te gaan uit die gribus en met mij mee naar huis te komen, ze bleef koppig weigeren. Toen ik aanbood om in elk geval de kinderen mee te nemen, veranderde ze in een grommende, dreigende vreemde, alsof ze van de duivel bezeten was. Ze greep de riem beet waar ze aan vastzaten en zei dat ze eerst dood moest zijn voordat iemand ze bij haar weg kon halen. Uiteindelijk heb ik gezegd dat ik haar verder met rust zou laten, maar ze wilde me wel beloven dat ze daar weg zou gaan als ik een huis voor ze kon vinden.'

Ze snoot haar neus en gooide het zakdoekje weg. 'Dat was het,' zei ze. 'Ik had een missie. Ik reed zo snel mogelijk naar huis en belde de gemeente. Ik heb zoveel stampij gemaakt dat ik nog dezelfde middag met iemand kon komen praten, en ze boden Nicky een gemeentewoning aan in de stad waar de kapsalon was geweest. Ik was dolblij. Ik ging terug naar het pakhuis, met eten en een paar andere dingen, en dit keer was Nicky rustiger en in elk geval bereid om een beetje te praten. Ze was opgetogen over de woning, al was het een uitgewoond huis met dichtgetimmerde ramen en een kale vloer.

Ik voelde me diep ellendig dat ik ze opnieuw in die mensonterende omstandigheden moest achterlaten, maar ze weigerde pertinent met me mee te komen en bleef volhouden dat Karim hen zou komen halen. Hij zou kwaad worden als hij wist dat ik ze in die omstandigheden had aangetroffen, snap je, en hij zou het op haar hebben afgereageerd dat hij in zijn hemd was gezet. De angst in haar ogen was overduidelijk, maar het had geen zin om vragen te stellen. Ik wist dat ze nooit zou toegeven dat hij haar mishandelde.

De gemeente had toegezegd dat ze de woning zouden laten schilderen, en ze hielden woord. Voor het weekend waren ze klaar, en ze hadden de kale vloer in de huiskamer zelfs met plastic afgedekt. In die tijd hadden we zelf niet veel geld, maar ik kocht dingen tweedehands en leende weer andere spullen om alles in elk geval een beetje toonbaar te maken. Precies een week nadat ik voor de eerste keer in dat afschuwelijke pakhuis was geweest, kwam ik voor de laatste keer weer naar buiten met mijn dochter en kleinkinderen om hen naar hun nieuwe huis te brengen. Nicky vond het een paleis. Ze was in de wolken en sloeg haar beide armen om me heen en bedankte me. Ik omhelsde haar, en werd pijnlijk herinnerd aan haar broosheid. Ze was vel over been.

De gemeente had als voorwaarde gesteld dat de woning alleen voor Nicky en de kinderen bestemd was, en dat Karim er niet mocht wonen. Nicky stemde toe, en de eerste weken hadden we er plezier in om een nieuw leven voor haar op te bouwen. De kinderen gingen weer naar hun oude school, en Andrew en ik kwamen elke dag langs om te helpen. Toen Nicky op een gegeven moment zei dat ze het nu zelf wel kon rooien en me vroeg om alleen nog in het weekend langs te komen, zocht ik er in eerste instantie niets achter. Maar het volgende weekend ging ik naar haar toe en kon ik zien dat er iemand anders bij haar woonde. En ik hoefde niet te vragen wie die iemand was. Ik stond in de huiskamer en confronteerde Nicky met mijn vermoeden. Het was waar. Hij was terug. Waar was hij geweest? Met een andere vrouw.'

'Hoe weet je dat?' vroeg ik.

'Nicky vertelde het me, en Karim probeerde het later niet eens te ontkennen. 's Nachts sliep hij bij zijn vriendin, hij kwam 's ochtends vroeg thuis om de kinderen te zien voordat ze naar school gingen, en om een uur of vijf 's middags vertrok hij weer. Die man kende geen schaamte. Hij wilde met die vrouw trouwen en haar meenemen naar Libië om daar te gaan wonen. Hij had haar zelfs meegenomen naar Nicky's huis. Dan zat hij met haar in de huiskamer, en Nicky mocht alleen in de keuken komen en moest hen op hun wenken bedienen. Het was misselijkmakend.'

'Waarom liet Nicky dat in hemelsnaam met zich doen?'

'Als ze het niet deed, zou ze Karim kwijtraken, en als ze Karim kwijtraakte, zou hij de kinderen van haar afpakken. Die twee kleintjes waren alles voor haar, haar hele leven draaide om haar kinderen. Als Karim in een slecht humeur was, durfde ze hen niet eens naar school te laten gaan, uit angst dat hij ze mee zou nemen. Toen ik die dag wegging, beloofde Nicky dat ze me zou bellen, maar ik wist dat ze het niet zou doen.'

'En, nam ze contact met je op?' vroeg ik, barstend van nieuwsgierigheid.

Gelaten schudde ze haar hoofd. 'Na alles wat we hadden gedaan om haar te helpen, komt hij binnenwalsen en is er niets meer van over. We wisten dat het niet lang kon duren voordat de gemeente erachter kwam dat hij daar woonde, en wat zouden ze dan doen? Als ik er nu aan terugdenk, had ik liever de gemeente op bezoek gehad dan de politie.'

'De politie?'

'Het was een week of drie later. De bel ging, en er stonden twee agenten op de stoep, een man en een vrouw. Nadat ze hadden vastgesteld wie ik was, kwamen ze binnen en zeiden ze dat ik moest gaan zitten, want ze hadden slecht nieuws. Nicky was het slachtoffer geworden van een vreselijke, bloeddorstige overval. Ze had een zware operatie ondergaan, en vocht op dat moment in het ziekenhuis voor haar leven. Volgens de politie gaven de artsen haar niet meer dan een paar uur.'

Onder het praten kregen Margarets ogen een glazige uitdrukking; ze herleefde de afschuwelijke gebeurtenissen. 'Andrew reed. Het leek een eeuwigheid te duren om er te komen, en al die tijd probeerde ik te bevatten dat mijn kleine meisje lag dood te gaan. Tegen de tijd dat we bij het ziekenhuis waren, had ik mezelf er bijna van weten te overtuigen dat het een vergissing moest zijn, dat het iemand anders was, niet Nicky. Het kón mijn kleine meisje niet zijn. Maar ze was het wel. Mijn mooie, intelligente, domme dochter lag in coma op de intensive care, tussen een woud van slangen. Het was zo erg!'

Met een snik ging ze verder. 'Haar buik was van haar schaambeen tot aan haar borsten opengesneden, en toen nog een keer overlangs, zodat haar ingewanden eruit puilden toen ze zich naar buiten sleepte en om hulp riep. Een man aan de overkant was op dat moment aan het klussen onder zijn auto, en hij vertelde dat ze in haar eigen bloed baadde en kreunde met elke beweging, totdat ze in elkaar zakte. Hij heeft een ambulance gebeld. Niet alleen haar buik was opengesneden, haar aanvaller had ook een snee gemaakt over haar beide tepels, en de artsen telden eenentwintig steekwonden over haar hele lichaam...'

Margaret huilde en drukte een hand tegen haar mond. Ik ging naar haar toe en sloeg mijn armen om me heen, en samen wiegden we heen en weer. Haar rauwe verdriet was voelbaar.

'En waar was Karim?'

'Nergens te bekennen. Wij waren ervan overtuigd dat hij het had gedaan. Het kon niet anders. De politie zette de straat af en begon een moordonderzoek. DNA-onderzoek wees uit dat er maar één andere volwassene in haar huis was geweest, die bruut, Karim. Uiteraard was hij weer eens verdwenen.'

'En de kinderen?'

'Op school. Het was midden op de dag gebeurd. Iemand van de politie was naar hun school gegaan om ze op te vangen totdat ik kon komen om ze mee naar huis te nemen. Andrew bleef thuis met de kinderen, en ik ging terug naar het ziekenhuis. Ik zat naast haar bed, met haar benige hand in de mijne, en ik smeekte haar – nee, ik bevál haar – om te vechten, om vol te houden, om haar laatste beetje kracht te gebruiken om in leven te blijven.'

Ik besefte dat ik nog steeds op mijn knieën aan Margarets voeten zat, met haar handen in de mijne. Om de een of andere reden had ik aangenomen dat Nicky nog leefde, maar nu begon haar verdriet in volle hevigheid tot me door te dringen. Dit had ze al die jaren voor zich gehouden, en nu kwam het er allemaal uit, als een waterval. Hoe had ze er in vredesnaam zo lang mee rond kunnen lopen? Ik kreeg nog meer bewondering en respect voor haar. Voorzichtig liet ik haar handen los, en ik ging terug naar mijn plaats op de andere bank.

'Ik vind het heel erg voor je, Margaret,' zei ik, me ervan bewust dat mijn woorden bespottelijk klonken en niets uithaalden.

'Ik ben blij dat je met me meeleeft,' verzuchtte ze. 'Ik moest het echt kwijt. Maar ik kon het niet zomaar iemand vertellen.' Ze keek me doordringend aan. 'Dat begrijp je toch, hè?'

'Volkomen,' beaamde ik.

Ze slaakte nog een diepe zucht voordat ze verderging. 'De politie ging op zoek naar Karim, want alles wees erop dat hij het had gedaan. Uiteraard konden ze hem nergens vinden. Hij had duidelijk spionnen in de buurt, dus wist hij dat hij werd gezocht wegens moord en hield hij zich gedeisd. Ik ben die hele dag en nacht bij Nicky gebleven.

En geloof het of niet, maar ze ging niet dood.' Opnieuw keek ze me aan. 'Ze hield vol. Die nacht en de volgende dag. De artsen stonden perplex, maar mijn kleine meisje hield vol. Ze ging niet dood.' Margaret viel stil.

Ik kon mijn oren niet geloven. Zwijgend zaten we tegenover elkaar terwijl ik verwerkte wat ze me net had verteld. 'Dus ze leeft nog?' fluisterde ik.

'Ze hield vol, en uiteindelijk was haar toestand stabiel. Na drie weken kwam ze bij uit het coma. Het was een wonder,' snufte Margaret. 'Andrew en ik liepen op ons tandvlees. We brachten de kleinkinderen elke dag naar school, vijftig kilometer verderop, en haalden ze elke middag weer op, en ik zat de hele dag aan Nicky's bed. We waren prikkelbaar, gestrest, en we maakten over de kleinste dingen ruzie. Diep vanbinnen dachten we dat Nicky het niet zou halen, en de zenuwen vraten aan ons. Toen haar toestand eenmaal stabiel was, kregen we weer een beetje hoop, en dat gaf ons nieuwe energie en hield ons op de been. Heel bijzonder eigenlijk.

De politie ging met Nicky praten zodra het kon, en ze vroegen haar wat er precies was gebeurd. Ze ratelde over een vreemde die het huis was binnengedrongen. Ze beschreef hem als een kleine, blanke man met heel lichtblond haar. Precies het tegenovergestelde van Karim. Andrew en ik doorzagen haar. Ze beschermde hem. Maar waarom? Wat we ook zeiden, ze weigerde opening van zaken te geven en bleef volhouden dat de aanval helemaal niets met Karim te maken had.

Uiteindelijk was ze voldoende hersteld om thuis te komen. De kinderen waren dolblij en vol begrip; ze waren voorzichtig met haar, nooit ruw of luidruchtig, en ze zorgden voor haar. Het was een gelukkige tijd. Op een dag nam de directeur van de school me apart, en hij vertelde me hoe opgelucht hij was dat ze elke dag naar school gingen. We wisten wel dat ze af en toe thuis waren gebleven, maar ik schrok toen ik hoorde dat Nicky ze meestal al halverwege de middag ophaalde, en dat ze soms wel vier dagen per week niet kwamen. Mahmoud was acht en had moeite met lezen. Binnen een maand ging hij met sprongen vooruit, en kon hij zelfs met de computer overweg en de spellingcontrole gebruiken. Het was een bijzondere tijd. Maar lang duurde het niet. Karim dook weer op, levensgroot, bonsde op de voordeur en smeekte huilend om zijn vrouw en kinderen te mogen zien. Wat een vertoning.'

'Hebben jullie hem binnengelaten?'

'We moesten wel. De kinderen raakten van streek en Nicky wilde per se horen wat hij te zeggen had. Hij kwam binnen, knuffelde de kinderen, en vroeg Nicky onschuldig wat er was gebeurd, in tranen, ik zweer het je. Hij was weggeweest voor zaken, legde hij uit. Hij had wat geld verdiend, en ze zouden nu snel weer allemaal bij elkaar kunnen wonen. Ik zag dat monster ronddansen in mijn huiskamer, de manier waarop hij mijn kwetsbare dochter met mooie praatjes om zijn vinger wist te winden. Ik kon hem wel vermoorden.'

'Hemel, Margaret!' riep ik geschokt uit. 'Wanneer houdt de ellende eindelijk op?'

'Het houdt niet op. Dat weet ik nu. Ik moet ermee leven. Net als jij. Hoe dan ook, terwijl wij voor Nicky en de kinderen bleven zorgen, hield de politie zich met Karim bezig. Het was niet langer een moordonderzoek, maar hij werd wel ondervraagd wegens poging tot moord. Ze lieten hem gaan.'

'Wát?' hakkelde ik verbijsterd.

Haar stem was uitdrukkingsloos. 'Op basis van een kassabon. Van Morrisons. De recherche had vastgesteld dat de aanval tussen 12.50 en 13.00 uur had plaatsgehad. Het bonnetje had een datum, en de tijd was 13.05 uur.'

'Dat is toch geen doorslaggevend bewijs,' protesteerde ik verontwaardigd. 'Dat bonnetje kan van iedereen zijn geweest. Het zegt niets over waar hij was.'

'Voor de politie was het genoeg om hem te laten gaan,' antwoordde ze. 'Ze vroegen hem zijn zakken leeg te maken en er zat van alles in. Kennelijk geloofden ze dat het van hem was, anders hadden ze hem niet laten gaan.'

Het was onvoorstelbaar. Wanneer zou hun leven een wending ten goede nemen? Vrouwe Fortuna had deze familie wel heel erg in de steek gelaten.

'Karim kwam bijna elke dag langs, en hij was altijd even aardig en bezorgd om Nicky. Na verloop van tijd kon ze zich weer ontspannen in zijn aanwezigheid, en ze glimlachte weer. Hij opende een pizzeria in de stad, en begon op een gegeven moment over slachtofferhulp. Als Nicky een tegemoetkoming aanvroeg bij het schadefonds voor slachtoffers van gewelds-misdrijven, kon ze volgens hem op een flink bedrag rekenen. In eerste instantie deed ze een beetje lacherig, maar ze gooide het haastig over een andere boeg toen de oude, dominante Karim de kop weer opstak. Uiteindelijk maakte hij een afspraak met een advocaat voor haar, en zo bracht hij de bal aan het rollen. Nicky werd weer nerveus en angstig, en wij vermoed-den dat Karim zijn boosheid op haar afreageerde als wij niet thuis waren, hoewel Nicky het in alle toonaarden ontkende.

De weken gingen voorbij, en ik besloot de stoute schoenen aan te trekken en Karim te vragen wat hij precies van plan was. Hij was elke dag bij ons thuis, at bij ons, en zoals ge-woonlijk zorgde hij niet voor zijn vrouw en kinderen. Ik wilde hem alleen spreken, dus ging ik op een avond naar zijn pizze-ria. Er was niemand in het restaurant, dus liep ik door naar de achterkant, en daar bleef ik als verlamd staan. Karim lag op een tafel met een meisje onder zich, en zijn hand was onder haar beha geschoven. Ze kusten elkaar hartstochtelijk. Het maakte me misselijk. Ik heb mijn keel geschraapt en kalm ge-zegd dat ik terug zou komen als hij het minder druk had. Toen ben ik weggegaan.'

'Hoe is het je in vredesnaam gelukt om rustig te blijven?' vroeg ik ongelovig. 'Ik zou zijn ontploft.'

'Andrew en ik hadden al een vermoeden,' zei ze toonloos. 'Laten we eerlijk zijn, gokken en casino's, dus vrouwen pasten helemaal in het plaatje. Hij deed gewoon precies waar hij zin in had, zonder dat iemand hem ooit ter verantwoording riep,' voegde ze er verbitterd aan toe. 'Die avond werden onze ver-moedens bevestigd. Hij rende achter me aan naar buiten en zei dat hij niets had misdaan. "Ik denk niet dat Nicky het daar-

189

mee eens is," zei ik tegen hem, dat weet ik nog. Hij lachte me recht in mijn gezicht uit. En weet je wat hij toen tegen me zei? Ik zal zijn woorden nooit vergeten. "Amal gelooft wat ik haar opdraag. Als jij me dwarsboomt raak je haar kwijt." Hij draaide zich om en ging weer naar binnen, terwijl ik daar hulpeloos bleef staan. Hij had gelijk, en dat wisten we allebei.

Een week later kwamen we thuis van ons werk en was het huis leeg. Er lag een briefje op de keukentafel met de mededeling dat ze in Libië gingen wonen. Geen adres, geen telefoonnummer. Ze hadden zelfs geen afscheid genomen. Voor de zoveelste keer was ik mijn dochter kwijt. Ik was radeloos. Niets en niemand kon me troosten, en ik stortte bijna in. De situatie tussen Andrew en mij was gespannen. Hij heeft een sterk karakter en hij was vastbesloten me zo min mogelijk te laten lijden, maar ik zat in een heel diep dal. Avond aan avond zat ik met een stapel foto's op de bank te huilen. Ik voelde me zo alleen. Niemand begreep me. Mijn andere drie dochters deden wat ze konden, ze waren lief en attent en ze brachten onze andere kleinkinderen bij ons, net zolang totdat ik er weer een beetje bovenop kwam. Ik weet nog steeds niet hoe het me is gelukt. Ik begon moeite te doen om me met Andrew te verzoenen, en ik richtte me erop om telkens een dag tegelijk door te komen.'

Terwijl ze dit vertelde, zag ik mijn eigen moeder voor me. Nadat we uit Egypte waren weggevlucht, heeft ze geprobeerd te beschrijven hoe zij op de been is gebleven in de tijd dat ik weg was. We spraken elkaar bijna nooit over de telefoon, want wij hadden er geen en ik vond het te gênant om Omars vader te vragen of ik bij hen mocht bellen, maar zelf had ik geen geld voor telefoontjes. In plaats daarvan schreven we elkaar brieven. Mijn moeder vertelde me later dat ze zo depressief en afwezig was geraakt dat er problemen waren ontstaan tussen haar en mijn vader. Ze wist niet wanneer ze me weer zou zien, en daar ging ze aan onderdoor, vertelde ze. Uiteindelijk had ook zij van dag tot dag geleefd om het vol te kunnen houden, net als Margaret.

'Wanneer heb je haar weer gezien?' vroeg ik.

'Vier jaar lang hebben we niets gehoord,' antwoordde ze, 'en ik was wanhopig, want ik dacht dat ik haar nooit meer zou zien. Als ik 's nachts wakker lag, dacht ik: stel nou dat een van ons een ernstig ongeluk krijgt, of doodgaat? Dan weet ze het niet eens. Hoe zou ze zich voelen als ze dat later hoort? Dat was een grote zorg voor me. Maar we hadden geen idee waar ze was. Met het verstrijken van de jaren ging de hoop die we aanvankelijk nog hadden gehad over in gelatenheid. We moesten ons erbij neerleggen dat we haar voorgoed kwijt waren.

Op een woensdag,' ging ze verder, 'belde Karim opeens op om te vertellen dat Amal naar Engeland kwam om het geld van het schadefonds op te halen. Ze zou de volgende dag vliegen vanuit Tripoli en om zes uur 's avonds op Heathrow aankomen. Toen hing hij op. Geen uitleg, geen verontschuldigingen omdat ze zonder een woord te zeggen waren vertrokken. We kregen niet eens de kans om te reageren. Andrew zat met open mond met de hoorn in zijn hand.

We vroegen vrij van ons werk, renden rond om alles te organiseren voordat we naar Heathrow reden. Het was bijna onwerkelijk; we waren in een soort roes en praatten nauwelijks met elkaar tijdens de rit erheen. We hadden geen vluchtnummer, en de moed zonk ons in de schoenen toen we hoorden dat er die avond geen rechtstreekse vlucht uit Tripoli aankwam. Wel was er een vlucht vanuit Tripoli via Duitsland, dus daar hebben we maar op gegokt, en we zijn vol verwachting bij de uitgang gaan staan. Het duurde een minuut of twintig voordat de passagiers naar buiten kwamen. Nicky was er niet bij. We zijn in paniek naar de informatiebalie gegaan, maar we kregen geen inzage in de passagierslijst. We zijn ergens een kop koffie gaan drinken om de zenuwen de baas te worden en te bespreken wat we moesten doen. Ik dronk net mijn kop leeg toen ik opzij keek en haar zag.

Een eenzame figuur met een katoenen tas in haar hand waar wat kleren uitpuilden. Heel langzaam liep ze naar ons toe. Ik stootte Andrew aan en zei dat het Nicky was, maar hij geloofde me niet. Ik ben toch naar haar toe gegaan en heb haar naam geroepen. Er was geen spoor van herkenning op haar gezicht te lezen, en even twijfelde ik er zelf aan of ze het wel was. Maar toen riep ik: "Amal!" en keek ze me aan. Ze was het wél. Andrew holde naar haar toe, tilde haar op en droeg haar naar de auto. Ze woog dertig kilo.'

Ik slaakte een kreet. 'Wat een geluk dat jullie haar hebben gevonden! Er had weet ik veel wat mis kunnen gaan.'

'Geloof me, ik weet het,' zei Margaret. 'We hebben haar meegenomen naar een wegrestaurant, maar ze kon alleen kleine slokjes water nemen. Haar tas zat vol met lompen, zo smerig dat ik er de keukenvloer nog niet mee had willen dweilen. We namen haar mee naar huis om voor haar te zorgen, zodat ze kon aansterken.'

'In elk geval had je je dochter terug, en dit keer voorgoed,' merkte ik opgelucht op. 'Maar hoe ging het met de kinderen?'

'Ze rekende erop dat ze haar snel zouden volgen. Naar het scheen had ze er alleen mee ingestemd om terug te gaan als Karim beloofde dat hij de kinderen zou laten komen. Hij moest op hun visum wachten, zei ze.

Dankzij onze verzorging keerde haar gezondheid geleidelijk terug – lichamelijk, wel te verstaan. Geestelijk was Nicky heel erg ziek. Ze was niet langer de dochter die ik kende. De dokter schreef vier verschillende medicijnen voor, en daardoor stabiliseerde ze enigszins, maar ze had letterlijk haar verstand verloren.

Vaak zat ze ineengedoken op een stoel, in foetushouding, als een verdwaald hondje, met een kussen tegen zich aan gedrukt, en dan wiegde ze heen en weer terwijl ze nerveus om zich heen keek. Of ze begon opeens te gillen en te schreeuwen, haar ogen helemaal verwilderd. Soms gingen we een eindje met haar wandelen, en als ons dan volmaakt onschuldige mensen tegemoet kwamen, siste ze: "Fatwa, fatwa" naar ze omdat ze dacht dat ze uit Libië waren gestuurd om haar te vermoorden. Ze was doodsbang voor televisieantennes, zei dat die waren opgezet door spionnen uit Libië die het op haar leven hadden gemunt. De nachten waren het ergst. Ze sliep slecht, was rusteloos, praatte en raaskalde in haar slaap, smeekte Karim wanhopig om op te houden. "Doe me alsjeblieft niet nog een keer pijn," kreunde ze dan, of: "Laat me vandaag niet nog een keer verkrachten. Vandaag niet meer."'

De tranen stroomden nu over haar wangen, en Margaret probeerde ze niet eens meer weg te vegen. 'Alsof het niet al erg genoeg was dat hij onze dierbare dochter bij ons had weggehaald, werd nu duidelijk dat ze op een monsterlijke, onmenselijke manier was mishandeld, in opdracht van haar eigen man. In het begin wilde ze niet praten over wat ze daar had meegemaakt, maar na verloop van weken, toen de medicijnen eenmaal waren aangeslagen, verbrak ze beetje bij beetje het stilzwijgen.

Karims familie was straatarm en woonde op een soort boerderij. Ze waren vanuit Engeland naar Tripoli gevlogen en hadden daar een taxi genomen, maar al na een klein eindje betaalde Karim de chauffeur en moesten ze allemaal uitstappen om verder te lopen. Uiteindelijk hebben ze vier hele dagen gelopen. Ze had geen idee waar die boerderij lag. Vier jaar lang heeft ze dag in, dag uit op die boerderij gezeten; ze mocht niet eens de deur uit om boodschappen te doen of de kinderen naar school te brengen. Karim sloeg haar om het minste geringste en behandelde haar als een vod. Hij liet vrienden komen om haar te verkrachten terwijl hij toekeek. Na een jaar nam hij een andere vrouw en die kwam bij hem op de boerderij wonen. Nicky moest wijken.'

Margaret snikte met lange uithalen, maar ze bleef praten, vastbesloten om het hele verhaal te vertellen. De sfeer in de kamer was heel erg emotioneel, en ik zat zelf ook te huilen. 'Nicky werd... gedumpt... in een hondenhok op het erf. Ze... ze bonden haar vast als een hond. Het enige eten dat ze kreeg... waren de restjes... die Mahmoed en Latifa naar haar gooiden. Zo... heeft ze drie... drie lange jaren geleefd. Als Karim wilde toekijken terwijl ze werd verkracht, werd ze uit het hok gesleurd en onder een koude douche gezet, en dan op een matras in het huis gesmeten. Erna moest ze terug naar haar hok. Ze zou dood zijn gegaan als Karim geen mogelijkheid had gezien om via haar aan geld te komen, de smeerlap. Opeens was ze weer nuttig.'

'Het geld van het schadefonds,' raadde ik. 'Maar dacht hij nou echt dat ze terug zou komen als hij haar eenmaal had laten gaan?'

Margaret snoot haar neus, knikte bevestigend en haalde een paar keer diep adem. 'Het is therapeutisch om mijn hart te luchten, maar het kost me heel veel moeite.'

'Ik wilde niet over mijn tijd in Egypte praten toen we net terug waren,' zei ik. 'Ik deed liever alsof het iemand anders was overkomen. Ik heb mijn ouders genoeg verteld om hun zorgen weg te nemen, maar daarna heb ik het begraven. Vreemd genoeg stelden Leila en Amira me nooit lastige vragen over hun echte vader toen ze opgroeiden. Ik weet dat Leila er op een gegeven moment met haar zusje over heeft gepraat, en dat maakte het makkelijker voor me om alles achter me te laten en een nieuw leven op te bouwen. Mijn moeder kreeg kanker, en toen heeft ze me overgehaald om in mijn geheugen te graven en alles op te schrijven. Haar ziekte gaf voor mij de doorslag. Ik zette de deur op een kier, en was compleet overdonderd doordat het allemaal weer bovenkwam, als een vloedgolf. Het was alsof ik het allemaal nog een keer meemaakte, ik kon zelfs de geur van toen ruiken en de hitte voelen. Alsof het gisteren was gebeurd.' Ik huiverde bij de herinnering. 'Nu ben ik blij dat ik dat boek heb geschreven,' voegde ik eraan toe. 'Ik hoef het niet meer allemaal mee te torsen. Het heeft heel bevrijdend gewerkt.'

Margaret pikte de draad van haar verhaal weer op. 'Nicky was thuis en dat was fijn, maar ze bleef inzitten over de kinderen. "Karim heeft beloofd dat hij ze zou laten komen," zei ze steeds. "Hij heeft beloofd dat hij me elke vrijdag om drie uur zou bellen." Het moet een maand of vier na haar thuiskomst zijn geweest dat hij de kinderen voor het eerst liet bellen. Ze was dolgelukkig om hun stem te horen. Papa was nog met hun visum bezig, zeiden ze, maar ze zouden nu snel komen. Nicky drukte kusjes op de hoorn en hield die tegen haar wang. Toen kwam Karim aan de lijn, en hij vroeg meteen naar het geld. Ze was er te erg aan toe geweest om daar iets aan te doen, en dat was niet wat hij wilde horen. Toen hij had neergelegd, heeft ze wel een uur ineengedoken in een hoekje in de hal gezeten, wiegend en mompelend tegen zichzelf.'

'Hij had haar nog steeds in zijn macht, zelfs aan de telefoon,' peinsde ik hardop. 'Dat zal haar geen goed hebben gedaan.'

'Het was funest,' beaamde ze. 'Ze begon aan mijn hoofd te zeuren dat ik naar haar advocaat moest gaan om te vragen hoe het met haar aanvraag stond. Ik dacht dat het geen zin zou hebben, maar ze bleef aandringen totdat ik toestemde. Het schadefonds bleek haar een bedrag van duizenden ponden te hebben toegekend, maar aangezien ze het geld niet binnen de gestelde termijn van twee jaar had opgeëist, was de hele schadevergoeding komen te vervallen. Nicky raakte uitzinnig toen ze het hoorde. Ze had dat geld nodig, zei ze. Zonder het geld zou Karim haar de kinderen nooit meer laten zien.

Ik heb een emotionele brief geschreven, eigenlijk in de eerste plaats om Nicky tot bedaren te brengen. Ik legde uit dat niemand ons had verteld dat Nicky's aanvraag was gehonoreerd, en dat we dus niet eens hadden geweten dat haar smartengeld was toegekend. Ik beschreef de aanval en haar verwondingen, en vroeg om begrip voor de situatie. Kennelijk raakte mijn brief een gevoelige snaar bij degene die hem heeft gelezen, want de reactie was positief. De zaak werd heropend.'

'Dat was dan voor het eerst dat jullie eindelijk geluk hadden,' zei ik.

'Er volgden meerdere afspraken met de advocaat, en er moesten foto's worden genomen van Nicky's littekens. Zelfs na vijf jaar waren de littekens nog steeds gruwelijk. Haar lichaam was ernstig verminkt, haar huid een grillig maanlandschap van littekenweefsel en kraters. Ze weigerde zich helemaal uit te kleden voor de foto's, hield haar ondergoed aan, maar het bewijs was nog even schokkend. Toen er eenmaal een heel dossier was samengesteld, kregen we te horen dat het wel twee jaar kon duren voordat de zaak voor de rechter zou komen.

Het duurde opnieuw een paar maanden voordat Karim weer belde. Toen hij het nieuws hoorde, smeet hij woedend de hoorn op de haak. Daarna duurde het een jaar voordat hij opnieuw contact opnam.'

'En de kinderen?' vroeg ik. 'Kregen ze een visum?'

'Het is nooit de bedoeling geweest dat ze zouden komen,' stelde Margaret op zakelijke toon vast. 'Het leven ging door. Nicky ging traag maar gestaag vooruit, en na een jaar ging het redelijk goed met haar, kon ze de dagelijkse dingen doen zonder buiten zinnen te raken. Haar ogen stonden altijd even droevig, en ik kon haar emotioneel niet meer bereiken. Maar we ploeterden voort. En toen belde híj.'

'Karim?'

Margaret knikte. 'Hij praatte op haar in, zei dat ze nu wel

weer op zichzelf kon gaan wonen en dat ze een huis moest zoeken. Dan zou hij de kinderen sturen. Hij wilde niet dat zijn kinderen bij ons zouden wonen. Nicky was hun moeder, en ze moest zelf voor hen zorgen, in haar eigen huis. Nicky leek wel bezeten toen ze had neergelegd. Ze moest een huis vinden, zei ze, nog diezelfde dag. Dan zouden de kinderen komen. Voor de zoveelste keer waren al onze smeekbeden aan dovemansoren gezegd. Uiteindelijk vonden we een woning voor haar, zeven kilometer bij ons vandaan. Ook dit keer deden we ons best om alles bij elkaar te sprokkelen – meubels, gordijnen, ditjes en datjes om het een beetje gezellig te maken. Ze verhuisde, maar omdat ze nog steeds niet zonder ons de deur uit durfde, was ze afhankelijk van ons voor de boodschappen. Wel hield ze haar huis smetteloos schoon en netjes, voor als de kinderen kwamen.

Er verstreek nog een jaar. Elke vrijdag, zonder één keer over te slaan, reed Andrew naar haar huis om haar op te halen, en dan zat ze bij de telefoon te wachten. Hij heeft haar zeggen en schrijven één keer gebeld, weer met loze beloften die haar de valse hoop gaven dat ze haar kleintjes terug zou zien.

Toen werd ik opeens gebeld met de mededeling dat Nicky's zaak die week voor zou komen, in een stad twee uur rijden bij ons vandaan. De advocaat zou meegaan, en Andrew sprak met hem af dat we hem onderweg op zouden pikken.

Op de ochtend van de zitting liet het geluk ons in de steek. De advocaat belde om te zeggen dat hij niet mee kon komen, maar volgens hem was dat geen probleem, en hij vroeg of ik Nicky wilde vertegenwoordigen. Ik hoefde alleen maar het dossier te lezen, en het zou een korte zitting zijn, niet meer dan tien minuten of zo. We konden het dossier onderweg bij hem ophalen.'

Margaret schudde haar hoofd. 'Ik wist me geen raad. Ik was nog nooit bij een rechtszitting geweest en wist niets van juridische procedures. Het enige dat ik wél wist, was dat we twee jaar op deze hoorzitting hadden gewacht en dat Nicky haar recht op een uitkering zou verliezen als we niet gingen. Het was kiezen of delen. Ik wilde haar niet in de steek laten, maar was tegelijkertijd bang dat ik alles zou verknallen.

Volgens de advocaat was het een fluitje van een cent, dus ik stemde toe. We haalden het dossier op, en dat las ik onderweg in de auto. Het waren niet meer dan een handvol velletjes, dus het leek niet zo moeilijk als ik had gedacht. Toen we er eenmaal waren, werd er echter afkeurend gereageerd. Waar was onze advocaat? Het was tegen de regels. Enzovoort. We kwamen tot de ontdekking dat het er allemaal heel formeel aan toe zou gaan, voor een college van rechters, helemaal niet zoals de advocaat het had afgeschilderd. We werden naar een zijkamer gebracht om de situatie te bespreken. Na veel vragen en overleg werd besloten dat ik gezien de omstandigheden als Nicky's vertegenwoordiger mocht optreden.

Vervolgens bleek het dossier een probleem te zijn. "Is dat álles?" werd me gevraagd. Toen ik knikte, werden de koppen opnieuw gejaagd bij elkaar gestoken. Er kwam een vrouw binnen met twee uitpuilende mappen, die ze met een plof voor ons op tafel legde. "De rechter heeft de zitting uitgesteld zodat u het hele dossier kunt doornemen," liet ze ons weten. "U heeft een halfuur de tijd." Ze keek naar Andrew. "Ik raad u en uw vrouw aan om elk een dossier te lezen, anders komt u er nooit doorheen." Er was geen tijd om na te denken. In paniek bestudeerden Andrew en ik de dossiers. Onder het lezen brak mijn hart. Bijna alle verslagen waren van artsen in ziekenhuizen. Nicky had gekneusde ribben gehad, een gebroken kaak, gebroken polsen, schouder uit de kom, brandwonden, beten – er kwam geen einde aan de lijst. Ik keek naar de data en mijn adem stokte. Die bruut had haar mishandeld vanaf het moment dat ze elkaar hadden leren kennen. De eerste melding dateerde van toen ze achttien was. Ze had zoveel geleden, terwijl ze intussen keihard werkte om haar zaak op te bouwen, al voordat ze waren getrouwd. Maar er was geen tijd om bij mijn ontdekking stil te staan, er wachtte me een belangrijke taak.

De rechters waren zo formeel,' ging ze verder. 'Ik was nooit eerder in een rechtszaal geweest. Nicky was kalm en beheerst, keurig gekleed in een lange jurk. Ze hebben haar anderhalf uur lang ondervraagd. Ze gaf rustig en zonder veel poespas antwoord. Het was deerniswekkend om haar te zien tegenover die gehaaide rechters. Toen was ik aan de beurt. Ik was op van de zenuwen en kan me de details niet meer herinneren, maar twee uur later waren ze klaar met me. De rechter kende Nicky een bedrag van 20.000 pond toe. Hij stelde echter als voorwaarde dat het geld bestemd was voor Nicky om er een nieuw leven mee op te bouwen, en dat ze het aan niemand anders mocht geven. Gezien haar geestelijke toestand en de medicijnen waarvan ze afhankelijk was, vond hij dat ze hulp nodig had om het geld op een verantwoorde manier te besteden. Daarom bepaalde hij dat de cheque op naam van Andrew en mij zou worden uitgeschreven. Hij stelde voor om de eerste keer 5000 pond op te nemen en dat bedrag te gebruiken om een nieuwe kapsalon te beginnen, en haar vervolgens een maandelijkse toelage te geven om van te leven. We stemden er allemaal gretig mee in. De beproeving was voorbij.'

'Goed gedaan,' zei ik. 'Het was de juiste keus. Een paar uur stress is niet slecht als je er 20.000 pond voor terugkrijgt.'

'Het hangt ervan af hoe je het bekijkt,' zei ze droog.

'Wat bedoel je?' vroeg ik.

'In eerste instantie waren we dolblij. Wat een resultaat! Nicky ging met de voorwaarden akkoord, en we dachten echt dat ze Karim nu eindelijk uit haar hoofd had gezet. Een week later kwam de cheque. Niet op onze naam, zoals de rechter had bepaald, maar op Nicky's naam. Al die zorgvuldige overwegingen naar de maan.'

'Dat kan toch niet zo belangrijk zijn geweest,' wierp ik tegen. 'Op wiens naam de cheque ook stond, jullie hadden het geld en konden er hetzelfde mee doen.'

'Dat hoopten we, maar ik kreeg het Spaans benauwd toen ik de cheque zag. Op de een of andere manier voelde ik dat er voor Nicky iets zou veranderen als ze wist dat ze zelf kon bepalen wat ze met al dat geld zou doen. Jammer genoeg had ik gelijk.'

'O nee,' kreunde ik. 'Wat heeft ze gedaan?'

'Ik besloot naar haar toe te gaan om met haar te praten voordat ik haar de cheque gaf. Misschien dat ik haar kon overhalen om de cheque terug te sturen en alsnog op onze naam te laten stellen. Maar het was al te laat. Zodra ik het vertelde, wilde ze weten waar de cheque was. Toen ik bekende dat ik hem thuis had laten liggen, begon ze te schreeuwen en te gillen dat ik een stom wijf was, dat ze me haatte en dat ze de cheque meteen wilde hebben. Ik beloofde hem te gaan halen, en ze bedaarde. Opeens was haar boosheid weg en bood ze aan om koffie te gaan zetten. Ik ontspande me en ging zitten.'

Margaret schraapte haar keel. 'Ze kwam van achteren naar me toe met een kop koffie. Toen ik me naar voren boog om het kopje van haar aan te pakken, sloeg ze plotseling een arm om mijn nek. Ze greep mijn haar beet en trok mijn hoofd naar achteren. Haar ogen schoten vuur, en ik voelde iets kouds tegen mijn keel. Met afschuw besefte ik dat het een keukenmes was. Ze drukte het mes in mijn vlees en zei dat ze me zou vermoorden als ik de cheque niet ging halen. Ik zag de blik in haar ogen, en op dat moment wist ik maar al te goed dat ze het meende. Ik kon alleen maar knikken en fluisteren dat ik de cheque direct zou gaan halen. Toen liet ze me los.

Ik was in alle staten tijdens de rit naar huis, dodelijk bezorgd om Nicky. Had ze Karim gesproken? Wat had hij haar nu weer voor leugens verteld en van haar gedaan gekregen? Ik kwam terug met de cheque, en ze stond achter de voordeur, grommend als een hond, met het mes in haar hand. "Geef me die cheque, rotwijf, anders vermoord ik je," blafte ze. "Waarom doe je jezelf dit aan, lieve schat," stamelde ik terwijl ik haar huilend de cheque aangaf. Ze zei niets, griste me de cheque uit handen en sloeg de deur in mijn gezicht dicht. Het was de laatste keer dat ik haar heb gezien.'

Verbaasd keek ik op.'Heb je haar daarna nooit meer gezien?'

'Het was zo onverwacht allemaal,' legde ze uit. 'Ik wist dat ze nooit alleen de straat op ging, dus deden we wat we altijd deden als ze over haar toeren was geweest, en we lieten haar een paar dagen met rust om tot bedaren te komen. Haar stemming kon altijd zomaar omslaan, weet je, dat waren we gewend, het hoorde erbij. Ze raakte van de kleinste dingen overstuur, maar ze was er altijd het ergst aan toe nadat ze contact had gehad met Karim. Het was een gewoonte geworden om haar niet lastig te vallen en haar de tijd te geven om te kalmeren. Dan was ze weer zo mak als een lammetje, alsof de "andere" Nicky niet bestond. Maar dit keer ging ze wel de deur uit. Met Terry.'

'Terry?'

'De man die beneden haar woonde. Hij raakte goed met haar bevriend. Het schijnt dat hij haar heeft horen gillen in haar slaap, en naar boven is gegaan om te vragen of hij iets voor haar kon doen. Het was een lieve, zachte man, het tegenovergestelde van Karim, en dat was precies wat Nicky nodig had. Hij raakte heel erg op haar gesteld. Later hebben we gehoord dat hij met haar mee is gegaan naar de bank.

De derde dag na onze ruzie besloten Andrew en ik naar de supermarkt te gaan om boodschappen te doen, proviand in te slaan voor Nicky en dat als excuus te gebruiken om bij haar langs te gaan. We zijn eerst naar ons eigen huis gegaan om de boodschappen uit te laden, en toen vonden we een brief die persoonlijk bezorgd moest zijn, met een post-it plakker erop.

Er stond: "Nicky wil dat ik u laat weten dat ik haar nu naar het vliegveld breng voor een vlucht naar Tripoli." Ondertekend met: "Terry."'

Ik zat gespannen op het puntje van de bank en spoorde haar aan om verder te gaan. 'Jullie zijn natuurlijk meteen achter haar aan gegaan.'

'Mis. We hebben de luchthaven gebeld. De vlucht was al vertrokken. Naderhand hebben we Terry gesproken, en die vertelde dat een vriend van hem de brief bij ons in de bus had gedaan, lang nadat zij waren vertrokken. Nicky wilde heel zeker weten dat wij haar niet tegen konden houden. Ze verkoos een hel boven ons. Hoe denk je dat dat voor ons voelde?'

'Ik heb werkelijk geen idee,' stamelde ik.

'Wéér was ze weg. We hadden geen idee waar ze was, en er was geen mogelijkheid om haar op te sporen. We stonden machteloos en waren veroordeeld tot afwachten. Een jaar later, verleden jaar, om precies te zijn, ging de telefoon, uitgerekend op moederdag. Ik had de pech om op te nemen. Het was Karims stem, luid en duidelijk. Zijn vrouw, Amal, was de dag ervoor overleden aan een zware hartaanval, vertelde hij me. Ik begon te gillen en te huilen en stortte in. Andrew nam snel de hoorn van me over, en hij deed een beroep op zijn geweten en smeekte hem om over een halfuur terug te bellen, zodat wij even de tijd hadden om het nieuws te verwerken. Kennelijk heeft Andrew iets weten te raken in die man, want voor deze ene keer hield hij woord en belde hij terug.

Ik was inmiddels voldoende hersteld om te eisen dat hij haar stoffelijke resten naar Engeland zou laten komen. Onmogelijk, kreeg ik te horen, ze was al gecremeerd. Hij vond het heel erg voor ons, zei hij. Andrew had de tegenwoordigheid van geest om hem te vragen waar we hem konden bereiken. Karim zei dag en hing op. We hebben sindsdien nooit meer iets van hem gehoord.'

Ik zat stokstijf op mijn plaats, tot in het diepst van mijn ziel geschokt. Na alles wat ze had meegemaakt, na al die beproevingen en de mensonterende mishandelingen, was Nicky teruggegaan naar haar kinderen, haar dood tegemoet. Terwijl Margaret me haar verhaal vertelde, had ik steeds gehoopt op een happy end, dat het met Nicky goed was gekomen en dat ze was herenigd met haar kinderen. Dát, besefte ik, gebeurde alleen in sprookjes. De werkelijkheid is doodgewoon tragisch.

'Hoe hebben jullie dat verwerkt?' vroeg ik.

'We hebben het niet verwerkt,' antwoordde Margaret openhartig. 'We zijn met politici en het ministerie van Buitenlandse Zaken gaan praten, maar het advies was heel duidelijk: Ga niet naar Libië, want jullie komen niet levend terug. We hadden geen gegevens, helemaal niets, dus het zou zoeken naar een speld in een hooiberg zijn geweest. Ik was aan het eind van mijn Latijn, dus bood een van mijn andere dochters aan om contact te onderhouden met de autoriteiten.

Na de hoorzitting hadden we de dossiers mee naar huis genomen, want niemand had gezegd dat we ze achter moesten laten. Toen Nicky er niet meer was, dook ik elke dag in de dossiers, spelde ik elk detail, huilde om haar, herleefde haar pijn. Dat heeft maanden geduurd. En dan de herinneringen. Alles om me heen herinnerde me aan haar, overal in huis kwamen ze op me af. Ik werd gek van verdriet. Ik wist zelfs niet zeker of Karim de waarheid vertelde. Stel nou dat hij had gelogen? Stel nou dat Nicky nog leefde? Wat moest ik geloven?

Andrews gezondheid had er ook onder te lijden, en hij onderging een viervoudige bypassoperatie. Het werd hem allemaal te veel, het huis en de tuin. Op een gegeven moment hebben we ons huis te koop gezet, maar pas nadat we een openhartig gesprek met elkaar hadden gehad. Het was tijd om door te gaan, zei hij. Nicky zou altijd een bijzonder plekje hebben in ons hart, maar wij moesten de draad van ons leven weer oppakken. En dat hebben we gedaan.'

Ze gebaarde om zich heen. 'We zijn hier verleden jaar september komen wonen, een halfjaar na Nicky's dood. De dag voordat we zijn verhuisd, zijn we bij elkaar gaan zitten en legde hij de dossiers op mijn schoot. Ik knikte, en zoals we van te voren hadden afgesproken, heeft hij toegekeken terwijl ik elk vel papier verscheurde. Hiermee heb ik het laatste hoofdstuk van haar pijn afgesloten, en kon ik me richten op herinneringen aan de tijd dat ze nog gelukkig was. En dan heb ik dit nog.'

Ze pakte haar handtas en haalde er een bruine envelop uit. 'Deze heb ik altijd bij me. Zelfs als ik van handtas verwissel, verhuis ik deze envelop van de ene tas naar de andere, en dat is niets voor mij. Het is alsof ik nog steeds niet kan geloven dat ze dood is. Dit is voor mij het tastbare bewijs.'

Behoedzaam haalde ze een vel papier uit de envelop. Het was een brief van de Libische overheid, gericht aan het ministerie van Buitenlandse Zaken, om te bevestigen dat Amal op 18 maart 2004 in Libië was overleden, vijfenveertig jaar oud. Het was een vel papier zonder briefhoofd, en ik herlas de woorden meerdere malen.

'Mijn dochter is met allerlei instanties blijven bellen, en ten slotte heeft ze iets boven water gekregen,' zei Margaret zacht. 'Weet je op welke dag ze het ontvangen heeft?'

Ik schudde mijn hoofd.

'Op moederdag,' fluisterde ze.

Ze stond op en liep naar het raam met uitzicht op de tuin. 'Kom kijken.' Ze gebaarde dat ik naar haar toe moest komen. Dat deed ik, en ze wees op een prachtig, zonovergoten plekje op het gras. 'We hebben een beeld besteld,' vertelde ze. 'Andrew geeft het me cadeau voor Pasen. Het is een beeld van Nicky, en daar komt het te staan. We noemen het "Verlegen Meisje".'

Met en brok in mijn keel nam ik afscheid van haar. We omhelsden elkaar innig, en ik beloofde na Pasen nog een keer bij haar langs te komen.

Een paar dagen later stond ik in de rij bij het postkantoor, en Margaret stond een eindje voor me.

'Hallo, Margaret. Hoe is het met je?' Ik glimlachte naar haar.

Ze glimlachte hartelijk terug. 'Goed, dank je. Mijn dochter en kleinkinderen logeren bij ons voor Pasen, maar daarna bel ik je.'

En we namen afscheid. Voor buitenstaanders waren we een doodgewone moeder en een doodgewone grootmoeder, met een doodgewoon, alledaags leven. Onzichtbare vrouwen.

16

Shannon

Shannon nam contact met me op via mijn website; ze gebruikte het venster 'help' om me persoonlijk te benaderen. En haar mailtje bezorgde me de schrik van mijn leven.

'Beste Susannah,' had ze geschreven. 'Hoe veilig is deze site? Ik moet echt met je praten. Ik probeer moedig te zijn en door te zetten, maar net als jij ben ik er tot nu toe steeds te laf voor geweest. Dit keer is alles er klaar voor. Als ik het maar zeker wist... Ik wacht nog een dag, totdat ik van je heb gehoord. Liefs, Rosie.'

Met trillende vingers tikte ik een antwoord. 'Hallo, Rosie, je hebt niets te vrezen. Vertel het me maar. Liefs, Jacky.' Ik tikte zo snel als ik kon, mijn vingers vlogen over het toetsenbord, en ik klikte veel te hard op 'verzenden'.

Zodra ik haar woorden had gelezen, wist ik dat het menens was. Ze wilde zelfmoord plegen. Die paar zinnetjes beschreven precies hoe ik me had gevoeld toen ik er in Egypte ongeveer net zo aan toe was geweest als zij. Ik bereidde alles voor, maar uiteindelijk was ik er dan zelf niet klaar voor, was ik niet moedig genoeg om de sprong te wagen. Als ik het maar zeker wist, dacht ik dan steeds.

Nerveus trommelden mijn vingers op het bureau terwijl ik zat te wachten. 'Laat ik alsjeblieft op tijd zijn,' fluisterde ik hardop.

Het probleem was namelijk dat het meer dan een dag geleden was dat ze me had geschreven. Het mailtje was op zaterdag binnengekomen, maar ik werk nooit in het weekend en bekijk de reacties op mijn website alleen op werkdagen. Het was nu maandagochtend.

Na tien minuten was er nog steeds geen antwoord, dus ik liet mijn computer aanstaan en ging mijn eigen dingen doen. Om het halfuur of zo keek ik of ik mail had, meer kon ik niet doen. Toen er die avond om elf uur nog steeds geen bericht van haar was, moest ik ervan uitgaan dat ze de hoop op een reactie van mij had opgegeven of, erger nog, de wil om door te gaan. Hopend op het eerste ging ik met een zucht naar bed.

De volgende dag, dinsdag, had ik het razend druk. Ik stond om zes uur op en zwom dertig baantjes in het plaatselijke zwembad, waarna ik de hele dag lesgaf op een school waar ik als invalkracht aan was verbonden. Het is raar dat je zo moe bent als je af en toe werkt in plaats van fulltime. Ik kwam bekaf thuis, en probeerde een goed excuus te bedenken om de hond niet uit te laten, een goede reden waarom *fish and chips* gezond voor je zijn, en een nog betere om als eerste de badkamer te mogen gebruiken.

Vluchtig bekeek ik mijn mail, en tot mijn opluchting zag ik dat Rosie had gereageerd.

'Gaan jullie maar lekker eerst douchen,' liet ik mijn verbaasde gezinsleden weten. 'En we doen toch maar geen *fish and chips*. Ik maak kip in zoetzure saus, en straks laat ik Henry uit. Geef me een halfuur de tijd. We eten om halfzeven.'

'Beste Jacky,' begon ze. 'Heel erg bedankt voor je reactie op mijn e-mail. Nu je me gerust hebt gesteld, kan ik openhartig zijn. Ik was bang dat andere mensen toegang zouden hebben tot je site.

Voor de zekerheid heb ik je Susannah genoemd, maar nu durf ik je met een gerust hart Jacky te noemen,' ging ze verder.

'Mijn echte naam is Shannon. Ik ben achtentwintig. Ik ben Iers, en ik woon in Celbridge, net buiten Dublin. Het gaat al heel lang slecht met me – al jaren. Ik heb het altijd voor mezelf gehouden, er met niemand over gepraat, en zo zou het zijn gebleven als ik je boek niet had gelezen. Je hebt zoveel meegemaakt, en het net als ik aan niemand verteld. Ik ben benieuwd wat voor leven je nu hebt, en hoe het je is gelukt om vol te houden. Ik hoop dat je tijd hebt om te antwoorden. Liefs, Shannon.'

Later die avond, toen alles aan kant was, kroop ik achter mijn computer om antwoord te geven.

'Hoi, Shannon,' schreef ik. 'Je hebt me behoorlijk aan het schrikken gemaakt, weet je dat. Toen ik maandag je mailtje las, was ik bang dat je misschien domme dingen had gedaan. Zo te horen zit je er helemaal doorheen.

Maar gelukkig hebben we nu in elk geval contact,' vervolgde ik. 'In Egypte had ik niemand met wie ik kon praten. Het risico was te groot. Een onschuldige of achteloze opmerking had mijn situatie nog veel moeilijker kunnen maken. Hoe minder iedereen wist, des te beter voor mij. Later, toen we eenmaal waren gevlucht, was het nog belangrijker om nergens ruchtbaarheid aan te geven, want mijn man was naar ons op zoek. We mochten vooral niet opvallen, dus leefden we zoveel mogelijk als ieder ander en praatten we niet over ons verleden. Maar – en dat is een heel erg grote maar – ik had ouders die me steunden. Zonder hun liefde, begrip en eindeloze geduld zou ik nu niet hier aan jou zitten schrijven. Het viel niet mee om een nieuw leven op te bouwen, maar de kinderen hielpen. Met het verstrijken van de tijd heb ik een paar goede vrienden gemaakt, en tot op de dag van vandaag zijn zij de enigen die alles weten. Zij zijn mijn redding geweest. Ze hebben me geholpen om weer vertrouwen te krijgen. Mijn ouders, mijn kinderen en mijn man, Ben, hebben me uit een diepe depressie getrokken.

Wat ik probeer te zeggen, is dat ik pas door kon gaan toen ik de moed had gevonden om mijn hart uit te storten bij mensen die ik kon vertrouwen. Het is met mijn ouders begonnen, maar ik heb ze nooit alles verteld. Dat zou een te grote belasting voor hen zijn geweest. Mijn moeder heeft erop aangedrongen dat ik mijn verhaal zou opschrijven, en zo is *Fatwa* tot stand gekomen. Dat is op zichzelf heel therapeutisch voor me geweest. Mijn beide ouders zijn inmiddels overleden, en ik heb er geen spijt van dat ik ze de ergste dingen nooit heb verteld. Mijn vrienden hebben die "eer" gehad, en ze zijn er geweldig goed mee omgegaan. Als je nooit iets vertelt, kom je niet verder. Het betekent dat je niemand in je omgeving vertrouwt, en je kunt het gewoon niet zonder de hulp van andere mensen. Ik hoop dat dit een beetje helpt. Liefs, Jacky.'

Shannon schreef de volgende dag terug. 'Lieve Jacky, ik ben zo blij dat ik met je kan praten. Voor het eerst heb ik het gevoel dat iemand me begrijpt. Ik zit op dit moment diep in de put, en ik ben zo moedeloos dat ik er tegenop zie om 's ochtends wakker te worden. Ik zie geen lichtpuntje aan het eind van de tunnel, en op deze manier hou ik het niet vol. Hier kan ik het aan niemand vertellen; het zou een ramp zijn voor de familie, en ik weet trouwens niet eens of er wel iemand is die me zou geloven. Dus als je het niet erg vindt, wil ik het graag aan jou vertellen. Vanaf het begin. Liefs, Shannon.'

Ik besloot dat msn'en de beste manier zou zijn om met elkaar te communiceren. Zo kon ik haar tussendoor vragen stellen, en bovendien zou het Shannon een gevoel van vertrouwdheid geven, alsof we echt met elkaar praatten. We spraken vaste tijden af om met elkaar te chatten, twee keer per week.

De eerste keer kon ze haast niet wachten om te beginnen. Ze begon te typen, en in een stroom van woorden beschreef ze haar vroegste jeugd:

'Ik was zes toen mijn wereld instortte. We woonden in een

klein rijtjeshuis, mijn ouders, mijn kleine zusje Maureen, drie broers en ik. Mijn vader was automonteur, en mijn moeder werkte 's avonds in de pub. Ze stopte ons altijd in bed voordat ze wegging, zodat we haar niet zouden missen. Sean, Finn en Fergus waren twaalf, tien en zeven. Maureen was de benjamin, ze was pas twee. We sliepen samen in een piepkleine bergruimte aan de achterkant. Mijn vader moest op ons letten als mijn moeder er niet was, maar hij dronk zoveel dat hij in slaap viel, of hij ging naar de pub en liet ons alleen thuis. Hij veranderde als hij had gedronken. Ik kan me herinneren dat ik 's nachts vaak wakker werd en hem dan hoorde schreeuwen en schelden tegen mijn moeder. Hij maakte haar aan het huilen. Ik drukte mijn gezicht in het kussen om het niet te horen. De volgende ochtend zag ik de blauwe plekken in haar gezicht of op haar armen, maar ze zei er nooit iets over, en mijn vader ging altijd gewoon naar zijn werk alsof er niets was gebeurd.

Hij sloeg de jongens ook als hij ze vervelend vond. Hij gebruikte een dikke leren riem, die aan een haakje in de keuken hing, en dan nam hij ze mee naar de achtertuin om ze af te ranselen. Ze waren alledrie als de dood voor die riem, vooral Finn. Finn was de durfal van de drie, maar dat kwam hem duur te staan. Maureen en mij sloeg hij nooit, alleen de jongens. Wij kregen straf van mijn moeder.

Die rampzalige avond kwam mijn vader naar onze kamer, en hij schudde me zachtjes wakker.

"Wakker worden, prinses," fluisterde hij. Hij stonk naar bier uit zijn mond, die lucht kan ik nu nog ruiken, toen hij zich over me heen boog en zijn gezicht in mijn hals begroef. Verbaasd ging ik zitten en ik wreef in mijn ogen. Was het al ochtend? Maar het was nog donker.

"Waar is mama?" vroeg ik, maar hij legde zijn smerige hand voor mijn mond. "Sst, we willen je zusje niet wakker maken, prinses. Mama is in de pub. Ik kom je even knuffelen." Hij wilde dat ik opschoof, zodat hij bij me in bed kon kruipen. Hij streelde mijn gezicht. "Je bent mijn prinses," zei hij zacht. "Ik kom bij je om je te laten zien hoeveel papa van je houdt." Zijn hand ging onder het laken, en hij begon mijn been te strelen, zodat mijn nachtjapon omhoogschoof en ik zijn ruwe handpalm op mijn dij voelde. Ik begreep niet waarom hij het deed, maar hij glimlachte de hele tijd en hij was in zo'n goed humeur. Het leek hem blij te maken, en zo was hij de papa van wie ik hield, als hij niet dronk. Toen boog hij zich naar me toe en drukte hij zijn lippen op de mijne.

"Papa, nee!" riep ik, maar hij perste mijn mond open en stak zijn tong diep naar binnen. Ik kreeg geen lucht. Opeens was het voorbij en liet hij me los. Ik lag hijgend naast hem, toen ik zijn vinger tussen mijn benen voelde, en hij begon te wrijven, steeds harder. Ik werd bang dat hij me echt pijn zou doen, dus ik lag alleen maar te kermen. Hij begon te kreunen, rolde zich van het bed en liep de kamer uit. Ik kroop weg onder het laken en spuugde in mijn kussen om de smerige smaak van zijn tong kwijt te raken. Een paar minuten later was hij terug. Hij kwam op het bed zitten, tilde het laken op om naar me te kijken en nam mijn handen in de zijne.

"Dit is ons geheimpje, prinses," zei hij glimlachend. "Dit is wat mensen doen als ze meer van elkaar houden dan van alle anderen. Mama zou gaan huilen als ze wist dat ik meer van jou hield, dus je mag haar nooit vertellen wat we doen." Hij pakte me bij mijn schouders en keek me aan. "Nooit," herhaalde hij. Ik staarde hem zwijgend aan en knikte, en toen glimlachte hij weer. Hij gaf me nog een kus, en weg was hij.

Zo bleef het om de paar weken gaan, vier jaar lang. Ik vertelde het aan niemand. Inmiddels wist ik dat het niet klopte, en ik voelde me smerig, ik schaamde me dood. Ik was veel te bang om me tegen mijn vader te verzetten, dus ik lag elke keer met mijn ogen stijf dichtgeknepen te wachten tot hij klaar was.

Ik wist niet wat ik ertegen kon doen. En ik had geen idee hoe ik het mijn moeder moest vertellen. Ze huilde toch al zo vaak. Als ik het haar vertelde, zou ze nog ongelukkiger worden en dat was dan mijn schuld.

Ik was altijd een ondeugende babbelkous geweest, maar ik veranderde in een zenuwachtig, teruggetrokken en schichtig meisje. Ik haalde me rare dingen in het hoofd, dacht dat iedereen achter mijn rug over me praatte en me uitlachte. 's Avonds sloop ik mijn kamer uit en ging ik op mijn hurken op de overloop zitten om te luisteren naar de gesprekken van beneden, zelfs al begreep ik vaak niet waar het over ging. Aan tafel met de anderen had ik geen trek meer, en ik jatte dingen uit de koelkast om ze in mijn kamer op te eten, waar niemand me kon zien.

Van de ene dag op de andere hield het op. Toen ik tien was, kwam mijn vader niet meer bij me. Ik hoefde niet langer om zeven uur tegelijk met Maureen naar bed en mocht tot tien uur opblijven met mijn broers. Eerst dacht ik dat mijn vader me ergens anders mee naartoe zou nemen. Ik kon gewoon niet geloven dat het zomaar op zou houden. Toch was dat zo. Beetje bij beetje begon het besef dat hij niet meer aan me zou komen tot me door te dringen terwijl ik hem in de weken daarna elke avond voor de televisie zag hangen. Hij zoop zich lam en viel in slaap, of hij ging naar de pub en kwam samen met mijn moeder terug. Ik kon mijn geluk niet op.

Toen ik op een avond in bed lag, hoorde ik mijn ouders naar bed gaan. Een paar minuten later kwam mijn vader hun kamer weer uit, en verstijfd van angst staarde ik in het donker naar de deurkruk, wachtend totdat die langzaam naar beneden zou gaan en hij op zijn tenen naar het bed zou lopen. De deurkruk bewoog niet; hij ging alleen naar de wc en terug naar hun kamer, waarna hij hoestend de deur met een luide knal achter zich dichtsloeg. Opluchting golfde door me heen en ik grijnsde breed in het donker. Het was echt afgelopen, de nachtmerrie was voorbij.

Ik keek opzij naar Maureen, die met haar duim in haar mond lag te slapen, en besefte dat het waarschijnlijk kwam doordat zij nu ouder was. We sliepen samen in een oud tweepersoonsbed. Mijn vader deed alles altijd heel stil, maar nu ze zes was, zou ze zich afvragen wat er aan de hand was als ze wakker werd. Dat moest het zijn, bedacht ik. Het komt door Maureen. Ik weet nog dat ik me op mijn zij draaide en mijn armen om haar heen sloeg, maar ze duwde me geïrriteerd weg. Het kon me niet schelen. Ik sloeg mijn armen maar om het kussen heen en viel in een diepe slaap.

Jeetje, ik heb het iemand verteld. Het voelt fantastisch.'

Ik was zo opgegaan in haar verhaal dat ik was vergeten dat ze tegen me praatte. Ze vertelde het zo beeldend, dat ik het gevoel had dat ik bij haar in dat huis was.

'Je bent door de hel gegaan,' schreef ik terug. 'Ik kon je pijn voelen toen je het me vertelde. Vier jaar, Shannon! Godzijdank hield het op. Het moet voor jouw leven een groot verschil hebben gemaakt.'

'Het was zo'n enorme opluchting. Ik had problemen op school, ik spijbelde en ik gaf de leerkrachten een grote mond. Die zaten met de handen in het haar. Ik trok me er niets van aan. Mijn moeder begreep niet waarom ik altijd zo onbeleefd was tegen iedereen; als we bezoek hadden, wilde ik niet eens dag zeggen en ging ik naar mijn kamer. Mensen maakten me duizelig. Ik had geen vriendinnetjes, en ik kon niet goed lezen en schrijven.

Een jaar nadat het was opgehouden, ging ik naar de middelbare school. De eerste dag moest mijn moeder me naar buiten slepen, maar de gevoelens van vroeger – angst, misselijkheid, licht in het hoofd – bleven dit keer uit, en dat was bevrijdend. Ik vond dat de school er spannend uitzag en ik voelde nieuws-

213

gierigheid opkomen. Ik had er zin in om naar binnen te gaan en bij al die kinderen te horen. Ik leerde nieuwe mensen kennen voor wie ik niet bang was. Ik maakte vriendinnen. De docenten waren heel erg aardig, en ik kreeg bijles in lezen en schrijven. Dat deden ze heel goed, ze gaven je niet het gevoel dat je stom was omdat je niet kon lezen. Ik deed mijn best en ik ging vooruit. Er veranderde zoveel dat ik het zelfs leuk vond om naar school te gaan.'

'Het is jammer dat computers geen knuffels kunnen geven,' schreef ik. 'Niets zo fijn als een happy end.'

'Niet zo snel, Jacky. Dit is nog maar het begin.'

'Dat begrijp ik,' zei ik, 'maar in je eerste mailtje klonk je echt wanhopig. Ik dacht, sorry dat ik het zeg, dat ik alleen maar narigheid en verdriet te horen zou krijgen. Het is fijn om te horen dat je gelukkig was op school en die afschuwelijke ervaringen achter je kon laten.'

'Als je jong bent, heb je het gevoel dat de hele wereld om jou draait,' vervolgde Shannon. 'Ik was in de war, van streek en doodsbang toen het me overkwam. Ik wist niet meer wie ik was. Toen het ophield, kon ik stukje bij beetje weer mezelf worden. Ik dacht geen seconde na over de mensen om me heen. Het was voorbij, en dat was het enige dat telde. Wat ben ik blind geweest.'

'Je mag je niet schuldig voelen. Je had zoveel meegemaakt, dus is het logisch dat je alleen aan jezelf dacht, je moest overleven. Je was pas elf, en toch ben je er bovenop gekomen! Je zou trots moeten zijn op jezelf, in plaats van jezelf verwijten te maken.

Was het je moeder?' voegde ik er in een opwelling aan toe. 'Begon hij haar erger te mishandelen toen hij jou niet langer lastigviel?'

'Niet echt,' luidde de reactie. 'Mijn moeder hield zielsveel van mijn vader als hij nuchter was. Dan was hij een leuke vader, en hadden we de grootste lol met zijn allen. Als een van ons het tegen hem opnam als hij dronken was, smeekte mijn moeder ons om naar onze kamer te gaan – niet dat Maureen of ik het ooit probeerde. Finn ging soms met hem op de vuist, maar dan liep hij altijd klappen en blauwe plekken op, en dat was uiteindelijk erger voor mijn moeder. Ze praatte er nooit over, deed alsof er niets aan de hand was. Het werd een gewoonte voor ons om te verdwijnen als hij weer eens te veel op had. Dat was het vaste patroon.

Toen Sean zestien werd, ging hij van school af en nam hij een baan bij een fabriek in Dublin. Destijds wist ik het niet, maar later heeft hij me verteld dat hij de dagen aftelde totdat hij eindelijk weg kon van huis.'

'Wat doet hij nu?' vroeg ik.

'Getrouwd, kinderen, drank, echtscheiding. Hij heeft een alcoholprobleem. Hij was kapot van de scheiding. Nu heeft hij tenminste toegegeven dat hij een probleem heeft, en hij heeft hulp gezocht. Hij staat nu vijf maanden droog.'

'En de anderen?'

'Fergus is in het buitenland. Hij is nu negenentwintig, verliefd op een Engels meisje, Patsy, en ze doen zendingswerk in Afrika. Het zou me niet verbazen als hij uiteindelijk priester wordt. Finn is de slimste van ons allemaal. Hij is cum laude afgestudeerd in rechten. Woont in Londen met zijn vriend.'

'Zijn vriend?' Ik glimlachte. 'Dat moet een bittere pil zijn geweest voor pa.'

'Die heeft het nooit geweten,' antwoordde Shannon. 'Hij kreeg longkanker en is overleden. Een jaar of elf geleden. Finn woonde toen niet meer thuis, hij studeerde. Hij is overgekomen voor de begrafenis, mét zijn vriend, een andere in die tijd. Hij was er tegen iedereen heel open over. Nooit bang geweest om risico's te nemen, onze Finn. Zo brutaal als de neten.'

'Hoe viel dat?'

'Wonderlijk goed. Er vlogen ongeveer een miljoen andere emoties in het rond. Daar kon die schok ook nog wel bij. Aan het eind van de dag gaf iedereen hem een hand, en werden ze beleefd uitgezwaaid.'

'Even nadenken,' zei ik. 'Jij moet achttien zijn geweest toen je vader overleed. Dat was dus acht jaar nadat je voor het laatst bent misbruikt. Hoe voelde je je over zijn dood?'

'Hetzelfde als nu. God heeft ingegrepen om ons allemaal van hem te bevrijden, de klootzak.'

Ik wist niet wat ik las. 'Ben je nog steeds zo fel, na elf jaar? Geen mededogen, geen spijt?'

'Na wat ik nu weet? Geen greintje,' zei Shannon.

'Wát weet je nu?'

Haar antwoord bezorgde me kippenvel. 'Toen mijn vader mij met rust liet, ging hij verder met Maureen.'

We hielden het die dag voor gezien. Shannon was compleet uitgeput nu ze eindelijk haar hart had gelucht, en ze was heel erg uit haar doen door dat laatste beetje informatie. Zo te horen verweet ze het zichzelf dat haar vader haar zusje had misbruikt en kon ze niet met haar schuldgevoel omgaan. Ik wilde niet aandringen op het vervolg van haar verhaal; daar moest ze zelf aan toe zijn. Ik kon alleen maar afwachten.

Ik had me geen zorgen hoeven maken. Een paar dagen later kwam Shannon op de afgesproken tijd online.

'Hoi, Jacky. Ik voel me de laatste paar dagen heel goed. Het is zo fijn dat ik met je kan praten.'

'Blij het te horen.' schreef ik terug. 'Ik was bang dat het te zwaar voor je zou zijn.'

'Vergis je niet,' zei Shannon. 'De eerste stap heeft me heel erg veel moeite gekost, maar toen ik eenmaal was begonnen voelde het goed. Ik was net een ballon die op knappen stond, maar nu ik praat is de druk van de ketel en komt alle opgekropte angst en frustratie geleidelijk vrij. Ik ben niet meer zo wanhopig als een week geleden.'

'Fijn,' zei ik. 'Doe het in je eigen tempo. Je kunt me zoveel of zo weinig vertellen als je zelf wilt.'

'Nu kan ik het aan om over Maureen te praten,' kondigde ze aan. 'Toen we aan het graf stonden en de kist van mijn vader werd neergelaten, ving ik een glimp op van Maureens gezicht. Ze stond heel stil, helemaal verstijfd, haar half toegeknepen ogen strak op de kist gericht. Ik schrok van de heftigheid van haar blik, en besloot later met haar te gaan praten. Ze bleef niet beneden toen de hele familie mee terugkwam naar ons huis, maar ging meteen naar boven. Ik keek haar na en er ging van alles door me heen; ík was vroeger degene die wegvluchtte.

En toen drong het tot me door. Het besef kwam als een vloedgolf over me heen. Zo was ik vroeger. Toen mijn vader me misbruikte. Toen ik zes was. In gedachten maakte ik een rekensommetje. Hij was opgehouden toen ik tien was. Dat betekende dat Maureen toen... zes was. Lieve Heer, nee! Vertel me dat het niet waar is, vertel me dat het niet waar is, bleef ik tegen mezelf herhalen terwijl ik achter Maureen aan de trap op holde. Ze was nu veertien.

Boven aan de trap bleef ik even staan voordat ik op haar deur klopte,' vervolgde Shannon. 'Opeens sloegen de twijfels toe. Stel nou dat ik het bij het verkeerde eind had? Misschien had de dood van mijn vader Maureen dieper geraakt dan ons allemaal. Aan de andere kant, betoogde ik, stel nou dat mijn vermoeden waar is? Ik zou het mezelf nooit vergeven als ik haar niet probeerde te helpen. Ik klopte op haar deur.

We gingen die avond niet naar beneden om te eten. We bleven tot laat wakker, en hebben gepraat, elkaar omhelsd, gehuild en getreurd om onze verloren jeugd. Eerst was Maureen huiverig om te praten, maar ze zette grote ogen op van schrik toen ze hoorde wat onze pa met mij had gedaan. Ja, hij was met haar verdergegaan, bekende ze. Ze was als de dood geweest om er iets over te zeggen omdat ze onze moeder geen verdriet wilde doen. Ja, hij was het blijven doen, tot aan het moment dat hij ernstig ziek was geworden. Maar het was nog veel erger. Vanaf haar dertiende heeft hij elke twee weken seks met haar gehad, volledige geslachtsgemeenschap.

Nu begreep ik waarom ik al die jaren geleden opeens langer op had mogen blijven; het had hem de kans gegeven om met Maureen alleen te zijn. Waarom had ik de tekenen niet gezien? Omdat ik er niet op had gelet. Zoals ik al eerder zei, ik was veel te veel met mezelf bezig, ik ging totaal op in mijn eigen problemen en had geen ruimte voor iemand anders.'

'Heb je er toen met iemand over gepraat?'

'Nee,' antwoordde Shannon. 'We waren het erover eens dat we het beter voor ons konden houden. Hij was toch dood en kon verder geen schade meer aanrichten. Als we het vertelden, zouden we mijn moeder verdriet doen. Op een heel erg foute manier had hij opnieuw gewonnen.'

Ik huiverde. Er kwamen herinneringen boven aan Egypte, aan die keer dat mijn dronken zwager me had verkracht. Ik had het wél verteld, en dat had voor mij vreselijke gevolgen gehad. Niemand geloofde me, en ik werd geslagen omdat ik zoiets durfde te beweren. Dat was een harde les. Door het aan iemand te vertellen, werd het alleen maar erger. Ik begreep Shannon volkomen.

'Zullen we het voor vandaag hierbij laten?' stelde ik voor. 'Ik ben uitgeput.'

De week daarna logde ik in, en ik was blij te zien dat Shannon al op me wachtte. Ik kreeg de indruk dat ze in een goed humeur was.

'Ik verheug me op onze chatsessies,' zei ze. 'Op deze manier is het gemakkelijk voor me om te praten.'

'Het is een grote stap,' schreef ik terug. 'We hebben de vorige keer veel besproken. Gelukkig hadden Maureen en jij elkaar. Hoe is het nu met haar?'

'Ze is nu vierentwintig. Ze heeft last van depressiviteit en daar slikt ze medicijnen voor. Jongens heeft ze altijd links laten liggen, maar op haar achttiende leerde ze Donald kennen. Hij was haar eerste echte vriend. Ze zijn getrouwd, maar hun huwelijk liep op de klippen omdat ze het niet verdroeg om aangeraakt te worden. Ze is weer bij mij komen wonen en raakte totaal geïsoleerd, had last van angstaanvallen en ze bracht zichzelf snijwonden toe. Een psychiater heeft zijn best gedaan om haar te helpen, maar ze kon het niet vergeten. Mijn vader heeft haar leven kapotgemaakt. Nog steeds heeft ze haar verleden niet verwerkt, en ze zal nooit kinderen kunnen krijgen. Pa heeft zich met geweld aan haar opgedrongen, en ze herinnert zich hoe erg ze de eerste keer schrok van al het bloed. Ze huilt nog steeds in haar slaap. Als hij niet dood was, zou ik hem vermoorden. Maar de schuld ligt niet geheel bij hem. Ik had het moeten zien. Ik had beter op haar moeten passen.'

'Je was tíén, Shannon,' protesteerde ik. 'En toen was je zelf al vier jaar lang op een afschuwelijke manier door je vader misbruikt. Niemand kon van je verwachten dat je in die toestand op iemand anders paste. Je mag jezelf geen verwijten maken. Al die jaren daarna ben je moedig en sterk geweest. Je mag je niet verantwoordelijk voelen voor wat hij heeft misdaan.'

'Je begrijpt het niet,' zei ze. 'Ik ben een slecht mens. Door en door slecht.'

'Hoe kom je daar nou bij?'

'Iedereen die ik vertrouw doet me pijn. Het is altijd hetzelfde. Ik kan met niemand praten, want op een dag gebruiken ze het tegen me. Mijn vader heeft niet alleen Maureens leven verwoest.'

Ik besefte dat we het eigenlijk nooit hadden gehad over hoe

zij zich voelde, en waarom ze nog maar zo kortgeleden zelfmoord had willen plegen.

'Laten we het over jou hebben,' opperde ik. 'Vertel me eens over jouw leven na de dood van je vader.'

'Alleen Maureen en ik woonden nog thuis,' vertelde ze. 'Ik was op mijn zestiende van school gegaan en werkte bij Boots, de drogisterij. In het begin wist mijn moeder zich geen raad, maar ze begon zich geleidelijk te ontspannen en ging uit met vrienden. Toen ze Tom leerde kennen, waren we blij voor haar. Het was zo fijn om haar te horen lachen.

Al snel was hij meestal bij ons. Ik zat in bad toen het gebeurde. Hij kwam binnen alsof hij niet wist dat ik in de badkamer was. Zei dat hij een handdoek nodig had. Maar hij deed de deur achter zich dicht, ging op zijn knieën zitten, stak zijn hand in het water en probeerde me aan te raken. Ik gilde en sprong uit bad, en rende poedelnaakt naar mijn kamer. Iedereen had het gehoord. Mijn moeder kwam boven om te vragen wat er aan de hand was. Ik deed mijn kamerjas aan en zat trillend op mijn bed.'

'En wat deed Tom?'

'Hij kwam lachend achter mijn moeder aan naar mijn kamer. Zei dat hij alleen een handdoek kwam halen en niet wist dat ik in bad zat. Het speet hem, zei hij, maar ik had de deur op slot moeten doen.

'Wat heeft je moeder gedaan toen je haar vertelde wat er echt was gebeurd?'

'Dat is nou juist het probleem,' schreef ze. 'Ik heb het haar niet verteld. Ik schaamde me te erg. Hij is ermee weggekomen. Maar bij mij kwamen alle gevoelens van vroeger boven. Ik had het moeten vertellen, maar dat heb ik niet gedaan.

Ik had het huis uit kunnen gaan,' schreef ze, 'maar ik kon Maureen niet in de steek laten. Ze zat nog op school. Ik vertrouwde Tom met niemand. Elke avond bad ik dat hij weg zou gaan bij mijn moeder, maar hun relatie werd juist alleen maar hechter. Twee jaar na de dood van mijn vader is ze met hem getrouwd. Maureen ging van school af, en ik vond een leuke flat waar we samen konden gaan wonen. Mijn moeder was blij dat ze Tom voor zichzelf had, dus zij vond het allang best. Bovendien was het maar een paar kilometer bij haar vandaan.

Maureen vond een baantje bij een bloemist, en daar leerde ze Donald kennen. Zelf heb ik een aantal vriendjes gehad, maar ik vond het afschuwelijk om gekust te worden, en ik kon het gezicht van een man niet in de buurt van het mijne verdragen als hij bier had gedronken. Dan begon ik te beven, het maakte me misselijk. Op mijn twintigste leerde ik Declan kennen. Vanaf het begin voelden we ons tot elkaar aangetrokken, en de eerste keer dat hij me kuste, kuste ik hem terug. Hij was het tegenovergestelde van mijn vader: lang en glad geschoren, en hij rook lekker en had lieve blauwe ogen en blond haar, een beetje rossig. Ik was nog maagd, en de eerste keer dat we met elkaar naar bed gingen, heb ik na afloop gehuild omdat ik me niet goedkoop of smerig voelde. Ik voelde me gewoon bemind.'

'Wat een geluk dat je hem hebt leren kennen,' zei ik. 'Kon je toen eindelijk een nieuw leven opbouwen?'

'Het was een langzaam proces,' antwoordde ze. 'Nadat Maureen met Donald was getrouwd, trok Declan bij mij in. De flat was mijn toevluchtsoord, daar voelde ik me veilig, daar kon niemand me bedreigen. Ik heb het Declan niet verteld, maar in stilte was ik bang dat ik het benauwd zou krijgen als we gingen samenwonen. Mijn moeder was het er niet mee eens, maar ze zette zich eroverheen.

Declan was wiskundeleraar op de plaatselijke middelbare school. Het was zijn eerste vaste baan, en hij werkte vaak tot diep in de nacht om lessen voor te bereiden en huiswerk na te kijken. Dat gaf mij de ruimte die ik nodig had. Het ging goed, en we waren erg gelukkig. We konden elkaar alles vertellen

– alles behalve mijn geheime verleden. Af en toe voelde ik het verlangen opkomen om erover te praten, maar hoe ik mijn best ook deed, ik kon de woorden van mijn vader niet vergeten. Ze bleven rondspoken in mijn hoofd: als ik het vertelde, zou ik mijn moeder verdriet doen; als ik het vertelde, zou niemand me geloven; als ik het vertelde, zouden mensen op me neerkijken en me smerig vinden. Na al die tijd had hij me nog steeds in zijn macht. Ik wist niet hoe Declan zou reageren als ik het hem vertelde. Ik kon hem zelfs kwijtraken, en dat risico wilde ik niet nemen.

Maar goed, hij kocht een computer, zorgde voor een internetverbinding en leerde me ermee om te gaan. Ik kreeg niet vaak de kans om de computer te gebruiken, aangezien hij meestal de hele avond online was, maar zoals ik al zei, dat vond ik best. Inmiddels was ik goed bevriend geraakt met mijn manager, Geoff. We hadden hetzelfde gevoel voor humor, we hadden allebei geen zin om over collega's te roddelen, en we namen altijd samen koffiepauze. Hij werd een goede vriend, en op dat punt was ik gelukkiger dan ik ooit was geweest.'

Ik moest haar onderbreken. 'Besef je wel wat je zegt? Je voelde je beter doordat je kon praten. Hoe meer je praat, hoe meer je je ontspant, en des te meer vertrouwen je hebt.'

'Dat begon ik te ontdekken,' beaamde Shannon. 'De maanden gingen voorbij, en ik heb het Declan wel een miljoen keer bijna verteld van mijn vader, maar elke keer durfde ik het op het laatste moment niet aan. Toen we vierden dat we twee jaar samenwoonden, had ik alles voorbereid: een diner bij kaarslicht in een duur restaurant – het hotel bij ons in de straat, eerlijk gezegd – en thuis een fles champagne en een goed gesprek. Alleen was hij me voor.'

'Wat bedoel je?'

'Nou, we zijn samen uit eten geweest, maar het was niet bepaald romantisch. Om te beginnen was ik zo zenuwachtig als een konijn dat gevangen is in de koplampen van een auto, en hij was heel stil, wat niets voor hem was. Thuis haalde ik als verrassing de champagne tevoorschijn, maar hij zette de fles weg, pakte mijn hand en nam me mee naar de huiskamer. "Ik moet je iets vertellen," zei hij. Ik hoorde hem nauwelijks. Ik had de hele avond moed verzameld, en ik was vastbesloten om het hem dit keer echt te vertellen, mijn grote geheim. Het was tijd. "En ik moet jou iets vertellen," zei ik tegen hem.

Het was heel raar. Ik luisterde niet echt naar hem, want ik wilde alleen maar mijn ei kwijt, en hij luisterde niet echt naar mij omdat hij erop gebrand was om zijn eigen ding te vertellen. Godzijdank was hij me voor.'

'Hoezo?' Ik brandde van nieuwsgierigheid. 'Wat had hij je te vertellen?'

'Na zijn eerste zin kon ik geen woord meer uitbrengen. Hij keek me zelfs niet aan. "Ik heb iemand anders ontmoet. We hebben een relatie." Hij had via chatten op het internet iemand leren kennen. Hij had er geen verklaring voor, zei alleen dat het als een vriendschap was begonnen en steeds serieuzer was geworden. Het was niet mijn schuld, maar hij wilde wel bij me weg.'

'En dat was het?' vroeg ik ongelovig. 'Heb je niet voor hem gevochten?'

'Ik had inmiddels wel een beetje zelfvertrouwen, maar niet echt veel,' schreef ze me terug. 'Ik dacht dat het aan mij lag. Zo geweldig kon ik niet zijn als hij bij me wegging voor iemand die hij alleen via het internet had gesproken. Nee, ik heb niet voor hem gevochten, ik ben weer in mijn schulp gekropen.

Daarna ging het heel snel,' zei ze. 'Declan ging bij me weg, Maureen en Donald gingen uit elkaar, en ze trok bij mij in. Emotioneel waren we allebei een wrak, en we waren niet goed voor elkaar. Ik vond het onvoorstelbaar dat ik Declan bijna mijn geheim had verteld. Stel nou dat ik de eerste was geweest?

Zou hij dan uit medelijden bij me zijn gebleven? Dat zou nog veel erger zijn geweest. Op dat moment was mijn baan mijn enige houvast in het leven. Ik vertrouwde Geoff genoeg om te vertellen wat er thuis was gebeurd, en hij was een enorme steun voor me.

Het probleem was alleen dat ik me veilig had gevoeld bij Declan, en nu hij er niet meer was, miste ik hem ontzettend. Ik miste zijn armen om me heen en zijn kussen. Ik raakte depressief. Ik voelde me hulpeloos, ik was mijn greep op de dingen kwijt. Ik werd mager, en viel terug in mijn gedrag van toen mijn vader me misbruikte – 's avonds was ik bang om te gaan slapen, en ik hield mijn ogen open om naar de deurkruk te kijken.

Vreemd genoeg heeft mijn moeder me toen geholpen. Ze kwam langs op een dag dat ik me niet goed voelde en nam me mee naar de dokter. Ik kreeg te horen dat ik depressief was, maar dat ik me vooral geen zorgen moest maken, dat iedereen zich zo voelt na een verbroken relatie. Hij schreef een antidepressivum voor, en die pillen waren geweldig. Ik was niet meer zo moe, en om de een of andere reden voelde ik me niet meer zo slecht. Ik werd vrolijker, richtte mijn woonkamer opnieuw in, en ik ging weer uit. 's Nachts kon ik weer slapen, en ik begon verstandiger te eten. Ik was terug.

'Goed gedaan,' complimenteerde ik haar. 'Wat zul je trots zijn geweest op jezelf.'

'Niet echt,' luidde het antwoord. 'Ik beschouwde het als mijn plicht om voor Maureen te zorgen. Ik moest sterk zijn om haar op te kunnen vangen. Ze had me nodig. Wat kan een mens zich toch vergissen. Zelfs zíj wilde niet met me samen zijn.'

'Leerde ze iemand kennen?' gokte ik. 'Als ze weg is gegaan voor een relatie, was dat waarschijnlijk alleen maar goed.'

'Toen ik je de eerste keer een mailtje stuurde,' zei Shannon, 'was ik net terug uit het ziekenhuis. Maureen had een overdosis pillen geslikt en ze lag in coma. Ik had drie dagen lang naast haar bed gezeten, en me al die tijd afgevraagd wat ik had gedaan – of juist niet – dat ze dit verkoos boven een leven met mij. Alles leek opeens waardeloos. Mijn hele bestaan leek waardeloos. Als ze mij niet wilde, waarom zou ik dan nog blijven leven? Het was een zootje in mijn hoofd en ik raakte heel erg in de war. Ik zat in de gang voor haar kamer terwijl mijn moeder en Tom bij haar waren; ik voelde me nog steeds ongemakkelijk in zijn nabijheid, en bovendien was het een beetje vol. Sean en mijn tante Noreen, de zus van mijn moeder, waren op bezoek, en we wisselden elkaar af. Ik kon er niet tegen om met zijn allen bij elkaar te zijn. Een verpleegster gaf me je boek, *Fatwa*. Ik heb elk woord verslonden. Jij had op dat balkon gestaan, van plan er een eind aan te maken omdat je niet wist of je leven nog wel zin had. Voor mij was het een openbaring om te lezen over iemand die zich precies zo voelde als ik. Toen ik het uit had, zag ik je website op de achterflap.

Ik nam een besluit: als Maureen doodgaat, heeft het voor mij ook geen zin om door te gaan. De volgende dag vertelde de dokter ons dat Maureens lever niet functioneerde en dat er weinig hoop was. Iedereen werd een beetje hysterisch, en ik besloot naar huis te gaan en een overdosis te nemen om bij mijn kleine zusje te kunnen zijn. Ik deed de televisie aan, zoals altijd, zette een kop thee, schonk mezelf een glas water in en schudde al mijn pillen op de tafel. Ik heb daar eeuwen gezeten, zonder iets van het televisieprogramma te zien, starend naar de pillen. De thee werd koud. Uiteindelijk ben ik naar je website gegaan en heb ik jou om hulp gevraagd. Ik heb de pillen op tafel laten liggen en ben teruggegaan naar het ziekenhuis.'

'Het was een zaterdag,' zei ik. 'Ik las je mailtje pas op maandag, en je zei dat je een dag zou wachten. Ik heb je meteen teruggeschreven, bang dat ik misschien te laat was.'

'Het liep allemaal anders,' antwoordde Shannon. 'Maureen ging niet dood. Die dag kwam ze bij uit haar coma. Ik was er zo zeker van geweest dat ze dood zou gaan. Ik bad en bad, bedankte de Heer dat hij haar had gespaard en verontschuldigde me voor wat ik had willen doen. Ik beloofde dat ik nooit meer aan zelfmoord zou denken als Maureen bleef leven. Het was geweldig om te zien dat ze haar hoofd naar me toe draaide en in mijn hand kneep. Ik kon wel huilen van blijdschap. Voor het eerst in jaren voelde ik de behoefte om iemand in vertrouwen te nemen, alsof de tijd ervoor gekomen was. Ik heb jou gekozen.'

'Dank je,' zei ik. 'Ik voel me vereerd. Je bent een bijzonder mens, Shannon.'

'Er zijn op deze wereld duizenden mensen die ik bijzonder zou kunnen noemen, maar geloof me, daar hoor ik niet bij.'

'Je hebt een grote stap gezet en iemand je diepste en donkerste geheim verteld. Mij. Hoe voelt dat?'

'Vreemd, om je eerlijk de waarheid te zeggen,' bekende ze. 'Ik heb te veel tijd om na te denken. Ik zit hier nu in mijn eentje, weet je. Mijn moeder voelde zich schuldig omdat ze er niet was geweest voor Maureen, en ze probeert het goed te maken door voor Maureen te zorgen. Maureen woont nu bij haar.'

'Hoe is de situatie met Geoff?' vroeg ik achteloos.

'Geweldig. Hij is er altijd voor me, belangstellend, een enorme steun. Ik zou niet weten wat ik zonder hem moest doen. Ik weet al een tijdje dat hij me leuk vindt, maar hij is een echte gentleman en zet me niet onder druk.'

Ik haalde diep adem. 'Waarom nodig je hem niet een keer uit? Om bij je te komen eten of zo? Of ga samen iets drinken.'

'Dat heeft hij al gevraagd, maar ik heb nee gezegd.'

'Kom op, Shannon, je weet dat je eigenlijk geen nee wilde zeggen. Ik krijg sterk de indruk dat je deze man vertrouwt en respecteert. Wat kan het nou voor kwaad? Toe,' drong ik aan, 'denk er nog eens over na.'

Ik was een beetje verbaasd maar ook heel erg blij toen ik de week erna Shannons berichtje las. 'Hoi, Jacky. Ik ga vanavond uit met Geoff, dus ik kan niet lang chatten. Ik wil er zo mooi mogelijk uitzien.'

'Fantastisch!' zei ik. 'Geniet ervan.'

In de maand daarna was het contact met Shannon nogal fragmentarisch, aangezien ze een relatie kreeg met Geoff. Ze kon niet langer dan vijf of tien minuten met me chatten, en dan moest ze er weer vandoor. Ze werd verliefd. Ik was dolblij voor haar. Ze overwon haar reserves om bij haar moeder en Tom op bezoek te gaan en zocht Maureen regelmatig op. Zo kreeg ze een veel hechtere band met haar moeder, en de drie vrouwen gingen leuke dingen met elkaar doen, ze gingen samen winkelen of wandelen. De toon van onze chats werd lichter, en ze voelde zich over de hele linie meer ontspannen. Het was tijd om de werkelijkheid onder ogen te zien.

'Shannon, het is tijd.'

We hadden grapjes gemaakt over Geoffs romantische gebaren, de briefjes die hij verstopte zodat zij ze zou vinden.

'Tijd? Tijd waarvoor?'

'Dit is serieus. Geoff is de ware voor je, ja toch?' hield ik vol.

'Ik hoop het.'

'Verdient hij het dan niet om het te weten? Niet iedereen die het weet zal dat tegen je gebruiken,' voegde ik eraan toe. 'Kijk maar naar mij.'

'Ik wil hem niet kwijtraken. Hij zou diep geschokt zijn en mij in een ander licht gaan zien. Ik hoor wat je zegt, Jacky, en waarschijnlijk heb je gelijk. Maar ik heb me nu zoveel jaar alleen door het leven geslagen. Ik zou me doodschamen.'

'Dat weet ik, en ik bewonder je erom. Maar je bent nu niet meer alleen. Als Geoff zoveel voor je betekent, heeft hij er recht op om te weten wie je werkelijk bent. Kijk eens hoever je bent gekomen nadat je het mij hebt verteld. Vertel het Geoff, en jullie kunnen samen de wereld veroveren.' Met ingehouden adem wachtte ik op haar reactie, die binnen een minuut op het scherm verscheen.

'Je hebt gelijk. Ik stel me aan. Ik moet dit doen. Ik ga het hem vanavond vertellen.'

De volgende dag vond ik een e-mail van haar, waarin ze me vroeg die avond om zes uur in te loggen.

'Het was zenuwslopend, maar ik heb het gedaan. Ik was doodsbang. Ik heb me nog nooit zo met iemand verbonden gevoeld als met Geoff, en ik was bang dat ik hem kwijt zou raken, dat het onze relatie op de proef zou stellen. Maar het was het allemaal waard. Het kwam er allemaal uit. Geoff heeft rustig geluisterd, en me in zijn armen genomen en me heen en weer gewiegd. We hebben samen gehuild. Hij is de liefste man van de wereld. Ik hou van hem, Jacky.'

'Ik ben zo blij voor je,' schreef ik. 'Nu kom je in een nieuwe fase.'

'Het zal niet gemakkelijk zijn. We hebben tot diep in de nacht gepraat. Geoff vindt dat ik het mijn moeder moet vertellen, niet alleen omdat het beter is voor mij, maar ook voor Maureen. Als zij beseft dat mama het weet en er voor haar is, komt zij misschien ook verder en kan ze ook een nieuw leven voor zichzelf opbouwen.'

'En wat heb je gezegd?' vroeg ik.

'Ik denk er nog over na, maar ik heb geen nee gezegd. Het is een beetje veel allemaal. Geoff heeft beloofd dat hij me de hele tijd zal steunen. Hij wil dat we Maureen vertellen dat hij het weet, zodat ze eraan kan wennen. Dan kunnen we samen met mijn moeder gaan praten. Met zijn drieën.'

'Klinkt goed,' zei ik. 'Je kunt het op dit moment goed vinden met je moeder. Dit is misschien het beste moment. Ga ervoor, Shannon.'

Geoff was een geschenk uit de hemel voor Shannon. Ze had genoeg vertrouwen in zijn liefde en steun om met Maureen te gaan praten en haar te vertellen wat ze de afgelopen maanden had doorgemaakt. Toen liet ze Geoff de kamer binnenkomen, zodat Maureen met eigen ogen kon zien dat Shannon na al die jaren iemand hun geheim had verteld.

'Het was een heel emotioneel moment,' schreef Shannon. 'Eerst reageerde Maureen bang en ongelovig, ze raakte in paniek, maar uiteindelijk stortte ze zich in mijn armen en barstte ze in huilen uit. Geoff bleef herhalen dat hij ons geloofde. Ze was compleet in de war. Nu besef ik dat het goed was om dit te doen. Ze had het allemaal heel diep weggestopt, net als ik. Het heeft ons zoveel energie gekost om het geheim te houden dat we nergens anders meer aan toe kwamen.'

'Je kunt hulp zoeken,' adviseerde ik haar. 'Je hoeft dit niet allemaal in je eentje te verwerken. Nu je het Geoff hebt verteld, zou je therapie kunnen overwegen. Dat soort mensen zijn ervoor opgeleid om je te helpen, en alles is vertrouwelijk.'

'Bedankt voor het advies, Jacky, maar nu moeten we het eerst aan mijn moeder vertellen.'

Het duurde nog een maand voordat Maureen eraan toe was. Dit keer was Geoff er de hele tijd bij. Ze hadden een moment gekozen dat Tom niet thuis was.

'Mijn moeder was diep geschokt,' vertelde Shannon, 'en heel erg van streek. Uiteraard wilde ze het eerst niet geloven, maar ze zag hoe we eraan toe waren en hoeveel moeite het ons kostte om erover te praten, dus wist ze diep in haar hart dat het waar was. Ze was er kapot van, en ze verweet het zichzelf dat ze het nooit heeft gemerkt. We hebben gehuild en gezegd hoeveel we van elkaar houden. Mijn moeder vindt dat we hulp moeten zoeken, net als jij, en ze heeft aangeboden het te regelen.'

'Dat is goed nieuws. Hoe denken jullie er zelf over?'

'We willen het proberen,' antwoordde ze. 'Als het niets oplevert, hebben we elkaar nog. Alleen,' voegde ze eraan toe, 'wat kan een vreemde nou voor ons doen?'

'Ik was ook een vreemde,' merkte ik op.

Na haar aanvankelijke scepsis, was Shannon al snel enthousiast over de twee therapeutes, Ginny en Debbie.

'De eerste keer dat ik bij haar was, begon ik al snel te huilen. Ik dacht dat het haar zou ergeren, maar in plaats daarvan legde ze een hand op mijn schouder, gaf ze me een tissue en moedigde ze me aan om door te gaan. Ik maakte me belachelijk tegenover een volslagen vreemde, en ze lachte me niet eens uit. Ik kon gewoon niet geloven dat ze naar me wilde luisteren, dat het haar interesseerde.

Met Maureen ging het net zo,' vervolgde ze. 'We beginnen te beseffen dat wíj met een probleem zaten, niet andere mensen. We beginnen ons verleden beetje bij beetje te accepteren. Ik schaam me zelfs niet meer. Je had gelijk, Jacky. Je komt alleen verder door je problemen bespreekbaar te maken. Dan pas voel je je niet langer een slachtoffer.'

Shannon en ik hebben nog steeds contact met elkaar. Ze gaat enorm vooruit, geholpen door alle lieve mensen die haar steunen. Net als ik heeft zij zichzelf weer zichtbaar gemaakt.

17

Tamara

Als onderdeel van de research voor mijn boek nodigde ik vrouwen via mijn website uit om me hun verhaal te vertellen. Zo kwam ik in contact met Tamara. Haar mailtje trok onmiddellijk mijn aandacht. 'Beste Ms. Trevane, ik heb het gevoel dat ik gek word. Ik heb een bijna onbedwingbare neiging te gaan gillen, zodat iemand me misschien hoort en bevestigt dat ik besta. Ik heb het nog niet gedaan, maar het scheelt niet veel. Ik leef in een hel, en ik heb niemand om mee te praten. Ik weet niet of mijn situatie in uw boek past, maar hoe dan ook, als u de moeite neemt om te reageren, bent u de eerste persoon in lange tijd die aandacht aan me besteedt. Vriendelijke groet, Tamara Hunt.'

Interessant. Dit kon ik onmogelijk negeren. Ik verkeerde niet in een betere positie om deze onbekende te helpen dan ieder ander, maar ze had mij nu eenmaal haar noodkreet gestuurd. Ik stond op het punt naar Leila te gaan om op haar dochtertje te passen en had geen tijd voor een lange sessie, maar ik was zo nieuwsgierig dat ik kort reageerde.

'Beste Tamara,' schreef ik. 'Ik heb je mail ontvangen. Gil maar zo hard je wil.'

Ik weet niet wat ik verwachtte. Na alle vrouwen met wie ik inmiddels contact had gehad, zou je denken dat niets me meer verbaasde. En toch verbaasde haar antwoord me wel degelijk.

'Voor mij is gillen ernstiger dan voor de meeste andere mensen. Het zou een vorm van zelfvernietiging zijn als ik eraan begon. Ik ben namelijk operazangeres.'

Ik glimlachte. Haar antwoord riep een beeld op van een mollige diva die met keelpijn in bed lag. Waarschijnlijk is ze zo'n dramatisch type dat over haar toeren raakt als een van de koorleden niet op de repetitie verschijnt, dacht ik.

Ik gaf niet direct antwoord. Ze klonk een beetje melodramatisch, en ik had belangrijker dingen te doen. Mijn blik viel op de klok op mijn bureau. Was het echt al zo laat? Ik moest over een kwartier bij Leila zijn!

'Ik snap niet waarom je je telkens zo laat meeslepen, mam. Op een dag raak je er nog door in de problemen.'

Ik zat in de voorkamer en keek naar mijn kleindochter Chloe, die het haar van haar Barbie borstelde.

Leila deed haar jas aan en gaf me een snelle kus. 'Je bent er niet voor opgeleid om die vrouwen advies te geven, en wat gebeurt er als ze doen wat jij ze aanraadt en het gaat helemaal mis? Dan voel jij je verantwoordelijk.'

Met mijn handen rond een beker thee geslagen bewoog ik schuldbewust mijn hoofd op en neer. Ik wist dat ze gelijk had. 'Ik weet het, lieverd. Soms zeg ik de verkeerde dingen en kan ik mezelf wel een schop geven. Ik ben niet altijd even begripvol, en vaak oordeel ik te hard. Ik besef dat ik in de toekomst een stuk voorzichtiger moet zijn.'

Leila tilde Chloe op en plantte een dikke zoen op haar wang. 'Wees lief voor oma, schatje. Mama is straks weer terug.'

'Nee, oma, ikke.' Chloe pakte me het boek uit handen en begon mij voor te lezen, in plaats van andersom. Ze verzon een prachtig verhaal bij de plaatjes, veel beter dan wat er stond. Op haar derde was ze al heel erg zelfstandig. 'Vond je het mooi, oma? Gaan we nu baby Annabel verschonen?'

Baby Annabel was op dat moment haar lievelingspop, compleet met een wandelwagen, luiers en een aankleedkussen. Terwijl ik toekeek toen Chloe haar pop liefdevol verschoonde en lekker instopte in de wandelwagen ging er een golf van emoties door me heen. We mochten van geluk spreken. Wat zou alles anders zijn geweest als we in Egypte waren gebleven.

Intussen bleven Leila's woorden door mijn hoofd spoken. 'Op een dag kom je er nog door in de problemen.' Stel nou dat ze gelijk had? Stel nou dat iemand in Egypte ons op de een of andere manier wist op te sporen doordat ik contact had met vrouwen van over de hele wereld? Of als een van hen kwaad op me werd vanwege een gedachteloze opmerking en zich tegen me keerde? Ik besefte dat ik het veel serieuzer zou moeten aanpakken.

Eenmaal weer thuis kroop ik achter mijn computer en besloot Tamara te schrijven en haar af te schepen. Er waren uren verstreken sinds haar mailtje. Wat het probleem ook was geweest, waarschijnlijk was het inmiddels opgelost en vervangen door een ander drama.

'Hallo, Tamara,' schreef ik. 'Ik hoop dat de problemen inmiddels zijn opgelost. Hoewel ik naar je kan luisteren, kan ik je geen advies geven of iets dergelijks. Ik ben gewoon een luisterend oor, niet meer en niet minder. Er moeten mensen in je omgeving zijn die je veel beter begrijpen dan ik.'

'U heeft geen idee,' luidde het antwoord. 'Ik dacht dat ik een grote groep vrienden had die me als vanzelfsprekend zouden steunen, of zelfs maar een "luisterend oor" wilden zijn, zoals u het noemt. Niet één van mijn zogenaamde vrienden is er voor me geweest, zelfs niet om te luisteren. Dat zeggen ze natuurlijk niet. Ze zetten allemaal een droevig gezicht en ze kloppen me op mijn rug en zeggen dat ze langs zullen komen. Maar de telefoon gaat niet, en er is helemaal niemand langsgekomen. Als ik toevallig iemand tegenkom, krijg ik de holle belofte dat ze zullen bellen. Niemand belt. Ik begrijp het niet.

Als ik u mijn hele verhaal vertel, kunt u me misschien vertellen wat ik verkeerd doe.'

Ik zuchtte. Wat moest ik doen? Hoe triviaal haar problemen misschien ook waren, als ik, een volslagen vreemde, weigerde naar haar te luisteren, zou ze zich afgewezen voelen en wellicht depressief raken. Dat wilde ik niet op mijn geweten hebben. Luisteren kon toch geen kwaad?

'Steek maar van wal,' typte ik. 'En noem me alsjeblieft Jacky.' Ik stond op van mijn bureau en ging thee zetten.

De lucht was helder blauw toen ik de volgende ochtend wakker werd, en de zon scheen uitbundig naar binnen. Nadat Ben en Adam de deur uit waren, nam ik een douche en kleedde ik me haastig aan, want ik wilde Henry uitlaten voordat het weer van gedachten veranderde. Het had de afgelopen veertien dagen vrijwel onophoudelijk geregend. Ik had mijn buik vol van winderige wandelingen door de regen en de modder, om het nog maar niet over Henry te hebben, die twee keer per dag een volmaakte metamorfose had ondergaan. Het ene moment een cockerspaniël, het volgende een grote, verzopen rat. Mijn geduld was zwaar op de proef gesteld als we weer thuis waren, want dan schudde hij zich uit in de keuken en zaten de keukenkastjes onder de spetters, en bovendien zat hij dan telkens kwispelend te wachten tot ik hem kwam afdrogen.

Vandaag kon het eindelijk een droge wandeling worden. Hoera! Snel keek ik in mijn inbox, en ik zag dat Tamara me een lange mail had gestuurd. Ik printte het mailtje om het mee te nemen. Een droge dag had nog meer voordelen. Ik kon op een bankje gaan zitten lezen, terwijl Henry met zijn vriendjes speelde. Ideaal.

Henry liet er geen gras over groeien. Hij sloot vriendschap met een levendige jack russell, en binnen de kortste keren renden ze vrolijk blaffend achter elkaar aan. Ik haalde de brief uit mijn zak en begon te lezen.

'Ik woon in Chelsea, Londen, met mijn man Oliver en mijn zoontje Josh. Ik ben vijfendertig, Oliver is tweeënveertig en Josh is vier. We hebben een appartement in Florida en een chalet in Zwitserland. Oliver is filmregisseur; zijn derde film is net af. Vroeger zong ik fulltime en kreeg ik veel aanbiedingen, maar tegenwoordig doe ik veel minder. Mijn impresario zorgt ervoor dat ik niet meer dan een productie per jaar doe. Ik heb mijn activiteiten tot een minimum moeten beperken, zowel professioneel als privé. Wat is ons leven veranderd.'

Ik was verbaasd. Waarom vertelde ze me dit allemaal? Ik had aangenomen dat ze zich druk maakte over een bagatel, dat ze zou klagen om haar hart te luchten, en verder niets. Het begint interessant te worden, peinsde ik. Ze moesten rijk zijn als ze drie huizen hadden. En niet meer dan één kind? Een leven in de schijnwerpers van de opera en de filmindustrie? Ze bofte maar. Ik las verder.

'Vijf jaar geleden waren we een succesvol stel, we hadden elk op ons eigen vakgebied de top bereikt. Ons sociale leven was een wervelwind. Samen vormden Oli en ik een geweldig team; we hadden allebei een drukbezette agenda, maar we hielden altijd rekening met elkaar. Als we niet bij elkaar waren, praatten we dagelijks en informeerden we naar elkaars belevenissen. We waren allebei ambitieus, en er bestond een wederzijds respect.

Tien jaar geleden zijn we getrouwd in een schitterend Schots kasteel, na een verloving van twee jaar. Ik wist dat Oli de ware was, maar ik moest mijn dromen nog waarmaken en was nog niet aan trouwen en een gezin toe. Hij vond het geen probleem, moedigde me aan om met operagezelschappen op tournee te gaan en een mooi curriculum vitae op te bouwen. Toen we uiteindelijk een datum voor de bruiloft hadden geprikt, was ik de gelukkigste vrouw van de wereld.

De jaren daarna vlogen voorbij. Oliver regisseerde zijn eerste film, en die werd goed ontvangen, met reisjes, interviews en zakelijke besprekingen als resultaat. Voor zijn volgende film ging hij een samenwerkingsverband aan met een Zwitserse filmproducer. We waren zo vaak in Zwitserland dat we besloten er een villa te kopen. Het skiseizoen was altijd fantastisch; Oliver was voortdurend omringd door rijke vrienden, dus ons drukke sociale leven ging gewoon door, waar we ook woonden.

Op tournee in Milaan leerde ik een collega kennen, Maria, en door haar besloot ik dat ik kinderen wilde. Ze had beslist een kleurrijk leven gehad, de hele wereld afgereisd en drie cd's gemaakt. Haar passie voor het zingen verdrong echter al het andere; haar sociale leven was een aaneenschakeling van feesten en diners, ze had in vrijwel elke stad waar ze kwam wel een minnaar, en ze maakte overal in de wereld deel uit van de jetset. Destijds had ze de rijpe leeftijd van achtenveertig bereikt, en de glans was er een beetje af. Toen we om negen uur 's ochtends op onze hotelkamer zaten te wachten op de auto die ons op zou halen voor de repetitie, zag ik hoe verblindend passie kan zijn. Met een glas champagne in de hand onderhield Maria me met pikante details over haar huidige Italiaanse minnaar. Het zou niet lang meer duren voordat haar leeftijd een rol ging spelen en zingen niet langer de focus van haar leven zou zijn. En wat dan? Zo wilde ik niet eindigen.

Ik kwam thuis met het verlangen om samen met Oli een gezin te stichten en droomde van een toekomst waar een lachend kinderstemmetje deel van uitmaakte. Hij was in de wolken. Ik weet nog dat hij me in zijn armen nam en met me over straat danste. Hier had hij altijd op gehoopt, maar hij had rustig afgewacht totdat voor mij de tijd er rijp voor was.'

Dat was het. Het einde van haar verhaal. Ik stak de e-mail weer in mijn zak, riep Henry en begon aan de wandeling naar huis. Het was nog steeds droog, hoewel er wolken kwamen opzetten vanuit het westen. Ik talmde de hele weg naar huis, genietend van de frisse lucht, en Henry maakte van mijn trage tempo gebruik om onderweg bij elk paaltje zijn poot op te tillen. Ik dacht na over Tamara's verhaal. Wat was precies haar probleem? Na die lange mail was ik nog steeds geen spat wijzer. Ik wist inmiddels te veel om het contact te verbreken. Nu al was ik betrokken geraakt, al was dat waarschijnlijk dom van me. Maar ik kon niet anders.

De volgende middag, zaterdag, had ik wonder boven wonder een paar uur voor mezelf. Het was opnieuw een droge dag. Ben was gaan golfen met zijn vader, en ik had Adam naar een vriendje gebracht.

'Daar gaan we dan,' zei ik hardop toen ik achter mijn computer ging zitten, benieuwd naar het vervolg van Tamara's verhaal.

'Hallo, Tamara. Je hebt me nieuwsgierig gemaakt. Zo te horen had je een paar jaar geleden een benijdenswaardig leven. Is er soms iets misgegaan?'

Ik verstuurde het bericht, maar begon opeens te twijfelen. Dat was veel te opdringerig, dacht ik bij mezelf. Ik had haar er zelf mee moeten laten komen. Dit pakte ik niet goed aan. Ik zat tien minuten ongeduldig te wachten en ontving toen haar antwoord.

'Ik weet werkelijk niet waarom ik je dit allemaal vertel,' schreef ze. 'Nu ik iemand heb gevonden die naar me wil luisteren, blijkt het niet mee te vallen om alles te vertellen. Ik ben heel erg emotioneel, en tijdens het schrijven van mijn vorige brief zat ik de hele tijd onbedaarlijk te huilen. Ik kon gewoon niet doorgaan.'

Ze wilde gerustgesteld worden, en daartoe was ik graag bereid.

'Tamara, je kunt alles schrijven wat je maar wilt, wanneer je maar wilt, en ik zal altijd naar je luisteren. Maar als je het te moeilijk vindt, is dat ook niet erg. We kunnen met elkaar msn'en als je dat makkelijker vindt. Zeg jij het maar.'

Dat vond Tamara een goed plan. Op deze manier hadden we directer contact met elkaar; we kregen meteen antwoord op vragen, konden elkaar onderbreken of even weggaan. Het beviel ons allebei stukken beter.

'Ik denk dat ik het zo moeilijk vind omdat ik door het je te vertellen word herinnerd aan hoe het vroeger was,' schreef ze. 'Echt waar, Jacky, we waren zo gelukkig. Zo verdomde gelukkig.'

Ik wilde graag dat ze de draad weer zou oppikken. 'Je had besloten dat je kinderen wilde,' begon ik. 'Wat gebeurde er toen?'

'Niets. Dat was het probleem. We hadden de grootste lol in bed, maar ik raakte niet zwanger. De dokter kon geen afwijkingen vinden. Na anderhalf jaar was ik eindelijk in verwachting. We waren dolgelukkig en gingen meteen allemaal babyspullen kopen – een wieg, een wandelwagen, een autozitje. Ik was bezig met het uitzoeken van behang voor de babykamer toen het gebeurde. Midden in een winkel. Ik was twaalf weken zwanger en kreeg een miskraam.'

Ik schrok. 'Arme jij,' kon ik alleen maar zeggen. 'Hoe heb je dat verwerkt?' voegde ik er nog aan toe.

'Oliver raakte in zichzelf gekeerd en stortte zich op zijn werk. De enige keer dat ik hem echt nodig had, was hij er niet voor me. We hebben er niet over gepraat. Ik raakte in een enorme dip. Iedereen wist dat ik zwanger was, weet je, maar je bazuint het feit dat je een miskraam hebt gehad niet in het rond. Elke keer dat mensen aan me vroegen hoe het ging, moest ik het opnieuw vertellen. Ik kon er niet tegen. Een paar maanden later gingen we naar Zwitserland, en daar ontdekte ik dat ik opnieuw in verwachting was. Dit keer waren we voorzichtiger. We vertelden het aan niemand. Ik hield meteen op met skiën, ging terug naar Chelsea en deed het rustig aan. De tweede keer kreeg ik met tien weken een miskraam.'

Wat vreselijk! Het moest een enorme klap voor Tamara zijn geweest. 'Dat zal voor jullie allebei heel moeilijk zijn geweest.'

'Zeg dat wel. We hebben er eindeloos over gepraat, en uiteindelijk besloten om het op te geven. We boekten een vakantie naar Barbados om tijd te hebben voor elkaar en nieuwe energie op te doen. Ik was van plan om weer aan de pil te gaan. Er waren andere mogelijkheden – adoptie, een pleegkind, misschien zelfs ivf – maar daar waren we allebei nog niet een toe.'

'Lukte het om tijdens de vakantie een beetje te ontspannen?'

'Het was emotioneel, met veel tranen, maar heel bijzonder,' antwoordde ze. 'In elk geval vonden we elkaar terug, en onze relatie was hechter dan ooit. Wat ik pas een paar weken later besefte, was dat ik tijdens onze vakantie opnieuw zwanger was geraakt. Het roer moest weer helemaal om. Dit keer legde ik me er al bij voorbaat bij neer dat ik binnen drie maanden een miskraam zou krijgen. Ik heb me zelfs geprobeerd voor te bereiden op het verdriet. Ik deed het heel rustig aan, bleef tot lunchtijd in bed en ging niet meer uit. Na vier maanden kon ik haast niet geloven dat de baby nog leefde. Toch vertelden we het aan niemand. Met twintig weken voelde ik hem voor het eerst in mijn buik bewegen. Ik was de koning te rijk. Dat gevoel zal ik nooit meer vergeten. Josh werd drie weken te vroeg geboren, en er waren op de hele wereld geen trotsere ouders dan Oliver en ik.'

'Geweldig!' zei ik. 'Eindelijk een erfgenaam. En hopelijk volgen er meer.'

'Er komen geen broertjes of zusjes voor Josh, ben ik bang.'

Ik en mijn grote mond. Ik vloekte in stilte, boos op mezelf dat ik weer iets verkeerds had gezegd. Waarschijnlijk was de bevalling traumatisch geweest; misschien waren er wel complicaties opgetreden en had ze te horen gekregen dat ze geen kinderen meer kon krijgen. Ik probeerde het met een grapje af te doen. Dom, dom, dom!

'Waarom niet? Heb je je handen te vol aan Josh?'

'Daar komt het wel op neer, ja.'

Haar antwoord riep een gevoel van schaamte bij me op. 'Het spijt me heel erg, Tamara. Het lijkt wel of ik de hele tijd de verkeerde dingen zeg. Ik probeerde de situatie van de vrolijke kant te bekijken. Door dat te doen, heb ik het alleen maar erger gemaakt. Vertel alsjeblieft verder, dan luister ik alleen nog maar.'

'Als het niet zo pijnlijk waar was, had ik er nu misschien om kunnen lachen,' zei ze. 'Met je eerste kind moet je alles nog leren. Je wordt voor de eerste keer moeder, en plotseling ben je verantwoordelijk voor een klein menselijk wezentje. Hij was me zo ongelooflijk dierbaar, weet je. Ik werd helemaal door hem geobsedeerd, controleerde om het kwartier of hij nog wel ademde, zelfs al had ik een draagbaar babyalarm aan mijn riem. Hij was mijn kleine wonder. Onze vrienden waren allemaal vol bewondering, maar zij hebben stuk voor stuk een inwonende oppas of een au pair. Ik kon er niet tegen om ook maar een moment van Josh gescheiden te zijn. Oliver probeerde me over te halen om een oppas te nemen, zodat ik tijd zou hebben voor mezelf, maar daar was ik nog niet aan toe. Ik wilde er zélf voor hem zijn.'

'Hoe reageerde Oliver op het vaderschap?'

'Fantastisch. Bij de geboorte kon hij zijn geluk niet op, en hij houdt zielsveel van Josh. Hij verschoonde zelfs wel eens zijn luier. Om je eerlijk de waarheid te zeggen is hij niet vaak thuis, en ik heb minder steun aan hem dan ik zou willen. Ogenschijnlijk steunde hij me in mijn beslissing om een fulltime moeder te zijn, maar ik denk dat hij het in zijn hart eens was met onze vrienden. In die eerste paar maanden liet hij me mijn gang gaan, in de hoop dat het alleen maar een fase was waar ik wel weer overheen zou komen. Dan zou ik mijn oude leven wel weer oppikken. Maar voor mij wás dit nu mijn leven.

Omdat niemand iets van mijn zwangerschap had geweten,'

ging ze verder, 'kreeg ik niet de traditionele kraamvisite. In plaats daarvan gaven we na de geboorte een feest. Er kwamen veel vrienden, allemaal met felicitaties en cadeautjes. De eerste vijf minuten riepen ze allemaal hoe schattig Joshua was, maar daarna verwachtte iedereen dat er een oppas zou verschijnen om hem mee te nemen, zodat we ongestoord een feestje konden bouwen. Dat was de normale gang van zaken. Achteraf gezien besef ik dat ik die dag al een aantal vrienden ben kwijtgeraakt. Ik hoorde er niet meer bij.'

'Wat bedoel je?' vroeg ik.

'De mensen met wie we omgingen waren allemaal rijk, beroemd of allebei. Over het algemeen draaide hun leven rond imago, feesten en publiciteit. Hun ego stond centraal. Kinderen hoorden die manier van leven niet te verstoren, vandaar de au pairs voor "het vuile werk". Het leek wel of kinderen in de weg zaten; ze mochten alleen af en toe opdraven ter meerdere eer en glorie van hun ouders. Ik had twee miskramen gehad voordat ik Josh kreeg. Toen hij er eenmaal was, werd hij voor mij de belangrijkste persoon op deze wereld. Wat ik zelf wilde of nodig had werd van ondergeschikt belang. Ik had eigenlijk nooit gezien dat er iets mis was met de manier waarop we allemaal leefden. Tot op dat moment.

Nu ik erop terugkijk, besef ik dat ik in de eerste zes maanden al aangevoeld moet hebben dat er iets niet klopte,' ging ze verder. 'Ik verslond allerlei babyboeken en tijdschriften, en keek verlangend uit naar de stapjes in zijn ontwikkeling. Maar zelfs toen hij al een paar maanden oud was, leek hij me niet te herkennen. Hij lachte wel, maar nooit bij het horen van mijn stem of als ik hem optilde. Ik had het vervelende gevoel dat ik het niet goed deed, dat hij me niet lief vond.'

'Zo te horen was het zó belangrijk voor je om het goed te doen dat je zocht naar dingen die níet goed gingen,' merkte ik op. 'Was er dan niemand die je gerust kon stellen?'

'Eigenlijk niet. Josh ontwikkelde geen regelmatig slaappatroon. Hij werd om het uur wakker, altijd krijsend, en hij hield niet op als ik hem uit zijn bedje haalde. Ik heb alles geprobeerd, hem zelfs laten huilen. Wat een treurnis; hij huilend in zijn wiegje, ik aan de andere kant van de deur huilend van frustratie. Op het consultatiebureau dachten ze dat ik overdreef. Er kwam iemand bij ons thuis, en ze zei dat ik ervoor moest zorgen dat hij een droge luier had, dat hij lekker lag en goed had gedronken, en dat ik hem dan in zijn bedje moest leggen, het licht uit moest doen en hem alleen moest laten. Het werkte niet. Niets werkte. Ik was totaal uitgeput. Het werd een gewoonte van me om overdag hazenslaapjes te doen, anders hield ik het niet vol.'

'Leila, mijn eerste kind, huilde ook heel veel,' zei ik in een poging om haar op te beuren. 'Het heeft wel drie maanden geduurd voordat ze een hele nacht doorsliep.'

'Toen Josh zes maanden was, was ik zeven kilo afgevallen, en probeerde ik op vaste voeding over te gaan. Zonder de borstvoeding zou hij dood zijn gegaan, want hij verdroeg niets anders. Het lukte pas na tien maanden. Wat een gevecht! En dat was niet het enige. Vanaf de dag dat hij geboren was, kreeg hij bergen knuffels en rammelaars en mobiles van ons. We hingen kleurige prenten in zijn kamer om hem te stimuleren. Ik las hem elke dag verhaaltjes voor, en ik reed met een speelgoedtreintje over het kleed. Hij had er geen enkele belangstelling voor, wilde speelgoed alleen maar in zijn mond steken. Ik begon me een mislukkeling te voelen, raakte ervan overtuigd dat ik iets verkeerd deed. Zijn gedrag leek abnormaal, al kon ik niet precies zeggen wat er mis was.'

'Wat zeiden je vrienden ervan?' vroeg ik.

'Dat is nog zoiets. Mijn vrienden zagen Josh als een normaal en gezond kind met een neurotische moeder. Zij lieten het grootbrengen van hun kinderen aan anderen over, dus viel het hun niet op als hun kind niet naar hen lachte of niet met hen wilde spelen. Ik was paranoia, zeiden ze, ik moest gewoon niet zeuren, een oppas nemen en tot rust komen. Ik zag bijna niemand meer, want Josh slokte al mijn tijd op. In plaats van steun aan te bieden, lieten mijn vrienden me aan mijn lot over. Ze vonden dat ik het zelf maar moest uitzoeken.'

'Je liep dus op je tandvlees, en je moest alles alleen doen?'

'Precies,' beaamde ze. 'Oliver had het druk met zijn film, en hij was veel in Zwitserland. Ik bleef in Chelsea omdat ik bang was dat het alleen maar erger zou worden als ik Josh uit zijn vertrouwde omgeving weghaalde. Oliver vloog in het weekend naar huis, of soms voor een dag door de week, om te zien hoe het met ons ging. Hij deed wat hij kon, en ik hield me altijd groot. Eigenlijk had ik hem gewoon elke dag nodig. Hij zag niet hoe moeilijk ik het had, of dat het bergafwaarts met me ging. Het vaderschap steeg hem naar het hoofd. Ik wist wel dat hij extravagant kon zijn, maar voor Josh' eerste Kerstmis ging hij wel erg ver. Hij kocht een appartement in Florida zodat Josh zo vaak als hij maar wilde naar Mickey Mouse kon gaan kijken!

Toen Josh zes maanden was,' vervolgde ze, 'haalde Oliver me over om samen uit eten te gaan. We regelden een oppas, maar Josh krijste en huilde de hele tijd. Het arme kind was helemaal over haar toeren, en ze wilde niet nog een keer oppassen. Op dat moment besefte ik dat mijn kansen om weer te gaan zingen verkeken waren. In elk geval voorlopig.'

'Had je helemaal geen tijd voor jezelf? Kon Josh niet naar een kinderdagverblijf of een peuterspeelzaal? Dan had je tenminste even je handen vrij.'

'Meteen nadat Josh was geboren, schreef Oliver hem in op een privéschool niet ver van ons huis. Het is een uitstekende school, en er is een peuterspeelzaal met prima faciliteiten. Ik ben er twee keer met Josh geweest. Elke keer liep hij meteen naar de speelgoedtelefoon en begon hij ermee te spelen. Hij vindt het leuk om de toetsen in te drukken, want dan lichten ze op. Het was zo'n opluchting om hem gewoon te zien spelen. De eerste keer heb ik hem na een halfuur alleen gelaten. Toen ik hem twee uur later weer kwam halen, was het een heel ander verhaal. De leidster vertelde dat Josh niet met de andere kinderen wilde spelen, en weigerde de telefoon te delen. Toen ze probeerde met hem te praten, was hij woedend gaan krijsen en schreeuwen en schoppen. Hij reageerde niet op zijn naam, zei ze. Ze vroeg of Josh het gewend was om met andere kinderen te spelen. Ik kon haar niet vertellen dat niemand meer met hem wilde spelen, en dat hij niet meer op partijtjes werd uitgenodigd vanwege zijn woedeaanvallen. Ze stelde voor dat ik er de volgende keer bij zou blijven, totdat hij eraan toe was om alleen gelaten te worden. Dat probeerde ik de volgende dag. Toen een meisje de telefoon pakte, werd hij kwaad en sloeg hij haar ermee. Vervolgens plaste hij in zijn broek, zomaar op de vloer. We zijn niet meer terug geweest. In augustus wordt hij vijf. Hoe moet het als hij naar een gewone school gaat? Ik ben ten einde raad.'

Het was duidelijk dat het Tamara niet meezat. Ze stond er alleen voor, speelde mooi weer tegenover anderen, ze verborg haar ware gevoelens en was bang dat ze de situatie niet meer aankon. Ze was een onzichtbare vrouw die hulp nodig had. Maar Josh was vier, bijna vijf. Had ze het al die jaren helemaal in haar eentje gedaan?

Ik dacht terug aan mijn jaren in Egypte, toen ik wanhopig mijn best deed om alles zo goed mogelijk te doen, terwijl ik wist dat het geen zin had. Op een gegeven moment was het zo erg dat Omar het eten dat ik had gemaakt op de grond smeet als hij het niet lekker vond en mij het dan liet oplikken. Dat heb ik nooit aan iemand verteld. Gelaten onderging ik zijn agressie en zijn klappen, en als ik de meisjes niet had gehad, zou ik daar nu waarschijnlijk nog steeds dezelfde strijd leveren. Ja, ik kon me levendig voorstellen hoe Tamara zich voelde.

'Vertel me eens over Josh,' schreef ik. 'Hoe je het tot nu toe hebt klaargespeeld.'

'Naarmate Josh groter werd, werden zijn woedeaanvallen heviger,' schreef ze terug. 'Ik geef je een voorbeeld. Op een gegeven moment ontdekte hij Olivers zaklantaarn, en zat hij urenlang met dat ding te spelen, knipte hij de lamp aan en uit, aan en uit, heel geconcentreerd. Als ik hem riep, reageerde hij niet, keek hij zelfs mijn kant niet op. Toen ik een keer probeerde om de zaklantaarn van hem af te pakken omdat we gingen eten, werd hij woedend op me, begon hij te krijsen en te schoppen. Nu zit hij nog steeds vaak in een hoekje op de vloer, en dan wiegt hij neuriënd heen en weer, alsof hij helemaal opgaat in zijn eigen wereldje. Hij praat nog steeds niet goed, kan nauwelijks zinnen vormen, en dat terwijl hij al vier is. In al die jaren heeft hij me nog niet één keer recht in de ogen gekeken en geglimlacht. En daar verlang ik naar, weet je, ik verlang ernaar dat hij me aankijkt, naar me lacht en zegt dat hij van me houdt.'

Toen ik dit had gelezen, kreeg ik opeens een ingeving. Het was alsof iemand het licht had aangedaan. 'Tamara,' typte ik snel, 'ga niet weg. Ik moet even bellen. Ik heb een idee.'

Tien minuten later was ik terug. 'Sorry, Tamara, daar ben ik weer. Ik denk dat er misschien een lichtpuntje is.'

'Wat bedoel je?' vroeg ze, duidelijk niet overtuigd. 'Dat kan helemaal niet. Sommige mensen zijn geboren moeders, andere niet, dat is toch duidelijk. Hoe graag ik ook in de eerste categorie zou willen vallen, ik begin me er zo langzamerhand bij neer te leggen dat ik een mislukkeling ben. Ik ben gewoon geen goede moeder.'

'Tamara, heb je ooit met iemand over Josh' problemen gepraat? Met Oliver, misschien, of met de huisarts?'

'Oli maakt het wel eens mee dat Josh een woedeaanval heeft,

het gebeurt zo vaak. Tot nu toe heb ik hem ervan kunnen overtuigen dat Josh moe is of in een slecht humeur. Oli is nooit lang thuis, weet je. Als hij zou weten dat Josh altijd zo is, zou hij beseffen dat ik een slechte moeder ben. Dat zou ik zo erg vinden. Wat de huisarts betreft, Josh gedraagt zich altijd voorbeeldig als we bij hem zijn. Hij vindt rekenmachines fascinerend, en de huisarts heeft een grote op zijn bureau staan. Daar zit hij dan heel zoet mee te spelen. Ik kan moeilijk bekennen dat hij thuis onmogelijk is terwijl hij zich op dat moment engelachtig gedraagt.'

Opgewonden schreef ik mijn reactie. 'Toch denk ik dat je dat moet doen. Zo te horen zou Josh wel eens autistisch kunnen zijn. Als je blijft proberen het allemaal in je eentje te doen, raak je steeds gefrustreerder. Je kunt hulp zoeken. En wat nog veel belangrijker is,' voegde ik eraan toe, 'zijn gedrag staat los van jouw kwaliteiten als moeder. Het gaat om hém, weet je, niet om jou. Jij hoeft jezelf echt geen verwijten te maken.'

Ongeduldig wachtte ik op haar reactie. Ik was ervan overtuigd dat ik de spijker op de kop had geslagen. Mijn vriendin Helen werkte met moeilijk opvoedbare kinderen, en ze had zelf een autistische zoon. Hoewel autisme per kind enorm kan verschillen, zette Josh' gedrag me aan het denken: zijn fixaties, het heen en weer wiegen, nooit oogcontact. Helen was het met me eens dat hij hoogstwaarschijnlijk autistisch was. Ik was dolblij. Er gloorde hoop aan de horizon.

Het duurde heel lang voordat Tamara antwoord gaf. 'Nee, Jacky. Je trekt de verkeerde conclusie. Ik wist niet precies wat autisme inhield, dus ik heb het net opgezocht. Als er nou één ding is waar ik zeker van ben, dan is het dat Josh niet achterlijk is. Ik moet ervandoor. We hebben later wel weer contact.'

Ze was duidelijk heel erg geschrokken van wat ik had gezegd. Ze geloofde me niet of, wat waarschijnlijker was, ze wílde me niet geloven. Het was nooit bij haar opgekomen dat er wel eens een goede reden zou kunnen zijn voor Josh' gedrag. Zij was ervan overtuigd dat het aan haar lag.

Ik was een beetje verbaasd over haar reactie. Zelf was ik zo opgewonden, en ik had min of meer verwacht dat ze een gat in de lucht zou springen van blijdschap. Maar hoe meer ik erover nadacht, des te beter ik het begreep. Aanvaarden dat ze niet verantwoordelijk was voor het gedrag van haar zoontje was tot daar aan toe, maar horen dat Josh niet volmaakt was ging te ver. Het was gewoon te veel om het te bevatten, dus wees ze mijn idee van de hand. Voorlopig.

Gevoelsmatig wist ik dat ik haar met rust moest laten zodat ze erover kon nadenken, maar ik wilde toch nog iets tegen haar zeggen. Ze was inmiddels niet meer online, dus stuurde ik haar een e-mail. 'Tamara, het feit dat Josh moeite heeft om zich in deze wereld staande te houden, betekent niet dat hij achterlijk is. Het betekent alleen dat hij hulp nodig heeft, en daar kun jij een begin mee maken. Ik zal zien wat ik aan de weet kan komen. Denk alsjeblieft nog een keer na over wat ik heb gezegd, wijs het niet zomaar van de hand. Praat erover met Oliver.' Toen bedacht ik nog iets. 'Autisme is geen schande, weet je.'

De rest van het weekend had ik het razend druk met boodschappen doen, schoonmaken, chauffeur spelen voor Adam en een diner voor acht personen. Het kwam niet vaak voor dat ik een hele zaterdagmiddag achter de computer zat, dus moest ik jachten om alles gedaan te krijgen. De week daarna hoorde ik niets van Tamara. Ik ging langs bij Helen, en ze gaf me allerlei praktische adviezen die ik door kon spelen aan Tamara als ze weer contact opnam.

'Wat je ook doet, probeer haar niet te overhaasten,' waarschuwde Helen. 'Zo te horen is de relatie tussen Tamara en haar man ingrijpend veranderd zodra ze ouders werden, en Tamara heeft de controversiële beslissing genomen om fulltime moeder te worden. Een kind dat extra zorg en aandacht nodig

247

heeft, zet hun relatie nog verder onder druk. Ik denk dat ze compleet overdonderd is.'

'Ik weet het,' zei ik. 'Ze ligt ongetwijfeld met haar emoties overhoop nu ik de knuppel in het hoenderhok heb gegooid. Ze doorloopt nu alle stadia: schrik en ongeloof, ontkenning – in die fase zit ze nu – dan boosheid en verwarring, en waarschijnlijk schuldgevoelens, angst en paniek. Pas als ze dat allemaal heeft gehad, kan ik erop aandringen dat ze hulp moet zoeken. Ik hoop echt dat ze het met Oliver bespreekt, dan staat ze er tenminste niet alleen voor.'

'Denk erom,' drong Helen aan toen ik wegging, 'zit haar niet op de huid. Laat haar contact opnemen met jou, hoe moeilijk je dat ook vindt. Dit moet ze echt alleen doen.'

Toen er nog een week verstreek zonder dat ik iets van Tamara hoorde, was ik half dol van frustratie. Elke dag zei ik tegen mezelf: Morgen hoor ik van haar. Maar er waren inmiddels zoveel dagen verstreken dat ik de hoop begon op te geven. Ik besloot haar nog een week de tijd te geven en dan zelf contact op te nemen, gewoon om dag te zeggen.

De volgende dag had ik een mailtje van haar. 'Jacky, ik ben vanavond om zes uur online. Ik hoop dat je tijd hebt om te chatten.'

Nou, en of! Om zes uur precies zat ik klaar achter mijn computer. Ze meldde zich vijf minuten later.

'Hoi, Jacky. Hoe is het?'

'Hallo, Tamara. Alles gaat goed. Fijn om van je te horen. Hoe voel je je?'

'Beter. We hebben belangrijk nieuws.'

'We?'

'Ja, Oliver, Josh en ik.'

Ik was opgelucht. Kennelijk had Tamara met Oliver gepraat. Dapper van haar. Ze zouden samen proberen de problemen het hoofd te bieden, en dat was een stap in de goede richting.

'Klinkt goed, Tamara,' zei ik. 'Dus je hebt er met Oliver over gepraat?'

'Ja. Ik moet je eerlijk bekennen dat ik geschokt was toen jij opperde dat Josh wel eens autistisch zou kunnen zijn. Ik kon het niet geloven; nee, in eerste instantie weigerde ik pertinent het te geloven. Toch bleef het aan me knagen, het idee spookte de hele tijd door mijn hoofd. Het lukte niet om het van me af te zetten, en toen werd ik kwaad. Het spijt me dat ik het moet zeggen, maar ik richtte al mijn boosheid op jou, Jacky. Ik was woedend, pisnijdig dat jij had durven beweren dat er iets aan mijn zoon mankeerde. Het werd een soort bom in mijn binnenste, en toen Oliver voor het weekend thuiskwam en Josh zich niet omdraaide toen hij hem riep, besloot ik dat ik de waarheid niet langer kon verbergen.'

Ik slaakte een zucht van verlichting. 'Goed gedaan, Tamara.'

'Ik was wanhopig,' ging ze verder. 'Toen mijn boosheid eenmaal was bekoeld, voelde ik me opeens in de war en hulpeloos. En vooral heel erg alleen. Compleet onzichtbaar. Ik had het harder nodig dan ooit om er met iemand over te praten. Ik had behoefte aan begrip, aan iemand die mijn hand vasthield en tegen me zei dat ik niet gek was en dat het allemaal goed zou komen. Ik ben er met Oliver voor gaan zitten, allebei met een groot glas rode wijn. En ik heb hem het hele verhaal over Josh verteld. De echte Josh. Onze zoon.'

'Hoe reageerde hij?'

'Het was heel raar, hij was eigenlijk helemaal niet verbaasd. Sterker nog, toen ik hem echt alles had verteld, was hij bijna opgelucht. En toen ik hem vertelde dat Josh volgens jou misschien autistisch was, leefde hij op en werd hij optimistisch. Is het niet fantastisch?'

'Ja!' zei ik. 'Alleen wilde ik dat je er eerder met hem over had gepraat.'

'Dat zei Oli nou ook. Hij heeft altijd het gevoel gehad dat ik

Josh voor mezelf wilde hebben en hem op afstand hield. Maar dat was het helemaal niet. Ik wilde mezelf niet belachelijk maken door hem te laten merken dat ik een mislukkeling was en niet goed met Josh omging.'

'En daar heb je zelf de wrange vruchten van geplukt.'

'Ik heb mijn lesje geleerd. Het maakte me bang om te beseffen dat er iets niet goed was met Josh, maar geleidelijk legde ik me erbij neer dat professionele hulp een uitkomst zou kunnen zijn.'

'Bravo!'

'We hebben het druk gehad sinds wij elkaar de laatste keer hebben gesproken,' vertelde ze. 'Josh is onderzocht, en hij blijkt inderdaad autistisch te zijn. Het maakt het op de een of andere manier makkelijker voor me nu de symptomen door specialisten zijn herkend. Oliver heeft veel tijd gestoken in het uitzoeken van allerlei voorzieningen. Voor mij is het een beetje veel allemaal. Ik heb mijn handen vol aan Josh. Oliver is nog steeds vaak weg, maar in gedachten is hij bij me. Hij belt me elke dag om te vragen hoe het gaat en me gerust te stellen dat ik het goed doe. Je had gelijk, Jacky. Misschien is het minder erg dan ik eerst dacht.'

'Blij dat je het met me eens bent. Ik ben trots op je dat je het hebt aangedurfd om Oliver erbij te betrekken. Beter had je niet kunnen doen.'

'Het was het énige dat ik kon doen,' luidde haar reactie.

In de maanden daarna kwamen Tamara en Oliver in een andere wereld terecht. Een wereld waarin hun kind en de speciale zorg die hij nodig had centraal stonden. Een wereld waarin niets zeker was, niets gegarandeerd, niets beloofd. Josh ging niet naar de privéschool, maar naar een openbare school voor kinderen met leer- en opvoedingsproblemen. Het speciaal opgeleide personeel was enorm betrokken, ze boden steun, en zorgden voor een strikte routine in Josh' leven. Een onbekende wereld voor Tamara en Oliver. Stukje bij beetje leerden ze de denkwereld van hun zoon kennen, en tegelijkertijd raakten ze vertrouwd met alle mogelijkheden voor opvang en hulp. Ze sloten zich aan bij een plaatselijke praatgroep en leerden mensen kennen met vergelijkbare angsten en gevoelens van hulpeloosheid.

Tamara hield me wekelijks op de hoogte; op vrijdagochtend om halfelf 'kwamen we bij elkaar op de koffie'. We zaten dan allebei zoals gewoonlijk achter de computer, maar met een kop koffie en een koekje erbij. We noemden het onze koffiepauze. Na verloop van tijd zag ik steeds minder van de oude, wanhopige Tamara. Er dook een nieuwe Tamara op; een vrouw met hoop in haar hart en enthousiasme voor de toekomst.

'Het is zo bemoedigend om te horen dat andere ouders met vergelijkbare problemen worstelen,' zei Tamara op een vrijdag. 'Sommigen zijn door de hel gegaan. Ik dacht dat ik de enige moeder op de wereld was met een zoon zoals Josh, maar er zijn in Engeland een half miljoen mensen met autisme. Wist je dat?'

'Ik dacht wel dat het er veel zouden zijn,' zei ik. 'Er is door het hele land een enorm ondersteunend netwerk. Je zou niet zo gemakkelijk hulp kunnen krijgen voor Josh als het om niet meer dan een paar gevallen ging.'

'Oliver en ik hebben ook besloten dat we in therapie gaan,' vervolgde ze. 'Niet meer dan een keer in de maand, maar in combinatie met de praatgroep komen we een heel eind.'

'Het lijkt wel of je er lol in hebt,' merkte ik op.

'Hoe meer we leren, des te meer willen we weten,' antwoordde ze. 'Het is zo fascinerend. Autistische kinderen worden geboren met onderontwikkelde kleine hersenen en een haperend limbisch systeem. Daarom leek het alsof Josh op een andere planeet was. Hij trok zich terug in zijn eigen wereld. We leren nu hoe we hem daaruit weg kunnen halen, zodat hij in "onze" wereld komt. Als hij zich helemaal terugtrekt, bestaat er een kans dat andere delen van zijn hersenen zich ook niet goed ontwikkelen.'

'Hoe reageert Josh?'

'Opvallend goed. En dat allemaal dankzij jou, Jacky.'

'Dankzij mij? Wat heb ik gedaan? Jíj bent juist degene die een enorme ontwikkeling doormaakt. Ik herken je nauwelijks, Tamara.'

'Je hebt gelijk,' erkende ze. 'Ik ben veranderd. Ik voel me sterker, ik glimlach vaker, ik zie er zelfs anders uit. Ik verwaarloosde mezelf behoorlijk, moet ik bekennen. En als jij me geen "luisterend oor" had geboden, zou ik nu nog steeds een slonzige, wanhopige huisvrouw zijn en afkoersen op een tragedie. Jij hebt me de ogen geopend, en me ervan bewust gemaakt dat het niet allemaal aan mijn tekortkomingen lag. Jij hebt me op autisme geattendeerd. Ik durf zelfs te zeggen dat Josh zijn leven aan jou te danken heeft. Het schijnt dat een vroege diagnose van cruciaal belang is. Hoe eerder autisme wordt ontdekt, des te beter is de prognose. We kunnen nu aan Josh' vaardigheden gaan werken – taal, motoriek, visueel – en proberen hem sociaal en intellectueel te stimuleren, allemaal omdat we ons nu bewust zijn van zijn beperkingen.'

'Klinkt goed,' zei ik. 'Josh wordt trouwens volgende week vijf. Gaan jullie het vieren?'

'Hij geeft een partijtje. Er komen zes kinderen, allemaal met verschillende gedragsstoornissen. En ik zie er helemaal niet tegenop. De ouders van de andere kinderen op zijn school zijn schatten, en ik heb een paar goede vrienden gemaakt. Soms denk ik terug aan mijn vrienden van vroeger, en ik weet wel wie ik liever heb. Nu dringt het tot me door hoe oppervlakkig mijn vroegere vrienden waren. Hun vriendschap was net zo oppervlakkig. Geef mij maar de mensen die écht om anderen geven.'

Tamara besefte niet dat ze nog maar een paar jaar geleden zelf een van die oppervlakkige mensen was geweest, en dat ze zichzelf toen gelukkig had geprezen. Onwetendheid maakt gelukzalig, dacht ik bij mezelf. Ik vond de nieuwe Tamara leuk. Ze vertelde met aanstekelijk enthousiasme over Josh' vorderingen. 'Josh heeft nu logopedie en bezigheidstherapie, en zijn spraak gaat met sprongen vooruit. Had ik maar geweten hoe gevaarlijk het was om Josh in een hoekje te laten zitten. Je moet autistische kinderen betrokken houden bij de wereld. Hij wiegde heen en weer om zich af te sluiten. Dat is trouwens ook de reden waarom hij zo krijste. Hij wist wat hij wilde zeggen, en raakte dan zo gefrustreerd omdat het niet lukte dat hij alleen nog maar kon schreeuwen.'

'Hoe is hij nu thuis?' vroeg ik.

'Duizend keer beter, en allemaal omdat we hem elke dag beter gaan begrijpen. Het is niet zo dat alles opeens bij toverslag verandert; we moeten letterlijk alles aftasten. We hebben bijvoorbeeld ontdekt dat hij een vreselijke hekel heeft aan het tl-licht in de keuken. We hebben speciale spotjes met dimmers laten aanleggen, en nu zit hij rustig samen met ons aan tafel. Ook met eten gaat het steeds beter. Als ik hem iets geef wat hij niet lekker vindt, zeg ik dat hij er een paar hapjes van moet nemen en dat hij daarna bonen in tomatensaus krijgt. Daar is hij dol op. En het werkt.'

Tamara had haar leven weer op de rails. In de kerstvakantie gingen ze met Josh naar Florida, en ze kwamen blij en ontspannen terug. Tamara liet haar impresario weten dat ze weer beschikbaar was en deed een paar recitals.

'Josh kan prachtig zingen. Hij heeft de stem van een engel,' vertelde ze me op een dag. 'Hij zingt heel zuiver, en hij kan een melodie al neuriën nadat hij die een keer heeft gehoord. Hij geniet ervan als ik oefen, en we zijn vaak samen als ik een partij instudeer.'

Het was duidelijk dat Tamara het inmiddels fijn vond om

met Josh samen te zijn, en dat ze van hem hield zoals hij was. Ze was volmaakt gelukkig met haar lot.

Wat mezelf betreft, ik besloot het schrijven eraan te geven en me erop te richten om gelukkig te zijn met het mijne.

Een jaar later hoorde ik weer van Tamara, en ze barstte van opwinding. 'Hoi, Jacky, ben je er? Ik móet het je vertellen.'

'Hallo, Tamara! Wat moet je me vertellen?'

'We zijn in verwachting!' zei ze. 'Vijf maanden nu, en ik voel me fantastisch.'

'Gefeliciteerd,' zei ik, dolblij voor haar. 'Wat vindt Josh ervan?'

'Het dringt waarschijnlijk pas echt tot hem door als ze er is,' antwoordde Tamara. 'Maar we praten er veel over. We hebben haar al een naam gegeven, dan kan hij eraan wennen.'

Ik kon haar niet volgen. 'Een naam? Haar?'

'Ik heb gisteren een echo gehad, en het is een meisje. Is het niet geweldig? Harriet. Wat vind je ervan? Wij vinden het allebei een mooie naam.'

Harriet werd twee dagen te laat geboren. Tamara liet het me zo snel mogelijk weten. 'Dit keer ben ik alert,' zei ze. 'Als er iets mis is met Harriet, weet ik het snel genoeg.'

Ik bewonderde haar doorzettingsvermogen en innerlijke kracht. Het was nauwelijks te bevatten dat ze ooit zo kwetsbaar was geweest. Nu was ze voorbereid op alles wat de toekomst voor haar in petto had.

'Voorlopig huilt ze als ze honger heeft en wordt ze stil als ik haar de borst geef. Volgens mij is dat volkomen normaal,' zei ze.

'Hoe zou je Josh nu beschrijven?' vroeg ik losjes.

'Zoals altijd,' antwoordde ze zonder aarzelen. 'Josh is geweldig.'

Verantwoording

God zegene alle moedige vrouwen die de grote stap hebben gezet om hun mond open te doen, en mij onbaatzuchtig hun verhaal hebben verteld. Laten we hopen dat we anderen kunnen helpen om hetzelfde te doen.

Een heel erg dikke pakkerd voor mijn vriend en mentor, Clifford Thurlow. Je hebt me geleerd om met gevoel en stijl te schrijven. Je hebt me het zelfvertrouwen gegeven om het alleen te doen, en een stap terug gedaan om mij zelfstandig te laten werken. Daarvoor bedank ik je uit de grond van mijn hart.

Tot slot bedank ik mijn gezin voor hun steun tijdens het schrijven van dit boek. Het is een zware reis geweest, met veel vallen en opstaan, maar het was elke traan dubbel en dwars waard. Ik ben er enorm trots op dat ik deze hartverscheurende verhalen heb opgetekend, waarmee ik wil laten zien dat dit soort dingen overal om ons heen gebeuren, elke dag weer. Misschien dat we nu onze ogen kunnen openen.